D0314623

Gallmeister

CRAIG JOHNSON est né en 1961 dans une petite ville du Midwest. Après ses études, il est devenu pêcheur professionnel, charpentier, cow-boy... et a même fait quelques incursions dans le monde du rodéo. Il a également enseigné à l'université et fait un temps partie de la police de New York avant de se consacrer pleinement à l'écriture. *Little Bird*, premier volet de la saga mettant en scène le shérif Walt Longmire, a reçu en France le Prix du roman noir 2010 du *Nouvel Observateur*. Craig Johnson vit aujourd'hui dans un ranch au pied des Bighorn Mountains, dans le Wyoming.

Enfants de poussière

Les habitués le savent : il faut toujours se méfier du Wyoming de Craig Johnson. Le temps y tourne vite et peut transformer le lumineux décor des hautes plaines de la nation cheyenne en un obscur et inquiétant théâtre des ombres. Somptueux.

LE FIGARO MAGAZINE

Respiration lente, bouffées d'un passé qui ne passe pas, fantômes du Vietnam et d'une guerre impossible. De plus, la traduction est excellente.

LE NOUVEL OBSERVATEUR

Alternant les époques et les énigmes, Johnson signe un thriller remarquable dans un Wyoming rempli de revenants.

LIRE

Enfants de poussière se situe entre le hautement recommandable et l'absolument indispensable. [...] C'est un régal !

RTL

enfants de poussière

totem

craig johnson
enfants de poussière

Traduit de l'américain
par Sophie Aslanides

Gallmeister

Titre original : *Another Man's Moccasins*

Copyright © 2008 by Craig Johnson
All rights reserved

© Éditions Gallmeister, 2012, pour la traduction française
© Éditions Gallmeister, 2014, pour la présente édition

ISBN 978-2-35178-536-2
ISSN 2105-4681
totem n°36

Conception graphique de la couverture : Valérie Renaud
Illustration de couverture © Digital-Clipart/Shutterstock.com

À Bill Bower et à tous ces fous furieux qui ont décollé de l'USS Hornet *pour s'envoler dans les cieux gris et froids en ce matin du 18 avril 1942 – à tous ceux qui ont effectué un salut avant et après.*

Grand Esprit, garde-moi de critiquer mon voisin
tant que je n'ai pas marché une heure durant dans ses mocassins.

VIEILLE PRIÈRE INDIENNE

Afin de rester fidèle au texte original, la traductrice a choisi de conserver les noms des personnages indiens. L'auteur ayant parfois fondé des jeux de mots sur ces noms, il paraît cependant utile d'en fournir au lecteur une traduction approximative. Dans l'ordre d'apparition dans le texte :

Henry Standing Bear : Henry Ours Debout
Kicked-in-the-Belly : Coup de Pied dans le Ventre
Bad War Honors : Déshonneurs Guerriers
Young White Buffalo : Jeune Bison Blanc
Crazy Dogs : Chiens Fous
Crooked Staff : Bâtons Noueux
Virgil White Buffalo : Virgil Bison Blanc
Dull Knife : Couteau Émoussé
Lonnie Little Bird : Lonnie Petit Oiseau

1

— Encore deux.

Cady me regarda sans rien dire.

C'était la même phrase depuis une semaine. Nous avions atteint un plateau, et elle était satisfaite des progrès qu'elle avait accomplis. Pas moi. Le kinésithérapeute de l'hôpital de l'université de Pennsylvanie, à Philadelphie, m'avait prévenu que cela pouvait arriver. La raison n'était pas que ma fille était faible ou paresseuse ; c'était bien pire que cela, elle s'ennuyait.

— Encore deux...

— J'ai entendu... (Elle tira sur son short, évitant soigneusement mon regard.) Ta voix porte loin.

Je calai un coude sur mon genou, le menton sur mon poing, pris mes aises sur le banc de musculation et jetai un coup d'œil autour de nous. Personne d'autre. Sauf un gamin vêtu d'un T-shirt avec le logo du Durant Quarterback Club qui essayait de donner du relief à ses soixante-cinq kilos sur une des machines Universal. Je ne voyais pas bien pourquoi il était monté ici – il n'y avait aucun écran de télé, et le matériel n'était pas aussi sophistiqué que celui de la salle principale, en bas. Je comprenais le fonctionnement de toutes les machines à cet étage – aucune d'entre elles n'était électrique –, mais sa présence m'intriguait. Peut-être était-il là à cause de Cady.

— Encore deux.

— Va te faire voir.

Le gamin rit sous cape et je me tournai vers lui. Je revins à ma fille. C'était une bonne chose ; parfois, la colère lui faisait terminer la séance, même si cela me coûtait le plaisir de la conversation pendant toute la soirée qui suivait. Mais ce soir, peu importait, car elle sortait dîner, puis elle devait rentrer pour un important rendez-vous téléphonique. Moi, je n'avais rien de prévu. J'avais tout le temps du monde.

Elle avait coupé court ses cheveux auburn pour rendre plus discret l'endroit où ils avaient effectué l'incision en U qui avait permis à son cerveau traumatisé de survivre. Seule une petite cicatrice était visible à la racine des cheveux. Elle était belle, et le plus casse-pieds là-dedans, c'était qu'elle le savait.

Cela lui permettait d'obtenir à peu près tout ce qu'elle voulait. La beauté, c'est le télépéage de la vie. Moi, j'avais la chance de pouvoir emprunter la bande d'arrêt d'urgence.

— Encore deux.

Elle attrapa sa bouteille d'eau, la pressa pour en faire sortir une gorgée et posa son regard froid sur moi. Nous restâmes là, à nous fixer, tous les deux vêtus de gris. Elle tendit la main et attrapa l'encolure de mon T-shirt du bout de son index pour la tirer sur le côté. Son ongle suivit le contour de ma clavicule.

— Et celle-ci ?

Ce n'était pas parce qu'elle était belle qu'elle n'était pas intelligente. La diversion était une autre de ses tactiques favorites. J'avais assez de cicatrices pour distraire la première division de marines au grand complet. Elle connaissait l'existence de celle-ci et l'avait vue de multiples fois. Sa question était symptomatique de la perte de mémoire dont avait parlé le Dr Rissman.

Elle continua à tapoter mon épaule du bout de son doigt.

— Et celle-ci ?

— Encore deux.

— Et celle-ci ?

Cady ne renonçait jamais.

C'était un truc de famille et, dans notre minuscule famille, les histoires se bâtissaient et sur des choix créatifs, des négociations mêlant l'esthétique de la révélation et la dynamique de l'émotion, alors je lui répondis.

— Têt.

Elle posa sa bouteille d'eau sur le sol recouvert d'un tapis en caoutchouc.

— Quand ?

— Avant ta naissance.

Elle baissa la tête et me regarda, les paupières mi-closes, une fossette creusée en un demi-sourire.

— Il s'est passé des choses avant ma naissance ?

— Ben, en fait, rien de très important.

Elle prit une grande inspiration, saisit les bords du banc et concentra tous ses efforts pour lever la barre chargée à quinze kilos avec ses jambes. Lentement, les poids montèrent jusqu'à la limite horizontale, puis ils redescendirent tout aussi lentement. Au bout d'un moment, elle retrouva sa respiration :

— Tu étais enquêteur dans les marines, c'est ça ?

Je hochai la tête.

— Ouaip.

— Pourquoi les marines ?

— C'était le Vietnam et j'allais être enrôlé de toute façon. C'était par choix.

J'étais constamment soufflé de constater ce que son cerveau lésé choisissait de se rappeler.

— C'était comment, le Vietnam ?

— Troublant, mais ça m'a donné l'occasion de rencontrer Martha Raye, l'actrice.

Elle ne se contenta pas de ma réponse, elle continua à observer ma cicatrice.

— Tu n'as pas de tatouages.

— Non.

Je soupirai, juste pour lui signaler que sa tactique ne fonctionnait pas.

— Moi, j'ai un tatouage.

— Tu en as deux.

Je me raclai la gorge, histoire de signifier que la conversation était terminée. Elle remonta la courte manche de son T-shirt Philadelphia City Sports pour découvrir le dessin décoloré de la tortue cheyenne qui était sur son épaule. Elle ne se souvenait probablement plus qu'elle avait tenté de se le faire enlever ; c'était une idée de l'ex-petit ami, bien avant l'accident.

— L'autre est sur ta fesse, mais on n'a pas besoin de le chercher maintenant, tout de suite.

Le gamin rit sous cape à nouveau. Je me tournai et le regardai fixement, avec un peu plus d'insistance, cette fois-ci.

— L'Ours était au Vietnam avec toi, n'est-ce pas ?

Lorsque je la regardai, je la vis sourire. Toutes les femmes de ma vie souriaient lorsqu'elles parlaient de Henry Standing Bear. C'était un peu agaçant, mais Henry était mon meilleur ami, mon ami de toujours, alors je l'acceptais. Il possédait le Red Pony, un bar à la lisière de la réserve des Cheyennes du Nord, à moins de deux kilomètres de ma maison, et c'était lui qui emmenait Cady dîner. Ma fille et lui étaient très complices. Ils étaient complices en gros depuis qu'elle était née.

— Henry avait été enrôlé, dans le groupe d'opérations spéciales ; nous ne servions pas ensemble.

— Il était comment, en ce temps-là ?

Je réfléchis un instant.

— Il s'est adouci, un peu.

C'était effrayant, comme idée.

— Encore deux ?

Ses yeux gris lancèrent des éclairs.

— Encore *un*.

Je souris.

— Encore un.

Les fines mains de Cady saisirent à nouveau les côtés du banc, et je contemplai les jambes tendues qui se levaient à nouveau, puis redescendaient les quinze kilos. J'attendis un moment avant d'avancer d'un pas lourd pour déposer un baiser sur la cicatrice en forme de fer à cheval et l'aider à se mettre debout. Elle se rétablissait de manière fantastique, essentiellement grâce à sa condition physique exceptionnelle et à son jeune âge, mais les séances lui coûtaient beaucoup et elle était généralement un peu mal assurée lorsque nous finissions.

Je la tins par la main, ramassai la bouteille d'eau et essayai de ne pas m'attarder sur le fait que ma fille était, il y a encore deux mois, une avocate brillante et prometteuse à Philly, et que maintenant, elle était dans le Wyoming et tentait de se souvenir qu'elle avait des tatouages et de réapprendre à marcher sans aide.

Nous avançâmes vers l'escalier pour nous rendre aux douches, au rez-de-chaussée. Lorsque nous passâmes à côté du gamin installé à sa machine, il regarda Cady d'un air admiratif, puis se tourna vers moi :

— Hé, shérif ?

Je m'arrêtai un instant et tins le bras de Cady tout contre le mien.

— Ouaip ?

— J.P. a dit qu'un jour vous avez monté six plaques en développé-couché.

Je ne le quittai pas des yeux.

— Quoi ?

Il tendit un bras vers les plaques de fonte posées sur le râtelier contre le mur.

— Jerry Pilch. Le coach de foot. Il a dit que pendant votre dernière année, avant de partir pour USC, vous avez soulevé six plaques en développé-couché. (Il me regardait avec de grands yeux.) Ça fait plus de cent cinquante kilos.

— Ouais, bon… dis-je en lui faisant un clin d'œil. Jerry a toujours eu tendance à exagérer un peu.

— Je me disais aussi.

J'adressai un dernier hochement de tête au gamin et aidai Cady à descendre les marches. C'était huit plaques, en fait, mais cela faisait un bon bout de temps.

Ma douche était moins compliquée à prendre que celle de Cady, alors j'étais généralement sorti avant elle et j'attendais sur le banc à côté du pont sur Clear Creek. Je posai mon chapeau d'été en fibre de palme sur ma tête, glissai mes Ray-Ban vieilles de dix ans sur mon nez et remontai la bandoulière du sac de sport sur mon épaule pour qu'elle ne m'enfonce pas l'étoile de shérif dans la poitrine. J'ouvris la porte en verre et fus accueilli par l'éclat glorieux d'une fin d'après-midi d'été dans les Hautes Plaines. C'était la saison des vacances, on approchait du week-end du rodéo et les rues grouillaient de gens venus d'ailleurs.

Je pris à gauche et avançai vers le pont et le banc. Je m'assis à côté du grand homme à la queue-de-cheval et posai le sac de sport entre nous.

— Comment se fait-il que je n'aie pas été invité à dîner ?

La Nation Cheyenne garda la tête en arrière, les yeux fermés, le visage offert aux derniers rayons du chaud soleil de l'après-midi.

— Nous en avons déjà parlé.

— On est samedi, et je n'ai rien de prévu.

— Tu vas trouver quelque chose.

Il prit une grande inspiration, le seul signe qui montrait qu'il n'était pas de bois, et qu'il n'avait rien d'un présentoir à cigares.

— Où est Vic ?

— Requalification des armes à feu à Douglas.

— Bon sang.

Je pensai à mon effrayante adjointe originaire de Philadelphie, au fait qu'elle pouvait tirer, boire et jurer davantage que tous les flics que je connaissais, et au fait qu'elle représentait en ce moment même notre comté à l'Académie de police du Wyoming.

— Ouaip, c'est pas le bon week-end pour se rendre à Douglas.

Il hocha la tête, presque imperceptiblement.

— Comment ça va, de ce côté-là ?

Il me fallut un moment pour comprendre ce qu'il pouvait bien entendre par "de ce côté-là".

— Je ne sais pas très bien.

Il leva une paupière et m'observa d'un regard myope.

— On dirait que nous avons du mal à être synchrones.

La paupière se referma, et nous restâmes là, muets, tandis qu'un ange passait.

— Où allez-vous dîner ?

— Je ne te le dirai pas.

— Allez…

Son visage resta impassible.

— Nous en avons déjà parlé.

Effectivement, c'était vrai. L'Ours avait exprimé l'opinion que, pour notre santé mentale à tous les deux, il vaudrait peut-être mieux que Cady et moi ne passions pas toutes nos heures de veille en compagnie l'un de l'autre. C'était difficile, mais j'allais devoir la laisser quitter mon champ de vision à un moment donné.

— Ici, ou à Sheridan ?

— Je ne te le dirai pas.

Je fus surpris par le flash d'un appareil photo et me tournai à temps pour voir une femme venue d'ailleurs sourire et continuer à marcher sur le trottoir en direction du Busy Bee Café, où j'irais probablement manger, seul. Je me retournai vers le profil saisissant de Henry Standing Bear.

— Tu devrais t'asseoir à côté de moi plus souvent ; je suis photogénique.

— Ils prenaient plus de photos avant que tu n'arrives.

J'ignorai sa remarque.

— Elle est allergique aux prunes.

— Oui.

— Je ne suis pas certain qu'elle s'en souvienne.

— Moi si.

— Pas d'alcool.

— Oui.

Je repensai à ce conseil et décidai de tout avouer.

— Je l'ai laissée boire un verre de vin le week-end dernier.

— Je sais.

Je me tournai et le regardai.

— Elle t'a dit ?

— Oui.

Complices. J'avais l'intuition jalouse que l'Ours était plus performant pour nous ramener Cady que je ne l'étais.

Je tendis les jambes et croisai les chevilles ; mes bottes manquaient toujours cruellement d'attention. J'ajustai mon ceinturon de manière que le chien de mon .45 ne me perfore pas le flanc.

— Ça tient toujours le truc du Rotary, vendredi ?

— Oui.

Le Rotary sponsorisait un débat entre le procureur Kyle Straub et moi ; nous étions les deux candidats au poste de shérif du comté d'Absaroka. Après cinq mandats et vingt-quatre années de service, j'étais généralement assez bon dans les débats, mais j'avais le sentiment qu'un peu de soutien purement local pourrait être le bienvenu et j'avais demandé à Henry de venir.

— Prends-le comme un service rendu à la communauté. La plupart des membres du Rotary Club n'ont jamais rencontré d'Amérindien.

Cela lui fit ouvrir l'œil à nouveau, et il se tourna vers moi.

— Voudrais-tu que je mette une plume ?

— Non, je me contenterai de te présenter comme un Peau-Rouge.

Cady posa une main sur mon épaule et se pencha pour que la Nation Cheyenne dépose un baiser sur sa joue. Elle portait un jean, un débardeur et, par-dessus, pour mon plus grand plaisir, la veste en cuir avec des franges et des coquillages que je lui avais achetée des années auparavant. Il pouvait faire un peu frais les soirs de juillet sur les contreforts des Bighorn Mountains.

Elle rabattit le chapeau sur ma tête et posa son sac de sport par-dessus le mien. Elle se tourna vers Henry.

— Prêt ?

Il ouvrit son deuxième œil.

— Prêt.

Il se leva sans le moindre effort, et je me dis que si je glissais ma question rapidement, j'obtiendrais peut-être une réponse.

— Vous allez où ?

Elle sourit tandis que l'Ours contournait le banc pour la prendre par le coude.

— Je n'ai pas le droit de te le dire.

L'objet de la convoitise amoureuse de Cady, le plus jeune frère de Vic, était censé arriver en avion de Philadelphie mardi pour des vacances au Far West. Je n'avais toujours pas obtenu de réponse claire à la question de savoir où et chez qui il allait séjourner.

— N'oublie pas que Michael va appeler.

Elle hocha la tête tandis qu'ils passaient devant moi, puis elle marqua une pause pour soulever mon chapeau et déposer un baiser au sommet de ma tête.

— Je sais quand il va appeler, Papa. Je serai rentrée bien avant.

Et elle rabattit mon chapeau, très fort, très bas.

Je le remis en place et les suivis des yeux alors qu'ils traversaient la rue. Henry aida Cady à monter dans Lola, son cabriolet Thunderbird bleu ciel de 1959. Les dégâts que j'avais causés à la voiture de collection étaient totalement invisibles grâce aux talents des carrossiers de South Philly. Je regardai le soleil du Wyoming caresser les ailes de la belle Ford. J'espérai un instant qu'ils ne parviendraient pas à partir lorsque j'entendis le starter qui continuait à grincer, mais le vieux moteur Y-block démarra et un petit panache de carbone se déroula au-dessus de l'asphalte. L'Ours enclencha une vitesse et ils disparurent.

Comme toujours, j'avais les sacs de sport et il avait la fille.

Je réfléchis à mes options. Le burrito emballé dans du plastique de chez Kum-and-Go, les poivrons farcis de la maison de retraite de Durant, une tourte de la kitchenette de la prison, ou le Busy Bee Café. Je ramassai ma collection de sacs et hâtai le pas sur le pont qui enjambait Clear Creek, avant que Dorothy Caldwell ne change d'avis et ne retourne la pancarte écrite à la main accrochée à sa porte.

— Pas le menu habituel ?

— Non.

Elle me servit un thé glacé et me regarda, le poing sur la hanche.

— Tu ne l'as pas aimé, la dernière fois ?

Je tentai de me rappeler, mais renonçai.

— Je ne me souviens pas de ce que c'était, la dernière fois.

— L'état de Cady serait-il contagieux ?

J'ignorai son commentaire et entrepris de choisir mon plat.

— Je suis d'humeur expérimentale. Est-ce que tu proposes toujours ton menu Cuisines du monde le week-end ?

C'était une tentative de sa part pour élargir les horizons culinaires des habitants de notre petit coin des Hautes Plaines.

— Oui.

— Et nous sommes dans quelle région du monde ?

— Au Vietnam.

Il ne me fallut pas longtemps pour répondre.

— Je passe.

— C'est vraiment bon.

Je croisai les doigts et posai mes coudes sur le comptoir.

— Qu'est-ce que c'est ?

— Poulet à la citronnelle.

Elle ne me quittait pas des yeux.

— Le plat de Henry ?

— C'est lui qui m'a donné la recette, en tout cas.

Sous l'effet de son regard appuyé, je cédai.

— D'accord.

Elle commença à s'affairer à la préparation de mon dîner, et je sirotai mon thé. Je jetai un coup d'œil vers les cinq autres clients qui se trouvaient dans l'accueillant café, mais je ne reconnus personne. Regarder Cady faire ses exercices avait dû me donner soif ; un tiers du verre descendit en deux gorgées. Je le reposai sur le formica et Dorothy le remplit immédiatement.

— Tu n'en parles pas beaucoup.

— De quoi ?

— De la guerre.

Je hochai la tête tandis qu'elle posait le pichet en plastique de couleur ambrée sur le comptoir à côté de moi. Je tournai le verre sur la marque circulaire que la condensation avait laissée.

— C'est drôle, mais le sujet a été abordé cet après-midi, un peu plus tôt.

Je vis ses yeux derrière la frange de cheveux gris.

— Cady m'a interrogé sur la cicatrice que j'avais sur la clavicule, celle du Têt.

Elle hocha imperceptiblement la tête.

— Elle l'a sûrement déjà vue auparavant ?

— Ouaip.

Dorothy prit une grande inspiration.

— Ça va aller, elle progresse chaque jour un peu plus. (Elle tendit la main et serra mon épaule juste à l'endroit de ladite cicatrice.) Mais, fais attention…

Elle paraissait soucieuse. Je levai les yeux.

— Pourquoi ?

— Les réminiscences de ce genre vont souvent par trois.

Je la regardai saisir le pichet de thé glacé et aller resservir certains des autres clients. Je pensai au Vietnam, à l'odeur, à la chaleur et aux morts.

Tan Son Nhut, Vietnam : 1967

J'étais arrivé par le même vol qu'eux.

Un SP 4 à bord de l'hélico m'avait demandé où j'allais et m'avait regardé réprimer ma nausée devant les morts qui étaient entassés dans la cabine du Huey. Je n'étais pas malade à cause des corps. J'en avais déjà vu beaucoup dans ma vie. Je n'aimais pas les hélicos. Les hommes s'étaient trouvés dans un hélicoptère pilonné alors qu'il était dérouté vers une zone à l'extérieur du périmètre de défense – couvert par la base d'appui-feu située dans la ZDM pour protéger Khe Sanh. On les avait enroulés dans des ponchos en plastique parce que l'armée avait épuisé son stock de sacs mortuaires. Elle avait aussi épuisé son stock de nourriture, de munitions et de médicaments – les morts étaient l'une des rares choses qui semblaient toujours se trouver en abondance. Le jeune infirmier militaire me sourit ; ses lèvres fines s'étirèrent comme celles d'un mort vivant et il me dit de ne pas m'inquiéter. Que si j'étais blessé, ils pourraient m'amener dans un hôpital à l'abri en vingt minutes. Si mon état était critique, ils m'évacueraient à Yokosuka, au Japon, en douze heures. Il avait désigné d'un geste les corps emballés derrière lui. Et si

25

je me retrouvais dans le même état qu'eux, ils auraient tout le temps.

Quelques heures plus tard, je contemplais l'intérieur vert grisâtre de la hutte Quonset tandis qu'un officier des services de renseignements de l'Air Force me regardait en louchant à travers ses épaisses lunettes et les gouttes de sueur. Il paraissait scruter ma casquette, alors je l'ôtai d'un geste rapide et me remis au garde-à-vous. Je suais, moi aussi. Nous étions là pour gagner les cœurs et les esprits mais, pour l'essentiel, nous passions notre temps à transpirer. Depuis mon arrivée au Vietnam, près de six mois auparavant, je luttais contre l'impression que j'étais en train de fondre.

Il me fit attendre un temps parfaitement compté et me fit savoir que, selon le protocole militaire, j'avais commis une faute avec mon couvre-chef, et que le commandant n'était pas content.

— Et qu'est-ce que je suis censé faire de vous, moi ?

L'essentiel de l'humidité qui imprégnait mon corps ruisselait entre mes omoplates et trempait la ceinture de mon treillis.

— Je n'en suis pas certain, monsieur.

— Et qu'est-ce qu'un MOS 0111 ?

— Police des marines, monsieur. Enquêteur.

Sans cesser de hocher la tête, il poursuivit :

— Ouais. J'ai reçu la directive du commandement des marines. Vos papiers ont transité par le prévôt à Chu Lai ; j'imagine donc que le quartier général du bataillon a décidé que, maintenant, vous étiez *mon* problème.

Il leva les yeux vers moi. Il avait ce regard, ce regard que j'avais vu mille fois depuis le peu de temps que j'étais sous les drapeaux. Il était vieux, les années s'étaient installées sournoisement à un endroit qui resterait gravé dans sa mémoire jusqu'à la fin de sa vie. L'événement le tenaillait, la guerre était sa religion et sa jeunesse s'était éteinte en même temps que ses yeux.

— Inspecteur des marines ?

Je restai silencieux et fixai la paroi rouillée tout en essayant de ne pas me focaliser sur la photo de DeDe Lind, la Miss août 1967 de *Playboy*, qui y était accrochée.

Nous étions en décembre.

Le major baissa la tête vers mes documents d'affectation, les froissa dans un geste incrédule.

— Inspecteur ? Bon sang, je ne savais même pas que vous, les crânes d'œuf, vous saviez lire.

Il retourna une feuille et je me dis que les vrais ennuis allaient commencer. Ses yeux vinrent lentement se poser sur moi.

— Diplômé de littérature ?

— De foot, monsieur.

J'avais appris que, dans les forces armées, il valait mieux minimiser les études universitaires, et le football fournissait toujours une diversion rapide et efficace.

Il cligna des yeux derrière ses lunettes et fronça les sourcils, paraissant soudain intéressé. Peut-être n'étais-je pas le parfait parasite qu'il avait imaginé d'emblée.

— Quelle position ?

— Offensive tackle, monsieur.

— Première ligne ? Remarquable. J'ai un peu joué pendant mes années de lycée.

Probablement avec un casque en cuir, me dis-je.

— Ah oui, monsieur ?

— Halfback.

— Oui, monsieur.

Remplaçant, sans aucun doute.

Il continua à étudier mon dossier.

— Je n'ai pas beaucoup joué.

Je ne savais pas quoi répondre à cela, alors je me contentai de rester muet, la bouche fermée, une autre méthode dont j'avais appris l'efficacité dans les interactions avec la hiérarchie militaire.

— Bon, quelqu'un a une dette envers quelqu'un d'autre et c'est la raison pour laquelle vous êtes ici.

Il recula sur sa chaise métallique verte, qui était presque de la même couleur que les parois vert-de-gris, et finit par se rappeler que j'étais toujours au garde-à-vous.

— Repos.

Il lâcha mon dossier et concentra son attention sur moi tandis que je faisais un quart de pas sur le côté et plaçais mes mains dans mon dos. Je tenais toujours ma casquette dans une de mes mains.

— Nous avons un petit problème de trafic de drogue sur la base, mais rien de très important. Nous avons déjà de très bons éléments qui travaillent sur l'affaire. Ce n'est qu'une hypothèse, mais j'ai comme l'impression que le prévôt veut que ses MOS 0111 se fassent les dents.

Il ne me quitta pas des yeux, et je devinai qu'il voulait une réponse.

— Oui, monsieur.

— La raison pour laquelle les marines et leur vilaine organisation ne se contentent pas de mettre de l'ordre dans leurs propres casernes, qui en auraient bien besoin, reste pour moi un mystère, mais vous êtes là et nous allons devoir faire avec. (Il baissa à nouveau les yeux sur les papiers posés sur son bureau.) Vous débarquez, et il ne faudra pas longtemps à tout le monde pour comprendre pourquoi vous êtes ici. Alors, le mieux que vous puissiez faire, c'est de la fermer et de faire ce qu'on vous dit. Compris ?

— Oui, monsieur.

— Tout le travail que vous avez effectué dans le passé s'est fait sous la supervision d'enquêteurs de la Navy. Mais maintenant, vous allez travailler avec le personnel de sécurité de l'Air Force et un détaché du renseignement, que vous trouverez, j'en suis certain, infiniment plus compétents que les nuques de cuir.

— Oui, monsieur.

— Je vais vous mettre avec Mendoza, qui est notre membre des forces de sécurité, et Baranski, de la division centrale du renseignement. Ils travaillent sur l'affaire depuis environ cinq semaines, et vous apporterez le muscle.

— Oui, monsieur.

S'il laissait échapper un rot, j'y répondrais par un autre Oui-monsieur.

— Ils sont premiers lieutenants et vous obéirez à tous les ordres qu'ils vous donneront. Compris ?

— Oui, monsieur.

— Ils sont de la promotion 66, si vous voyez ce que je veux dire. (Il rangea les papiers dans mon dossier et me le tendit.) Autrement dit, ça nous fait un seul vrai gradé, pour finir. Quel grand espoir pour l'effort de guerre.

— Oui, monsieur.

— Rompez.

Lorsque je me présentai au bureau d'accueil et que je tendis mon dossier au novice, je vis deux premiers lieutenants appuyés contre le chambranle de la porte. L'un était petit et brun ; l'autre était grand, avec un air de bon vivant, et il portait une moustache à la Errol Flynn. Le grand avait les cheveux blonds, les yeux bleu Air Force, et il portait un treillis. Il tendit la main et je la serrai, percevant nettement l'assurance désinvolte et prétentieuse d'un homme très content de lui.

— C'est toi, notre nouvelle mascotte, le marine ?

— Ouaip.

Il alluma une Camel et tourna la tête pour regarder son compagnon, qui tendit la main à son tour. Je la serrai aussi. Il parla avec un fort accent du Texas.

— Mendoza. Lui, c'est Baranski.

J'avais déjà lu leur nom inscrit au-dessus de leur poche droite, tout comme j'étais certain qu'ils avaient lu le mien, mais le protocole était maintenant différent. Je remis ma casquette sur ma tête.

— Longmire.

— Shérif Longmire ?

Je me tournai et levai les yeux vers Rosey Wayman, une des rares femmes appartenant à la police de l'autoroute du Wyoming. Elle avait été transférée du détachement d'Elk Mountain environ six mois auparavant, et son arrivée avait fait pas mal de remous ici, dans les Bighorns.

— Tiens, voilà le plus joli agent de la patrouille de l'I-25.

craig johnson

Son large sourire dévoila des dents d'une blancheur parfaite et ses yeux bleus se mirent à pétiller.

Peut-être que ma soirée ne s'annonçait pas si mal, après tout. Je me demandai quand Vic allait rentrer.

— Je suis désolée de te déranger, Walt, mais nous venons d'avoir un appel, et Ruby a dit que je te trouverais ici.

— De quoi s'agit-il ?

— Des ranchers ont trouvé un corps sur Lone Bear Road, près de la 249.

Peut-être que ma soirée ne s'annonçait pas si bien, après tout.

C'était près de Powder Junction. On était en juillet, et il ne fallait pas être bien malin pour deviner ce que les gens du coin faisaient sur cette portion reculée de l'infrastructure routière du comté.

— Faucheuses ou botteleuses ?

— Botteleuses. Normalement, ils ont fauché la semaine dernière.

Durant l'été, il n'était pas un mètre carré d'herbe qui échappait à la tonte dans le Wyoming. Le ministère des Transports sous-traitait généralement la tonte de l'herbe le long de ses autoroutes aux ranchers qui offraient le prix le plus bas, ce qui faisait de l'herbe nationale une denrée privée, communément appelée le foin des canettes.

Je tendis un pouce en direction de la patrouilleuse blonde au moment où Dorothy revenait avec le plat de poulet à la citronnelle.

— Est-ce que tu peux me l'emballer ?

Quel que soit le secteur de la police dans lequel vous travaillez, il est toujours une tâche, un événement qu'on redoute plus que les autres. Je suis certain que dans des lieux plus complexes, il s'agit des terroristes, des tueurs en série ou des règlements de comptes entre gangs, mais pour le shérif de l'Ouest, c'est toujours le corps abandonné. Le comté de Sheridan, au nord, a deux cas irrésolus, et celui de Natrona, au sud, en a cinq ; il y a encore vingt-huit minutes, nous n'en avions aucun. Et tout à coup, nous voilà plantés à côté d'une route qui n'a qu'un numéro, avec une victime, pas de papiers, pas de scène de crime, pas de suspect, rien.

Je sortis de la voiture de patrouille de Rosey et saluai d'un signe de la tête Chuck Frymyer et Double Tough, mes deux adjoints chargés de la partie sud du comté.

— Walt. Elle est là-bas, de l'autre côté de la crête.

Nous descendîmes en direction des énormes botteleuses en bordure d'une conduite géante. Le lieutenant Cox, le commandant de la division de la patrouille de l'autoroute, était debout à mi-pente, tourné vers le fossé au bord de la route, avec deux de ses hommes, qui étaient encore en train d'écrire dans leur carnet. On était près de leur autoroute, mais c'était mon comté.

— Salut Karl.

— Walt.

Il désigna d'un mouvement du menton une des grosses machines à côté de laquelle deux vieux cow-boys étaient assis, l'un portant un antique chapeau de paille, l'autre une casquette marquée Rocking D Ranch.

— Tu connais ces messieurs ?

— Ouaip.

En me voyant, ils se levèrent comme un seul homme. Den et James Dunnigan étaient deux ranchers assez misérables du coin de Bailey. James était un peu neuneu, et Den était tout simplement méchant.

— Comment ça va, James ?

Den plissa les yeux et prit la parole.

— On a fauché y a deux jours, et elle était pas là…

James l'interrompit.

— Hé, Walt.

— Qu'est-ce qu'on a ?

Je me dis que les hommes de la patrouille de l'autoroute avaient déjà pris leurs dépositions, mais que je leur donnerais volontiers une occasion de raconter à nouveau leur histoire avant d'aller plus loin.

— J'leur ai d'jà dit.

Den tendit le bras vers les agents. La journée avait probablement été longue, on était en toute fin d'après-midi, un samedi, et il avait clairement l'impression d'avoir été retenu bien assez longtemps.

— Dis-moi.

Je gardai un ton léger mais m'assurai néanmoins que mon injonction n'avait rien d'une question. Frymyer avait sorti son calepin et gribouillait déjà.

James poursuivit d'une voix calme, faisant de son mieux pour se concentrer sur la situation présente.

— On bott'lait et on est tombés sur elle.

— Qu'est-ce que vous avez fait ?

Il haussa les épaules.

— Arrêté l'engin et appelé le 911.

— Vous vous êtes approchés du corps ?

— Non.

— T'es sûr ?

— Ouaip.

Je lançai un coup d'œil à Den, qui clignait beaucoup trop des yeux.

— Den ?

Il haussa les épaules.

— J'suis allé jusqu'au bord de la conduite et j'ai braillé.
(Il cligna à nouveau.) J'me suis dit que p'têt' elle dormait.
Puis j'ai vu qu'elle respirait pas.

Je demandai à Den de me montrer le chemin exact qu'il
avait emprunté, puis je battis en retraite avec mes deux
adjoints jusqu'au sommet de la conduite, où personne n'était
probablement allé. Je me baissai en prenant une position
de chasseur aux aguets et tendis l'oreille pendant que Cox
renvoyait les frères Dunnigan chez eux.

Je me tournai vers Chuck.

— Tu sais ouvrir une botteleuse ?

Le bouc Vandyke blond cendré me répondit par un sourire.

— Depuis que je suis né.

— Va donc ouvrir celle-là pour en vérifier le contenu,
puis éventre les deux dernières bottes en direction du nord.
Si elle était en train de marcher ou de courir pour échapper
à quelqu'un, elle a peut-être perdu son sac à main ou autre
chose en cours de route.

Frymyer ne dit rien pendant un moment, et je le regardai.

— Tu as besoin d'aide ?

Il lança un coup d'œil en direction des bottes d'une tonne.

— Oui.

Je me tournai vers Double Tough, et il s'en alla avec
Chuck.

La lumière était encore très vive – c'était comme ça pendant l'été, si loin vers le nord – et on voyait très nettement
l'endroit où la jeune femme avait vécu les derniers instants
de sa vie. Ses vêtements étaient plutôt provocants, une
jupe courte, un dos-nu rose et pas de chaussures. Ses longs
cheveux noirs étaient étalés et mêlés à l'herbe – ils avaient
été ébouriffés par le vent si fréquent du Wyoming – et sa

délicate morphologie osseuse était bien visible. Ses yeux étaient fermés, et on aurait pu croire qu'elle était endormie s'il n'y avait pas eu la coloration bleue de son visage et un œil enflé, ainsi que l'angle que formait son cou, qui avait été visiblement brisé.

J'écoutai Cox se rapprocher et s'accroupir à côté de moi.

— Tu cherches à maigrir ?

— Ouaip, je vais tous les jours à la salle de sport avec Cady.

Il hocha la tête.

— Comment va-t-elle ?

— Elle va bien, Karl. Merci de prendre des nouvelles. Au fait, en parlant de Cady, est-ce que tu veux bien demander à Rosey de contacter notre bureau et leur dire de faire savoir à Cady que je ne rentrerai pas ce soir ?

— OK. (Il repoussa son chapeau vers l'arrière.) La division des enquêtes criminelles est en route. Je crois que tu vas avoir droit à la Vilaine Sorcière de l'Ouest en personne.

Je hochai la tête. T.J. Sherwin cherchait toujours une bonne raison de venir dans les montagnes en été. Le lieutenant arracha une herbe de la prairie dont il colla l'extrémité dans sa bouche.

— On a inspecté les environs jusqu'à Casper, Walt. Pas le moindre véhicule abandonné. (Il lança un coup d'œil à mes adjoints.) Tes gars vont vérifier la botteleuse ?

— Ouaip.

— Bien. Les miens, ils ne sauraient pas de quel côté regarder. (Il examina le corps de la jeune fille morte puis leva les yeux vers moi.) J'ai des hommes qui sont partis enquêter dans tous les restaurants chinois de Sheridan, Casper et Gillette pour voir si quelqu'un n'aurait pas disparu…

— Te fatigue pas. (Je me passai une main sur le visage.) Elle est vietnamienne.

2

— ELLE ne marchait pas, pas sans chaussures.

T.J. Sherwin regarda les techniciens tirer la fermeture Éclair du sac mortuaire noir et déposer doucement le corps de la jeune Asiatique sur un brancard, dans le raffut des groupes électrogènes. Les reflets jaunes de la lumière crue émise par les véhicules d'urgence donnaient aux vivants le teint des malades du foie.

Je fermai les yeux.

— C'est récent ?

Il commençait à se faire tard, et le soleil et sa chaleur avaient disparu depuis longtemps, remplacés par les étoiles et l'air pur et frais qui descendait des Bighorn Mountains. Depuis plus d'un mois, il n'avait pas plu.

Elle se frotta les bras.

— Moins de douze heures.

Je passai mon bras autour de ses épaules pour la réchauffer, et parce que j'en avais envie. Elle était arrivée à la direction des expertises médico-légales de la DEC du Wyoming à la fin de mon deuxième mandat dans le comté d'Absaroka. Elle pensait que j'étais un fossile, mais en dix-sept ans, j'avais fini par me faire apprécier d'elle.

— Elle n'a pas été tuée ici. L'examen préliminaire conclut à l'asphyxie, strangulation manuelle par quelqu'un de très fort. Le meurtrier a commencé par l'étrangler, puis il lui a brisé la nuque.

— Il n'a pas été très bon pour cacher le corps.

Je sentais ses yeux rivés sur moi.

— Non, effectivement.

Je regardai rapidement plus loin sur la route, vers l'auto-route.

— Il y a une sortie à moins de deux kilomètres. (Je contemplai l'herbe haute de l'autre côté de la conduite.) Il va falloir qu'on cherche des marques indiquant que le corps a été traîné, ou des traces de pas, plus haut vers le nord. Nous allons devoir inspecter le bord de la route jusqu'à la 249, puis jusqu'à la 246 à la fourche sud de la Powder River. (Elle frissonna et se pelotonna sous mon bras, plus près.) Mes gars en ont presque fini avec les balles de foin.

Elle étouffa un petit rire.

— Ils vont t'adorer.

— Ouaip. (Je regardai les techniciens charger la femme morte dans le Suburban pour l'emmener à Cheyenne.) Alors, tu ne vas pas rester un peu ?

— Trop de choses à faire.

Elle quitta l'abri que je lui offrais et commença à remonter la pente vers les véhicules d'urgence qui balayaient, de leurs lumières bleues, rouges et jaunes, les fleurs sauvages qui prospéraient sous la sauge.

Je m'apprêtai à la suivre lorsque je m'arrêtai, soupirai intérieurement et l'appelai.

— Quelqu'un est allé voir là-dedans ?

Elle se retourna et me lança :

— Dans le tunnel ? Non, je crois qu'ils ont décidé d'attendre qu'il fasse jour.

— Tu veux de la compagnie ?

Double Tough me donna sa Maglite.

Je pris un demi-sandwich à l'œuf et secouai la tête.

— Nan…

La nourriture venait de nous être apportée et je savais qu'ils avaient faim. Je me dis que je pourrais farfouiller tout seul.

— Mais je prendrais bien un gobelet de café.

La nuit était lumineuse, et la pleine lune et l'épais ruban de la Voie lactée éclairaient assez bien la zone autour du tunnel, à défaut de l'ouverture elle-même. Je passai une jambe par-dessus la rambarde et commençai à descendre le remblai jusqu'à l'entrée, de l'autre côté de Lone Bear Road. Je ne m'attendais pas à trouver un coupable tremblant planté à l'entrée ; celui qui avait tué la jeune femme avait dû retourner à son véhicule et partir, mais cela ne faisait pas de mal de jeter un coup d'œil.

J'enlevai le couvercle du gobelet en polystyrène et le fourrai dans la poche arrière de mon jean, soucieux de participer à ma manière au maintien d'une certaine propreté dans le comté d'Absaroka, et je posai le pied dans les deux petits centimètres d'eau de la Murphy Creek.

Je sirotai mon café tout en écoutant le grondement des semi-remorques au loin sur l'I-25, et j'éclairai de ma lampe torche la gueule noire du tunnel ; quelque chose obstruait totalement l'autre côté. Je fis un pas que j'écoutai résonner sur les parois sonores en béton. Le scénario le plus probable était qu'une jeune vache avait suivi le lit du torrent et s'était retrouvée coincée ou égarée ; peu d'êtres du monde naturel se perdent aussi facilement que les génisses – tous les cow-boys vous le diront.

Je remarquai des carcasses de lapins et quelques os de cerf un peu plus loin dans le tunnel, et je vis également des morceaux de planches et de palettes amoncelés sur un côté, et par-dessus, un amas de couvertures, bâches et cartons. Il était possible que toutes ces épaves aient été amenées là par la Murphy Creek, mais le courant ne me paraissait pas assez puissant pour cela.

Je crus déceler un léger mouvement, mais c'était probablement les ombres créées par la lampe torche. Le tas d'ordures dégageait une odeur de cadavre qui s'amplifia lorsque je m'approchai et poussai un pan de couverture sur le tas de la taille d'un canapé – encore du carton. Tout cela avait dû servir de refuge. La puanteur me fit larmoyer.

Une vieille alarme se déclencha dans ma tête. Je passai le gobelet de café dans mon autre main, celle qui tenait la lampe, et sortis le Colt 1911, chargé comme il se doit. Je défis la sécurité et me baissai autant que possible. Je reconnus la couverture : un accessoire servant à l'emballage dans une société de location de camions.

J'avais dégainé mon Colt face à un tas d'ordures.

Je m'apprêtai à remettre le cran de sécurité pour ranger mon arme lorsque quelque chose dans le tas bougea. Tout l'amas de couvertures, de cartons et d'odeurs, bondit directement sur moi, me soulevant littéralement de terre et me projetant contre l'autre paroi du tunnel. La lampe torche disparut, le café se renversa partout et le .45 fit feu tandis que mes doigts se contractaient au moment du contact avec la surface de béton. Le son comprimé du gros Colt me vrilla les oreilles comme une paire de doigts. Tout l'air que mon corps contenait s'échappa au moment où je retombai vers l'avant.

Je n'avais pas la moindre idée de ce que c'était, mais c'était plus grand que moi, poilu, et ça venait de me frapper à la poitrine et de me repousser vers l'arrière. La chose me rugissait en pleine figure tout en me frappant, et le Colt alla valser dans l'eau.

J'eus l'impression que ma tête éclatait, mais je me débattis contre la chose, les bras tendus en avant, battant furieusement des jambes. La chose s'écrasait contre moi avec la force d'un bulldozer. Mon seul espoir était de m'en dégager avant qu'elle ne plante ses crocs dans ma poitrine ou qu'elle ne m'arrache la moitié de la tête d'un coup de dents.

J'eus la chance de toucher la créature à la tête avec un coup de poing, mais elle réussit malgré tout à me jeter sur le côté, et je m'écroulai dans la boue puante. La perspective de me faire déchiqueter à mort ou dévorer vivant dans les ténèbres d'un tunnel d'irrigation redoubla mon courage ; je libérai un poing et le lançai devant moi avec toute la force que me permettait mon inconfortable position. Il y eut une légère accalmie et j'en profitai pour lever la tête, mais la chose se jeta sur moi dans la seconde qui suivit.

Je n'aurais pas dû exposer ma gorge ; elle essaya de m'étouffer. J'agitai désespérément les deux bras – j'aurais pu tout aussi bien taper sur la paroi de béton. Je donnais des coups de pied, mais le poids de la chose me clouait au sol, et je commençai à sentir les vaisseaux sanguins exploser dans ma tête et ma vision se troubler.

Je voyais des éclairs lumineux là où il n'y en avait pas, et des visages dans les flaques de lumière ; des femmes, uniquement des femmes. Je vis ma mère sur un coteau verdoyant, le soleil d'été se reflétant dans ses yeux d'un bleu si clair. Je vis ma femme, la première fois que je l'avais invitée à danser, et la douceur de ses doigts lorsqu'ils vinrent se mêler aux miens. Je vis Victoria Moretti, approchant son visage du mien, son peignoir grand ouvert. Je vis ma fille, son regard plein de détermination dans la salle de musculation, et je ne pus penser qu'à une phrase : *Pa-pa… ça… va.*

Il y eut un bruit d'éclaboussures, puis d'autres voix qui se superposèrent au rugissement de la chose qui me tenait et que je tenais. Je luttai une dernière fois pour écraser mes pouces dans le creux de son cou et je sentis mes doigts s'enfoncer dans le cartilage fragile, fin comme une boîte à œufs, de son larynx, une prise qui m'avait sauvé la vie à Khe Sanh.

Si je devais mourir, quelqu'un allait mourir avec moi.

J'entendis un puissant craquement et perçus un déplacement du poids de la chose, qui s'écroula sur le côté, juste avant que les visages de femmes ne disparaissent et que tout devienne noir.

Je restai assis par terre à mi-coteau tandis que les secouristes soignaient l'arrière de ma tête. Je ne cessais de me racler la gorge et de masser mes orbites à l'aide de mon pouce et de mon index pour que les étoiles qui dansaient devant mes yeux fassent place aux vraies étoiles.

Double Tough était à côté de moi lorsque T.J. me tendit un autre gobelet de café. Je n'étais pas sûr de pouvoir l'avaler, mais c'était rassurant d'être au moins capable de le tenir. Nous regardâmes tous les premières lueurs de l'aube monter à l'horizon vers Pumpkin Buttes et Thunder Basin. Je remerciai d'un signe de tête et déglutis, toujours incapable de parler.

T.J. jeta un coup d'œil aux secouristes qui finissaient leur boulot.

— J'imagine que ça va aller ?

Cathi se pencha par-dessus mon épaule et me regarda tout en finissant de panser l'arrière de mon crâne.

— Le long bras de la loi va avoir une bosse, mais ce n'est pas la première fois qu'on le rafistole.

Double Tough me gratifia de son lent sourire et son regard se porta sur la pâture, au-delà, sur la paroi de roche rouge.

— Dieu tout-puissant, vous avez vu la taille de ce fils de pute ?

Je me raclai la gorge à nouveau et essayai de boire une gorgée de café, qui était plutôt bon, mais il déclencha un nouvel accès de toux.

— Qu'est-ce que tu as utilisé pour le détacher de moi ?

Ma voix était rocailleuse et poussive.

— Un d'ces morceaux de planche qui traînaient là. (Il réfléchit, tandis que Cathi et Chris rassemblaient le reste de leur équipement avant de partir.) J'crois que vous l'avez surpris.

— Pas autant qu'il ne m'a surpris.

La créature du tunnel était aussi grande qu'un grizzly, et il fallut quatre hommes pour la faire sortir. Je remarquai qu'ils lui avaient attaché des menottes de chevilles aux poignets parce que les menottes standard auraient été trop petites. Il était indien, crow pour autant que nous puissions en juger.

Je tentai de me lever, mais fus pris de vertige et me rassis aussitôt. T.J. posa une main sur mon épaule pour me maintenir là.

— Doucement.

Je soupirai.

— Il est toujours vivant ?

Double Tough rit.

— Ouais. J'lui ai donné des coups qu'auraient assommé une mule, mais il respire encore.

Je regardai Chris, Chuck et deux agents de la patrouille de l'autoroute hisser l'homme désormais inconscient jusqu'à la route, ses cheveux traînant tout le long du chemin dans l'herbe, s'accrochant ici et là comme s'ils cherchaient à ralentir sa progression. On avait l'impression que ses cheveux, comme ceux de la Vietnamienne, voulaient rester là jusqu'à ce que toutes les questions aient trouvé une réponse. Il portait une vieille veste de l'armée déchirée et effilochée, avec ce qui restait d'une chemise en jean et, en dessous, un pull en laine. Ses jambes étaient drapées dans une salopette sans âge en lambeaux. Tout était déchiré et crasseux, sauf les mocassins finement rebrodés qui chaussaient ses pieds gigantesques. Je n'avais jamais vu ce motif.

J'essayai à nouveau de me lever et, cette fois, j'y parvins. Je grimpai le coteau avec l'aide de Double Tough.

— Quelqu'un pour inspecter tout le foutoir qu'il y a dans le tunnel ?

— Y vont le faire, mais y vont pas aimer. Ça pue là-dedans, ça f'rait fuir tous les vers d'un vieux macchabée.

D'un mouvement du menton, je désignai le géant.

— Et lui ?

— Il va à l'hôpital et, ensuite, y a des chances qu'il aille dans not' cellule.

— Rien trouvé dans le tunnel qui le relie à la Vietnamienne ?

Il secoua la tête.

— Pas encore, mais on s'est dit qu'essayer de tordre le cou au shérif, c'était une assez bonne raison pour le mettre au frais.

Nous les regardâmes charger le brancard dans le camion des secouristes ; la suspension arrière fléchit sous le poids de la femme, des quatre hommes et du très grand Indien.

— Vous l'avez sonné avec quelque chose ?

Double Tough laissa échapper un rire sans joie.

— On a pas eu besoin. Vous lui avez pratiquement écrabouillé le larynx, et j'lui ai quasiment défoncé la tête.

Ils refermèrent les portes du van et partirent vers le Durant Memorial Hospital. Une fois que le bruit des sirènes se fut éteint, il énonça à voix basse :

— Putain de FBI…

Je ne me donnai pas la peine d'expliciter l'acronyme, mais je savais qu'il ne voulait pas dire Federal Bureau of Investigation.

T.J. était partie avec son équipe de la DEC en disant qu'elle me rappellerait dès qu'ils sauraient quelque chose, alors Rosey me ramena au bureau. L'heure était encore très matinale et les ténèbres prenaient leur temps pour libérer le comté de leur emprise. Ma standardiste, Ruby, était toujours la première au bureau, mais elle gardait le chien et n'était pas encore arrivée. Mon chien, le chien, n'avait toujours pas de nom, et après l'avoir appelé "le chien" pendant presque un an, j'étais inquiet à l'idée qu'il serait perturbé si je lui donnais un vrai nom ; ou alors, peut-être étais-je inquiet à l'idée d'être perturbé moi-même.

Je saisis l'occasion pour retourner vers les cellules et attraper au vol quelques minutes de sommeil sur l'une des couchettes. J'essayai de m'allonger sur le dos, mais à cause des dégâts qui avaient affecté les muscles de ma gorge, j'avais l'impression d'étouffer, et la petite kippa de pansements à l'arrière de ma tête rendait cette position encore plus inconfortable. Je me tournai donc sur le côté et regardai fixement les barreaux.

D'où venait-il et que faisait-il là ?

S'il avait tué cette femme, pourquoi l'aurait-il abandonnée dans un endroit aussi visible ? Pourquoi ne l'aurait-il pas emportée à l'intérieur du tunnel ?

D'autre part, que faisait donc une Vietnamienne dans le nord du Wyoming, au bord de Lone Bear Road, surtout une Vietnamienne morte ?

Peut-être que j'en saurais plus avec le rapport officiel lorsque T.J. m'appellerait.

Je repensai au visage de la fille, à la décoloration due à la cyanose, aux hémorragies autour des yeux. Je devinai qu'il y aurait des petites abrasions linéaires au niveau du cou, causées par le meurtrier ou par les tentatives de la victime pour se dégager du bras ou des mains de son agresseur.

Je pensai à sa morphologie osseuse, qui était le principal indicateur de sa nationalité. Quand on passe un peu de temps en Asie du Sud-Est, on repère les différences essentielles assez rapidement, et j'avais passé pas mal de temps au Vietnam.

Tan Son Nhut, Vietnam : 1967

— Pas beau-coups, va-t-en riki-tiki baby. C'est un marine et eux pas crac-crac, juste tuer.

Baranski rit, amusé par son propre charme, son élégance et son style grandiose.

Je souris, haussai les épaules à l'intention de la jeune femme et bus une autre gorgée de ma Tiger ; le visage de la fille flottait dans les brumes de la sueur et de l'étrangeté du lieu. Elle secoua la tête et avança une jambe provocante pour mettre sa théorie à l'épreuve.

— Lui pas tueur.

Les notes de *Tighten Up* d'Archie Bell and the Drells résonnaient dans la pièce tandis que la minuscule Vietnamienne oscillait en rythme. Baranski posa les pieds sur la chaise face à lui et croisa les chevilles, il rota assez fort pour faire trembler les vitres du Boy-Howdy Beau-Coups Good Times Lounge – heureusement, il n'y avait pas de vitres. Le bar se trouvait juste devant la Porte 055, près du vieux fort français connu tout simplement sous le nom de Hotel California. J'étais allé en Californie peu de temps auparavant, et, de mon point de vue, la ressemblance était très lointaine.

Les murs de béton du vieux fort faisaient sept mètres de haut et un mètre d'épaisseur, et formaient un rectangle blanchi à la chaux. Chacune des arcades comportait d'imposantes grilles en acier et je m'attendais à tout instant à y voir passer Franchot Tone et sa troupe de légionnaires français. Une compagnie de l'armée de la République du Vietnam était postée dans le fort, mais l'action, la vraie, se situait juste devant le bar, où il y avait une morgue pour les civils et un cimetière avec des milliers de pierres tombales blanches. C'était étrange d'avoir installé le bar du coin juste à côté du cimetière, mais j'avais vu des choses plus étranges encore depuis mon arrivée au Vietnam. Ouh là.

— Petite sœur, tu *sabe* spécialiste des forces de l'Oncle Sam ? (Baranski fit un geste dans ma direction.) Lui, tueur première classe.

Elle lui sourit puis se tourna à nouveau vers moi sans pour autant changer d'avis. Son regard était dur, mais son sourire était éblouissant ; de bonnes dents, quelque chose de rare dans le coin.

— Comment t'appelles, tueur première classe ?

Je me haussai dans une position debout, à un mètre-presque-quatre-vingt-quinze de haut, aussi rapidement que me le permettaient la chaleur et huit bières, et toutes les leçons que ma mère m'avait données reléguèrent les effets de l'alcool au second plan.

— Lieutenant Walt Longmire, madame, du grand État du Wyoming.

Baranski alluma une autre Camel et sourit.

— Un tueur, forcément, c'est un cow-boy.

Mendoza leva la tête juste assez longtemps pour énoncer une phrase :

— Conneries. J'viens du Texas, mec, c'est moi, le cow-boy.

Baranski sortit la cigarette de sa bouche et prit un ton d'autorité absolue.

— T'es un latino, connard.

La voix de Mendoza, dont le visage était écrasé contre la surface collante de la table, nous parvint étouffée.

— Qu'esse-t'en sais, espèce de connard de l'Indiana ?

Je me retournai vers la fille, qui claqua deux doigts et en pointa un vers moi, rouée aux techniques de diversion.

— Cow-boy mieux que tueur. USA, n° 1.

Je lui souris.

— Ouaip.

Elle laissa échapper un éclat de rire et alla chercher des interactions susceptibles d'être financièrement plus avantageuses, près de l'assemblage de fûts de carburant de deux cents litres bleu clair surmonté de contreplaqué qui tenait lieu de bar.

— Hé…

Elle me lança un regard et y ajouta un clin d'œil langoureux. Sa voix était rauque.

— Tu changes avis, cow-boy ?

— Non, miss. Je voudrais juste savoir votre nom.

Son regard s'adoucit et elle se retourna complètement pour se présenter de manière formelle.

— Mai Kim, enchantée vous rencontrer.

Elle inclina la tête et j'eus soudain l'impression d'être un dignitaire en visite et non un enquêteur des marines outrageusement payé 479,80 $ par mois.

— Tout le plaisir est pour moi, Mai Kim.

Elle resta silencieuse un moment, contempla les lieux et s'arrêta sur sa situation, baissant les paupières de honte, puis elle tourna les talons et s'éloigna. Son pas avait perdu de sa légèreté.

Je fixai le cimetière de bouteilles vides pour lui permettre de se retirer tranquillement et remarquai qu'il y avait un vieux piano déglingué à côté du bar.

— Dis-leur de baisser cette musique de négro, tant que t'y es, Mai Kim ! cria Baranski tout en buvant une nouvelle gorgée de sa 33 Export. Putain, ça fait presque deux mois que je suis là et j'ai jamais su comment elle s'appelait.

Je continuai à examiner le piano tandis que quelques-uns des soldats noirs de l'Air Force regardaient fixement notre table. Je posai ma bouteille, me tournai vers Baranski et décidai d'y aller carrément.

— Alors, c'est quoi, ce problème de drogue ?

Il sourit.

— Pas assez de drogue, voilà le problème.

Je ne lui rendis pas son sourire, du coup, il se sentit obligé de poursuivre.

— Qu'est-ce qu'on t'a dit ?

— Qu'il y a beaucoup de gens qui passent par ici et qui semblent pratiquer l'automédication.

Il secoua la tête et soupira.

— C'est la vision du prévôt ?

Je grattai l'étiquette de ma bière avec l'ongle de mon pouce.

— Ouaip.

Le silence pesa autour de la table pendant une minute.

— Écoute, ce pays est infesté de drogue, et une grande partie de cette merde vient de notre propre CIA. Il y a du *bhanj* qui pousse partout, de l'opium dans la montagne et l'héroïne *ma thuyi* est l'industrie artisanale de choix, par ici. (Il leva sa bière et cogna la mienne.) T'as plus qu'à choisir ton poison. Tiens, mate un peu.

Il me désigna un capitaine de l'ARVN qui se détachait d'un groupe à l'autre bout du bar et s'approchait d'un pas nonchalant dans des bottes lustrées, une combinaison de pilote bleu clair et une écharpe en vraie soie blanche. En tant qu'adjoints à l'Air Force, les aviateurs vietnamiens se voyaient octroyer une certaine liberté dans la composition de leur uniforme, et la plupart d'entre eux étaient, disons, voyants.

Il sourit et inclina la tête vers Baranski tandis que l'idole des thés dansants se tournait vers moi.

— Lieutenant Longmire, je vous présente Hollywood Hoang.

Le petit homme tendit la main, et je la serrai ; ses ongles étaient propres, coupés et polis, sa peau bien hydratée – un vrai dandy.

— Hollywood ici présent peut t'obtenir tout ce dont tu pourrais avoir besoin. (Il sourit au pilote d'hélicoptère.) Hollywood, j'aurais besoin de me procurer une livre de la légendaire herbe des Montagnards. Combien ?

— Une cartouche Marlboro.

Son accent avait une toute petite pointe de français, et sa diction était remarquablement recherchée, même si ses phrases étaient dénuées de prépositions. Il jeta un coup d'œil dans ma direction.

— Pour vous, lieutenant ?

— Non.

Baranski riait.

— Tu vois ce que je veux dire ?

Le pilote l'interrompit.

— Demi-cartouche.

— C'est bon, merci.

— Demi-cartouche est très bon prix.

— J'en suis sûr, mais ça ne m'intéresse pas, finalement.

Il haussa légèrement les épaules et sourit.

— Si vous avez besoin quelque chose, je trouve.

Je le regardai partir en se pavanant vers le bar et jetai un coup d'œil à Baranski.

— Et qu'est-ce que ça veut dire ?

— Tout. Tout ce que tu veux, il arrive à le trouver. Il faisait partie du Bureau central du Vietnam-Sud quand ils se battaient contre les Français, mais maintenant il a des connexions avec la CIA, alors tu peux lui demander n'importe quoi, il l'aura.

Il me regarda gratter ce qui restait du palmier de l'étiquette sur ma bouteille puis baissa les yeux vers la table.

— Hé, fais pas cette tête de six pieds de long, Longmire. Au QG, ils ne savent rien. Est-ce que tu as une idée du nombre d'hommes qui passent par ici tous les jours ? (Il s'adossa confortablement sur sa chaise, agita sa cigarette et rit.) Cette base aérienne fait en gros la même taille que l'aéroport de LaGuardia chez nous. On a l'Air Force, la Navy et des gars de l'armée, sans compter vous, les troufions ; on a des Vietnamiens du Sud, des Cambodgiens, des Thaïs, des Laotiens, et de temps en temps un Nord-Vietnamien qui passe en courant. Est-ce que tu crois qu'on sait ce qu'ils ont sur eux quand ils arrivent, ce qu'ils ont sur eux quand ils partent, ou ce qu'ils ont peut-être laissé ici en partant ?

Je levai les yeux.

— Dur de savoir.

— Impossible, plutôt. (Il prit une grande inspiration et se pencha en avant, les coudes posés sur la table, le regard survolant les cadavres alignés entre nous.) Cette merde est partout, et si tu te balades en posant des tas de questions idiotes et en remuant ciel et terre, tu vas finir avec une balle dans la tête. Mais c'est ton affaire. (Il montra du doigt son partenaire le plus récent, toujours vautré sur la table, inconscient.) Mais tu peux aussi nous faire descendre, et ça, pas question. Tu *sabe* ?

Je lui lançai un regard vide, essayant toujours de comprendre la situation.

— Écoute, le nouveau. J'ai été envoyé ici il y a six semaines ; je bois trop, je fume trop, je cours un peu après les *ao dai*… (Il jeta un coup d'œil alentour avant de se pencher encore plus près.) C'est là que je suis entré dans le programme. Je suis enquêteur pour la DCR. Et tout à coup, voilà qu'arrive le second lieutenant Walter Longmire, et on a un nouveau shérif en ville ? Je t'emmerde.

Nous restâmes là, silencieux, évitant de nous regarder, écoutant la musique et le brouhaha des conversations dans le bar.

— Pourquoi tu me dis pas ce qui tape tellement sur les nerfs de ta hiérarchie, et j'essaierai de réduire notre champ d'investigation.

— Le marine première classe James Tuley, de Toledo, Ohio.

Baranski réfléchit.

— Connais pas.

La section cuivres de *Rescue Me* se mit à jouer dans le juke-box et le blond hurla :

— Putain, j'avais dit plus de musique de négro !

Quelques soldats noirs de plus nous regardèrent fixement tandis que je me levai lentement.

— Eh bien, tu n'en auras plus l'occasion. Il est mort d'une overdose d'héroïne en rentrant de sa base il y a environ deux semaines.

Il secoua la tête et fit signe au barman de nous préparer deux bières supplémentaires.

— Alors, laisse-moi deviner ; il y a un gouverneur Tuley, ou un sénateur Tuley, là-bas dans l'O-hi-O, qui veut savoir pour-quoi son petit garçon est mort d'une overdose sous le soleil du Sud-Vietnam ?

Je ne dis rien. Je ne dis rien sur le fait que le père de James Tuley n'était ni sénateur ni gouverneur, seulement gardien de nuit dans une usine de pièces automobiles. Je ne dis rien sur l'enquêteur des marines qui s'y était intéressé lorsqu'il avait lu qu'on avait trouvé un exemplaire de *Ne tirez pas sur l'oiseau moqueur* sur le corps du jeune homme qui était né du mauvais côté de la rue à Toledo, Ohio.

Je pris ma bière des mains de la serveuse et m'approchai du piano droit collé contre le bar. Plus d'un visage se tourna vers moi, à ce moment-là. Il était temps d'initier les clients du Boy-Howdy Beau-Coups Good Times Lounge à la musique live et aux merveilles de James P. Johnson, Fats Waller, Joe Turner, Art Tatum et au *Harlem Stride*.

De la vraie musique soul.

— Réveille-toi, Boucle d'Or.

Je soulevai mon chapeau posé sur mon oreille, juste assez pour voir deux bottes Paul Bond faites main et deux genoux, l'un vrai, l'autre artificiel. Je laissai retomber mon chapeau et cachai efficacement l'apparition.

— Va-t'en.

Il donna un coup de pied dans ma couchette.

— Lève-toi, on a du boulot.

Lucian Connally avait été le shérif du comté d'Absaroka pendant les vingt-quatre années précédant ma première élection ; c'était un vieux coriace qui avait perdu sa jambe dans une confrontation avec des contrebandiers basques dans les années 1950 et je m'apprêtais à lui arracher sa prothèse pour le tabasser jusqu'à ce que mort s'ensuive.

— J'ai travaillé toute la nuit, mon vieux, maintenant, va-t'en.

— Ouais, ben, t'as pas tellement bien bossé, parce que ton Indien, là-bas, au Durant Memorial, il est en train de tout foutre en l'air.

Je soulevai à nouveau mon chapeau.

— Quoi ?

— Y s'est réveillé, et il est en train de leur faire payer Sand Creek, j'te l'dis.

Je me levai précipitamment.

— C'est un Crow, pas un Cheyenne.

— C'est un putain d'Indien en colère, voilà ce que c'est.

C'était un désastre.

Le personnel des urgences, supposant que les secouristes avaient administré un sédatif au blessé, avait fait rouler le brancard jusqu'à une salle d'examen et l'avait laissé seul en attendant qu'un interne débordé trouve le temps de s'intéresser à lui. Un enfant souffrant d'une inflammation à l'oreille, un vieillard se plaignant de douleurs à la poitrine et une femme enceinte dont le travail commençait prématurément avaient accaparé le médecin.

Entre-temps, le géant plongé dans le sommeil s'était réveillé.

Heureusement, Double Tough et deux agents de la patrouille de l'autoroute se trouvaient encore à l'hôpital lorsque le séisme s'était déclaré. L'homme avait balancé le brancard, puis s'était jeté sur tous les appareils coûteux pour les faire valser. Ils l'avaient chargé à plusieurs et s'étaient fait cueillir l'un après l'autre ; ils avaient subi le même traitement que le brancard et les appareils très chers. Le vent avait tourné lorsque Frymyer avait rejoint le bataillon, et les quatre hommes avaient réussi à maintenir l'Indien plaqué au sol assez longtemps pour que l'interne lui injecte une dose de chlorpromazine suffisante pour assommer un bison.

Les deux agents qui avaient participé à la dernière mêlée étaient assis sur le capot d'une de leurs voitures – le nez de Ben Helton saignait encore et Jim Thomas tenait son bras qui était bandé jusqu'au coude.

Lucian me donna un coup dans les côtes alors que nous approchions ; il ne put s'empêcher de les asticoter.

— Alors, comment ça va, les filles ?

Ben, le plus âgé des deux, dont le nez était cassé, parla à travers l'amas de coton et de gaze collé sur son visage, d'une voix nasillarde, étouffée ; il allait se retrouver avec deux magnifiques cocards.

— Je t'emmerde, papy. Vous étiez où, bordel ?

Lucian donna une réponse qui semblait d'une évidence manifeste.

— Eh bien, à l'écart du danger, tiens.

Jim, l'autre agent blessé, hocha la tête.

— S'il se réveille à nouveau, vous n'aurez plus qu'à appeler les gardes-chasses et leur dire de venir avec un fusil à fléchettes pour le maîtriser.

Nous entrâmes aux urgences, pour trouver Frymyer assis par terre au milieu du hall. Ses mains étaient couvertes de sang, son uniforme était déchiré, une de ses manches arrachées pendait jusqu'à son coude, qui reposait dans une écharpe ; son biceps découvert était d'une taille prodigieuse. Tout le côté de son visage était meurtri, de l'orbite à la mâchoire, et l'œil qui regarda vers nous était presque complètement fermé.

— Comment tu te sens ?

Il hocha la tête et tâta doucement l'ecchymose qui couvrait son visage.

— Double Tough a l'épaule démise.

Lucian me lança un regard.

— Peut-être qu'il n'est pas aussi doublement costaud qu'on le pensait.

Frymyer essaya de se lever, mais je préférai m'accroupir pour être à son niveau. Je remontai ce qui restait de sa manche jusqu'à son épaule. C'était dommage que son uniforme ait été aussi abîmé ; il venait tout juste de recevoir ses écussons du comté d'Absaroka et il les avait cousus lui-même.

— J'ai demandé comment *toi* tu te sentais.

— Je crois que ça va. (Il farfouilla à l'intérieur de sa bouche avec sa langue.) Sauf que je crois avoir quelques dents déchaussées.

Je le regardai de plus près, remarquant sur sa chemise en lambeaux la barrette avec son nom sur sa poitrine, qui disait FRYMIRE.

— C'est un I dans ton nom, pas un Y ?

Il bougea sa mâchoire.

— Ouais, comme le vôtre. (Il essaya de sourire mais le regretta aussitôt.) Pas grave, ils acceptent quand même les chèques.

Il marqua une pause et regarda vers le couloir où le Durant Memorial Massacre s'était déroulé.

— L'interne dit qu'ils ne peuvent pas gérer un gars comme ça, et que dès qu'ils l'auront rafistolé, il faudra qu'on l'emmène.

3

Je retournai aux cellules et regardai le grand Indien dormir.

Ils l'avaient ramené de l'hôpital, et il semblait, comme diraient les infirmières, se reposer tranquillement. Le terme d'armoire à glace ne s'appliquait pas à lui ; il était plutôt de la carrure d'une chambre froide. Il se racla la gorge et déglutit deux ou trois fois ; je regardai les muscles gonfler et se détendre sous les pansements.

Le rapport du Durant Memorial mentionnait des hémorragies au niveau des muscles courts du cou autour de la glande thyroïde, à l'avant du larynx, avec une petite fracture de l'os hyoïde et d'éventuels dommages à l'œsophage et à la trachée.

Je pensai à la femme vietnamienne. S'il avait été d'une taille un tout petit plus normale, je l'aurais tué, mais pour l'instant j'étais content de ne pas l'avoir fait.

Ils l'avaient lavé et habillé avec des vêtements de l'hôpital – une de ces chemises fesses-à-l'air qu'ils collent à tout le monde. Ce devait être une taille XXXXL, mais elle était quand même bien tendue sur ses épaules. J'eus une idée ; j'allai chercher dans mon bureau un pantalon de survêtement géant sur lequel était écrit Chugwater Athletic Department, un cadeau moqueur de Vic, et le coinçai entre les barreaux. Si je me réveillais dans une situation pareille, la première chose que je souhaiterais serait un pantalon.

Ils lui avaient attaché les cheveux et c'était la première fois que je pouvais regarder son visage de près. Il était large, comme s'il avait été étiré pour se conformer à son crâne énorme, avec un front puissant, un nez très proéminent et une grande bouche aux lèvres bien pleines. Au niveau de son sourcil gauche, un creux très marqué, et beaucoup de tissu cicatriciel. Ce n'était pas ce qu'on pouvait appeler un beau visage, mais il était certainement chargé d'histoire, d'une histoire de luttes. Les rides étaient profondes, et même si c'était parfois difficile d'évaluer l'âge exact des Indiens, j'estimai que nous devions avoir à peu de chose près le même âge.

L'hôpital nous avait fait parvenir ses vêtements, qui étaient dans un sac-poubelle posé sur le comptoir de la kitchenette. Je m'apprêtai à aller y prendre les mocassins pour les glisser à l'intérieur de la cellule, mais je me dis alors que c'était le meilleur moment pour examiner ses effets personnels.

J'enfilai une paire de gants en latex.

Les mocassins étaient sur le dessus. Ils étaient délicatement brodés de perles, d'un motif différent de tous les autres dessins crow que je connaissais. Il était crow, sans aucun doute, mais c'était une variante inconnue. Les semelles étaient encore humides après notre altercation dans le tunnel, et je remarquai un peu de boue séchée sur les côtés, mais ce furent les seules traces que je pus trouver. Quelles qu'aient été les autres habitudes du géant, ses mocassins étaient en tout cas quelque chose d'important. Je les posai à l'intérieur de la cellule et poursuivis mon examen.

Quelques objets personnels avaient été rangés dans un sac en plastique. Je le sortis et détaillai le contenu :

un bandana, un étui d'allumettes du Wild Bunch Bar[*] à Powder Junction, et un vieux couteau KA-BAR qui semblait dater de la guerre du Vietnam – un de ces bons vieux modèles avec une pochette séparée pour ranger une pierre à aiguiser. J'ouvris le sac et pris le couteau ; il faisait environ vingt centimètres de long. Je sortis la lame du fourreau usé et en effleurai le fil, puis je la rangeai et posai le couteau sur le comptoir afin qu'il soit placé dans le tiroir destiné aux effets personnels.

Le bandana recouvrait un étui à photos en plastique rose, le genre qu'aurait possédé une petite fille. Une couture maladroite faite avec un fil plastifié en fermait les bords et le vinyle qui recouvrait les photos était opaque et cassant. Il ne renfermait que deux clichés.

Sur le premier, une femme, la tête tournée vers la droite ; c'était le type de photo d'identité qu'on se faisait faire dans un centre commercial par groupe de quatre ; une photo en noir et blanc dont l'émulsion pâlissait un peu sur les bords. Elle avait des cheveux noirs, dont une partie lui retombait sur le visage, cachant à moitié le sourire qui éclairait son visage. Elle était assez belle, d'une allure simple, naturelle.

L'autre montrait la même femme assise à un arrêt d'autobus, de ceux qu'on voit habituellement dans les Hautes Plaines, souvent à côté d'un Dairy Queen ou d'un petit café. Elle était assise sur un banc avec deux petits enfants, un garçon et une fille. Elle avait le même sourire, mais sur cette photo, ses cheveux étaient attachés en queue-de-cheval ; son visage était bien visible. Elle regardait droit vers l'objectif tout en chatouillant les deux enfants, qui levaient la tête, les

---

[*] The Wild Bunch est le nom de la bande à laquelle appartenait Butch Cassidy, traduit en français par "la Horde sauvage". (Toutes les notes sont de la traductrice.)

yeux fermés et la bouche grande ouverte dans un grand éclat de rire extatique.

Le soleil devait se trouver derrière le photographe, parce que l'ombre gigantesque de l'homme qui prenait les clichés était visible, et il ne fallait pas beaucoup d'imagination pour savoir qui il était. Derrière la petite famille hilare, un panneau métallique RC Cola au-dessus d'une ardoise sur laquelle on avait écrit d'une main peu assurée *Lignes de bus de Powder River, Direction Hardin 12:05* et, en plus petits caractères, *ABRI INTERDIT AUX INDIENS*. Je déchiffrai l'inscription au bord de la photo et parvins à lire *6 août 1968*. Je refermai l'étui et le posai de côté.

Eh bien, il était assurément crow.

Dans le sac en plastique, je découvris aussi un sac médecine cousu à la main avec quelques lambeaux de franges. Il était rebrodé de perles selon un motif primitif qui ressemblait à une espèce d'animal avec une ligne ondulée à travers le corps. Cela pouvait être soit un ours, soit un bison ; c'étaient les seuls animaux qui avaient une ligne de cœur. Je le glissai avec le porte-photo entre les barreaux, à côté des mocassins.

La veste était de facture classique, et je constatai sans surprise qu'elle ne comportait pas la moindre marque d'identification. Elle n'était pas en bon état et elle sentait mauvais, mais sur le dos il y avait le dessin d'un bouclier et les mots RED POWER tracés dans une peinture cramoisie aujourd'hui passée.

Il me fallait mon expert.

Je pliai les autres vêtements et les rangeai dans le sac en plastique, y ajoutai le couteau et emportai le tout à Ruby, à l'accueil. Je m'assis au coin de son bureau et jetai mes gants dans la corbeille à papier. Le chien les regarda, mais je lui dis non et tendis la main pour lui caresser la tête.

— Merci de venir un dimanche.

Elle sourit.

— J'avais des choses à faire sur l'ordinateur, de toute manière.

— Il se peut qu'on doive appeler Ferg.

— Il se promène sur les eaux de la Big Horn. Tu ne vas pas arriver à le joindre avant demain matin, au mieux.

Je soupirai.

— Toujours rien de Saizarbitoria?

Elle secoua la tête, regarda derrière moi l'ex-shérif profondément endormi sur le banc.

— Il y a Lucian.

— Heu... Et Double Tough et Frymire?

— Rentrés, chacun dans sa tanière pour panser sa collection de blessures. (Je hochai la tête.) Du nouveau de la DEC ou de la patrouille de l'autoroute?

Elle fit une mimique qui montrait qu'elle commençait à se lasser de répondre à mes questions.

— Non.

Ruby n'était pas obligée de travailler le week-end, mais neuf fois sur dix, elle était là pour répondre au téléphone et faire en sorte que la lourde machinerie de la représentation de la loi dans le comté d'Absaroka ne cale pas. Je tendis le bras et tapotai son épaule d'un index facétieux.

— Hé, tu as entendu parler de ma bagarre?

Elle papillonna des cils pour donner à ses yeux d'un bleu néon un air de parfaite innocence.

— J'ai entendu dire qu'il t'a flanqué une raclée.

— Effectivement.

— Tu ne trouves pas que tu as un peu trop de maturité pour ce genre d'idioties?

Je tripotai le pansement et la bosse à l'arrière de ma tête.

— C'était lui qui se battait ; moi, j'essayais juste de sauver ma peau.

Elle secoua la tête sans me quitter des yeux et je décidai de changer de sujet.

— Quelles nouvelles de ma fille et de la Nation Cheyenne ?

— Il y a une heure, ils finissaient de déjeuner et s'apprêtaient à aller au gymnase.

Je fis la grimace.

— Ça, c'est mon boulot.

— Ils se sont dit que tu étais peut-être occupé.

— Je le suis, mais ça ne veut pas dire que je ne peux plus assumer mes responsabilités.

Je me levai ; je me sentais hors du coup et je changeai de sujet une nouvelle fois.

— Nous devrions commencer par voir avec le centre d'accueil des vétérans ici, à Durant, et avec celui de Sheridan ; peut-être qu'ils ont entendu parler de lui. Un Indien de cette taille passe difficilement inaperçu.

Son regard s'attarda sur l'expression d'évidente tristesse sur mon visage.

— Qu'est-ce qu'il y a ?

J'évitai les détecteurs de mensonge bleus, directs, d'une efficacité redoutable qui étaient pointés sur moi.

— Peut-être que je devrais aller voir si elle va bien.

Elle cacha son sourire derrière sa main et se tourna vers son ordinateur, le visage empreint d'une fausse gravité.

— Peut-être que tu devrais.

Je restai là, tentant vaillamment de garder le contrôle sur le petit bout de terrain que je tenais encore.

— Henry ne connaît pas son programme de rééducation.

Elle ne m'accorda pas un regard.

— Bien sûr.

— Je crois que je vais y aller.

Elle hocha la tête.

— Tu as raison, vas-y.

Une fois que je fus assuré de m'être bien fait comprendre, je descendis les marches usées derrière le tribunal, passai devant la boutique du barbier et le Owen Wister Hotel, et j'approchai de la porte latérale du Durant Physical Therapy. J'étais presque à mi-hauteur de l'escalier menant au vieux gymnase lorsque j'entendis la voix de Henry, patiente mais ferme :

— Encore deux…

Tan Son Nhut, Vietnam : 1967

— Non.

Elle me regarda, blessée, sans comprendre, croisa à nouveau les jambes sous son yukata en soie et lissa l'exemplaire du *Stars and Stripes* qui était posé sur ses genoux. Le journal de l'armée était devenu sa version personnelle de *Mon premier livre de lecture*.

Il était tôt au Boy-Howdy Beau-Coups Good Times Lounge, et nous y étions seuls. Le barman, Le Khang, arriverait un peu après 6 heures pour faire le café, mais il repartirait rapidement, comprenant qu'il n'y avait pas de bénéfices à faire sur mon dos. Les trois derniers matins, il n'était même pas apparu, laissant à Mai Kim le soin de préparer le café. Elle était toujours là lorsque j'y étais, toujours impatiente de bénéficier d'une nouvelle leçon d'anglais. Elle avait tiré un tabouret du bar et restait là, sur son perchoir, tendue par l'impatience.

Elle but une gorgée ; elle n'aimait pas le café, mais elle avait l'impression que le fait d'en consommer la faisait progresser sur la voie de l'américanisation. Elle pencha la tête.

— Leçon encore ?

— Non.

Je vidai mes joues de l'air que j'y avais accumulé et promenai mes doigts sur les touches du piano, abîmant sérieusement le *Concerto n° 2 en do mineur* de Rachmaninov, qui était bien assorti à la tonalité de mon humeur – la mélancolie. C'était l'*Adagio sostenuto* que ma mère avait gravé dans ma petite tête d'enfant, soir après soir. D'une certaine façon, le Harlem Stride ne correspondait pas vraiment aux matins silencieux juste devant la Porte 055 de Tan Son Nhut.

Sans se laisser décourager, elle déplia les pages froissées et jaunies du *Stars and Stripes*. Je faisais ma part de la mission "gagner les cœurs et les esprits" en l'aidant à travailler son anglais. Elle avait opté pour un article qui mettait en garde contre la préparation de C-4 en extérieur, et elle était vexée par le peu d'enthousiasme que j'avais manifesté devant sa présentation. Elle s'éclaircit la voix et se mit bien droite :

— Cuisine avec du feu…

Je la corrigeai par réflexe :

— Cuisiner, pas cuisine.

— Cuisiner avec du feu…

— Mai Kim, je n'ai pas vraiment envie de faire ça ce matin.

Elle lissa le papier d'un geste vif pour me faire savoir qu'elle n'était pas contente que je l'interrompe.

— Qu'est-ce que va pas ?

— Rien. C'est juste que je n'ai pas envie, tout de suite.

Elle leva les yeux pour me regarder tandis que je sirotais le café qu'elle avait posé pour moi sur le coin du piano.

— Le poste de commandement a pou-bli une di-re'-tive…

— Publié une directive.

Elle parut peinée.

— C'est qu'est-ce dis, moi.

— Non, ce n'est pas ce que tu as dit.

Elle s'était remise à lire.

— Con-ce'-nant l'uti-li-lisa-tion de l'esplosi' C-4…

— L'explosif.

Elle hocha la tête et contempla le papier comme s'il avait essayé de la frapper.

— De l'explosif C-4.

Elle était une excellente imitatrice et une assez bonne élève.

— Mai, s'il te plaît…

— Résidou peut donner lieu à un empoison-ne-ment au C-4, et les éma-na-tions dans des zandoits clôô…

— Des endroits clos.

— C'est qu'est-ce que dis, moi.

— Non, ce n'est pas ce que tu as dit.

Elle m'ignora et continua :

— Peuvent être estrê-mé-mé-ment dangereuz. Le spécialiste de l'amement Mack Brown esplique que une tontativ pou' étende C-4 peut prodoui' esplosion…

Elle se tourna vers moi, me regarda par-dessus le bord de sa tasse et me fit un clin d'œil.

— Réussi ça, moi, hein ?

— Assez bien, oui.

Elle remarqua l'expression dénuée d'intérêt sur mon visage et continua à m'observer.

— Aimes pas ma café, cow-boy ?

— Non, non, il est bon, ton café. (Je continuai à massacrer Rachmaninov avec un index tendu.) Ça t'est déjà arrivé d'avoir un boulot merdique que tu n'aimais pas faire ?

Je levai les yeux vers la minuscule prostituée assise là au Boy-Howdy Beau-Coups Good Times Lounge.

— Oublie ma question.

L'histoire de Mai Kim était loin d'être unique dans les villages de la campagne vietnamienne ; lorsqu'elle avait onze ans, elle avait été vendue. Elle avait aujourd'hui quinze ans et les quatre années passées à pratiquer le plus vieux métier du monde l'avaient fait vieillir autant que le commandant qui m'avait accueilli à mon arrivée. Peut-être était-ce lié à l'endroit ; la jeunesse ne pouvait durer sans l'innocence.

Elle cligna des yeux et referma le journal posé sur ses genoux.

— Aimes pas ici, toi ?

Je pivotai sur le tabouret du piano défoncé et posai la tasse de café sur mon genou, daignant enfin lui accorder toute mon attention. J'entendais au loin, mais de plus en plus près, un groupe de Kingbee qui poussaient leur moteur, en vol pour une patrouille matinale. J'avais appris que les H-34, avec leur moteur de trente-deux cylindres radial installé juste en dessous du cockpit, étaient moins rapides que les UH-1, mais rendus précieux par le grand bloc métallique situé entre les pilotes et ceux qui leur tiraient éventuellement dessus.

— Ce n'est pas ça.

Elle croisa les bras.

— Est quoi, alors ?

— Alors, c'est quoi ?

— Alors, c'est quoi ?

Je souris en entendant son accent du Wyoming.

Baranski et Mendoza avaient fini par être agacés par ma naïveté tenace et ils s'étaient mis à passer plus de temps sur d'autres enquêtes, me laissant des tas d'heures libres pour méditer sur tout ce que je ne faisais pas avancer. Exactement comme le commandant l'avait laissé entendre, les locaux m'avaient rapidement repéré, et le simple fait d'être vu en train de converser avec moi était devenu source de soupçon. Mais les putains me parlaient encore ; tout au moins, Mai Kim.

Je regardai bien en face celle qui était apparemment la seule amie que j'avais en ces lieux, en me demandant combien de temps elle me parlerait encore si je m'engageais plus avant dans ma mission.

— Tu es au courant pour la drogue. (Elle hocha la tête, très concentrée.) Il y a un jeune homme qui est mort après être passé par la base.

— Beaucoup hommes morts après passés par la base.

Je levai les yeux.

— Celui-ci était différent.

Henry observait l'Indien endormi.

— Différent de ce que je connais.

— Crow ?

Je m'appuyai contre le comptoir.

Il prit une grande inspiration.

— Oui, mais pas Crow de la Rivière, ni Crow de la Montagne. Il vient d'une autre bande.

Je désignai les mocassins.

— Je n'ai jamais vu ce motif de perles; il est géométrique, mais ne ressemble pas aux Crow que je connais.

Henry s'accroupit à côté des barreaux et examina le sac médecine et les mocassins; je remarquai qu'il ne touchait ni l'un ni l'autre. Il hocha la tête.

— Kicked-in-the-Belly.

J'attendis un moment.

— Tu veux bien expliquer au pauvre barbare d'homme blanc que je suis de quoi il s'agit?

Il se retourna et s'assit par terre, le dos contre les barreaux de la cellule, ce que le chien prit pour une invitation à venir s'installer à côté de lui.

— *Eelalapi'io*, une bande bannie, l'un des treize clans maternels exogames; le quatrième s'est joint aux *ackya'pkawi'a*, ou Bad War Honors.

Je le regardai réfléchir et trier les informations avant de les traduire de manière qu'elles me soient compréhensibles sur les plans linguistique et culturel.

— En 1727 à peu près, un groupe de guerriers crow mené par Young White Buffalo a fondu sur la région de Fat River, et ils sont revenus avec un animal très étrange. Cet animal était grand comme un élan, mais il avait des sabots arrondis, une longue queue et une crinière; il n'avait pas de bois et la tribu l'a trouvé très intéressant. Un brave s'est approché trop près de l'arrière-train de l'animal pour le toucher. La créature a donné à l'homme un coup aussi fulgurant que l'éclair, et il s'est retrouvé à terre, plié en deux.

— Un cheval… d'où le Kicked-in-the-Belly?

Je sortis du sac en plastique, en la pinçant entre deux doigts, la veste militaire kaki, je traversai la pièce et m'assis sur la chaise retournée, les bras croisés sur le dossier.

— Ça ne colle pas. Que ferait-il alors dans cette région? À moins qu'il n'ait un endroit secret où il se serait terré pendant toutes ces années.

— Rien sur lui?

Henry continuait à caresser le chien.

— Juste les allumettes, un couteau, un étui à photos et le sac médecine. Mais Saizarbitoria est sur place et passe en revue ce qui se trouve dans le tunnel. (Je voyais bien que Henry avait les mêmes doutes que moi.) Pourquoi l'aurait-il laissée là, dehors, à un endroit où tout le monde pouvait la voir?

Il cessa de caresser le chien et se mit à le taquiner en tirant une de ses longues oreilles. Le chien ouvrit les yeux mais ne fit rien de plus.

— Si j'ai bien compris, ce n'est pas un être raisonnable?

— Il a essayé de tuer tous ceux qui l'ont approché jusqu'ici, si c'est ce que tu veux dire.

Il hocha la tête, et, tandis que je repensai à l'histoire, je fis le lien avec le propriétaire/gérant de la station Sinclair White Buffalo sur la réserve.

— Est-ce que le jeune White Buffalo de l'histoire est un ancêtre de Brandon White Buffalo?

— Probablement.

Je jetai un coup d'œil vers la cellule.

— Est-ce que Brandon est parent de celui-ci?

La Nation Cheyenne tourna la tête et regarda le Crow derrière les barreaux.

— Je connais la plupart des membres de la famille de Brandon. Le père de Brandon est cheyenne, mais les White

Buffalo sont crow et il est possible que certains d'entre eux aient adopté les membres de la famille de la mère. (Il secoua la tête et se retourna vers moi.) Je ne connais pas cet homme, mais en même temps, je ne connais pas bien certaines bandes crow, en particulier les Kicked-in-the-Belly. (Il désigna la cellule derrière lui d'un mouvement du pouce.) Il ressemble à Brandon.

— Tu veux dire, en tonnage brut ?

Henry étouffa un petit rire.

— Je peux passer quelques coups de fil et aller chercher dans les rouleaux ancestraux de la tribu.

Il resta immobile quelques instants, et je sus qu'il avait quelque chose à ajouter.

— Quoi ?

— Le sac médecine est clairement marqué de sociétés de guerriers, les Crazy Dogs et les Crooked Staff.

Entendant son nom, le chien leva la tête, mais Henry le gratta derrière les oreilles et il reposa sa grosse tête sur les genoux de l'Indien.

— Du lourd ?

Il hocha la tête dans un mouvement tout juste perceptible.

— De grands guerriers.

Je soulevai le bord de mon chapeau et tâtai la bosse sous le pansement.

— Je peux personnellement, ainsi qu'un de mes adjoints, deux agents de la patrouille de l'autoroute et quelques aides-soignants de l'hôpital, en témoigner.

— Les Crazy Dogs sont la cinquième et la moins structurée des sociétés de guerriers – ils s'engageaient à mourir au combat.

J'avais entendu parler de ce genre de choses.

— Des kamikazes ?

— Dans un certain sens. La mort ne doit être ni absurde ni inutile ; elle doit apporter un avantage à la bataille au moment où elle se déroule.

Il resta silencieux quelques instants avant de reprendre.

— On dit que ces individus ont la réputation de mener une vie très téméraire.

Je hochai la tête, percevant toute la solennité du moment.

— Et les Crooked Staff ?

Il prit une grande inspiration et leva les yeux vers moi.

— Chaque printemps, les chefs des sociétés de guerriers donnaient quatre bâtons aux nouveaux membres. Ces jeunes hommes devaient planter leur bâton au moment où ils rencontraient l'ennemi et s'y attacher, puis ils combattaient jusqu'à la mort. Cela assurait une arrière-garde à toutes les actions et un regain d'élan au groupe de combattants pour qu'ils se rassemblent et viennent au secours des jeunes guerriers.

Je décroisai les bras et lui lançai la veste militaire.

— Et qu'est-ce que tu fais de ça ?

Il se tourna sur le côté pour ne pas déranger le chien et ouvrit la veste, comme je l'avais fait. Il rabattit le pan avec les boutons-pression et les examina, quelque chose que je n'avais pas pensé à faire.

— Scovill Manufacturing, modèle tropical ; pas de boutons pour une doublure intérieure. (Il leva les yeux.) On dirait qu'il a ton âge.

— Ouaip.

— Surplus de l'armée, ou…

Il laissa la phrase en suspens.

— Ou quoi ?

Les mains de couleur brune caressèrent le large dos de la veste usée jusqu'à la corde. Il examina le bouclier peint et les mots RED POWER.

— Ou… c'est un des nôtres.

Henry Standing Bear ne voulait pas dire Indien.

Santiago Saizarbitoria avait eu une matinée éprouvante ; il ne s'était pas fait tabasser par l'Indien comme nous autres, mais il avait dû passer en revue les objets à l'intérieur du tunnel. Je ne savais pas ce qui était le pire des deux. Saizarbitoria était le contingent basque de notre petit département et mon second effort pour maintenir l'âge moyen en dessous de cinquante ans. Il venait de Rawlins, où il avait travaillé dans la section à haut risque du pénitencier de sécurité maximale de l'État, autrement dit, ce qu'on appelait une prison dans l'ancien temps, et Vic l'avait surnommé Sancho avant même de le rencontrer. Il était à la position la plus basse sur le poteau totem de notre petit clan, du coup il travaillait le dimanche, parce qu'il le fallait et parce qu'il avait une femme et bientôt un enfant et qu'il avait besoin de faire des heures supplémentaires. Il était assis sur le banc dans le hall en train de boire une tasse de café et de badiner avec Ruby. Henry continuait à passer ses coups de fil.

Le chien ne cessait de fouiller dans les sacs-poubelle aux pieds de Sancho, mais mon adjoint repoussait son museau. Le chien ne le prit pas personnellement et s'avachit à côté du banc en attendant qu'il lui ouvre les sacs. Santiago m'en montra un en particulier.

— Beaucoup de trucs morts dans ses affaires.

Je jetai un coup d'œil au sac qui était fermé avec un lien.

— Des trucs morts ?

— Des crânes, des sabots, des choses comme ça. Je ne crois pas que nous devrions ouvrir celui-ci à l'intérieur, sans compter qu'il fait assez chaud.

— Tu as raison. Et l'autre ?

Il eut l'air un peu déprimé.

— Vous n'allez pas aimer, je le sens.

Il se pencha et en sortit un petit sac à main noir bon marché, qu'il avait glissé dans un sac plastique transparent.

— Où l'as-tu trouvé ?

— À environ un tiers de la distance de la bouche du tunnel.

Je me levai d'un pas décidé et Santiago me suivit jusqu'au comptoir à côté des cellules. Nous enfilâmes les gants en latex jetables de rigueur et commençâmes l'examen préliminaire. Le chien nous suivit, nous et le second sac.

La pochette était couverte de boue seulement d'un côté et saturée d'humidité, à l'endroit où l'eau de la Murphy Creek avait pénétré dans la poche dont la fermeture Éclair n'avait pas été tirée. Nous commençâmes par le compartiment principal. Il contenait un foulard en imitation soie, que je laissai se déplier précautionneusement vers le sol.

— Pas l'air très cher.

Saizarbitoria approuva d'un signe de tête et continua à écrire sur la liste des objets personnels accrochée au sous-main posé sur son genou.

— Si on excepte la boue, le sac à main a l'air neuf.

— Ouaip.

Je glissai le foulard dans un sac en plastique et replongeai la main dans le sac, pour en sortir un trousseau de clés accroché à une télécommande.

— General Motors.

Mon adjoint regarda le porte-clés.

— Ouais.

Il y avait d'autres clés, mais elles ne comportaient ni marque ni numéro de code. Je les laissai tomber dans un autre étui et les mis de côté.

Je découvris un roman à l'eau de rose avec une couverture relativement explicite représentant une jeune femme debout sur une falaise, un océan à ses pieds. Il était en français et corné à environ un quart de sa longueur. Le sac ne contenait rien d'autre de remarquable, si ce n'était une pochette assortie au sac, fermée par une fermeture Éclair, et qui contenait environ dix-huit dollars en quarters.

Je ramassai la pochette et pensai à la jeune femme à laquelle elle avait appartenu. Peut-être était-ce une Amérasienne, une enfant de poussière* : une de ces enfants de mère vietnamienne et de père américain. À une génération de distance, elle me paraissait tout de même très vietnamienne.

— Sancho ? (Il leva les yeux.) Vois ce que donnent les clés de voiture.

Il gribouilla quelque chose en marge de sa liste.

— OK.

Il y avait une poche plaquée à l'intérieur du sac. Je défis la fermeture et je trouvai une photographie collée contre le tissu, dans un pli ; si on n'avait pas bien cherché, on ne l'aurait jamais découverte. Je me tournai et regardai Santiago.

— Pas d'argent à l'exception de tous les quarters, pas de papier d'identité, et un livre en français. Ça ne te paraît pas bizarre ?

— Si. (Il me regarda à son tour.) Et sur lui, vous avez trouvé quelque chose ?

Je coulai un regard vers le géant endormi dans la cellule n° 1.

---

* Traduction de l'expression américaine *dust child* qui désigne ces enfants non désirés, nés pendant la guerre du Vietnam, rejetés par la société, comme leurs mères, souvent accusées d'être des prostituées.

— Un porte-carte d'enfant avec des photos, mais rien qui l'incrime vraiment, et rien de récent si ce n'est une pochette d'allumettes du Wild Bunch Bar.

— Vous voulez que je retourne à Powder Junction ?

— Ouaip. S'il te plaît… Je crains que Double Tough et Frymire soient hors circuit pendant un moment, et je n'ai toujours pas de nouvelles de Ferg.

Je sortis la photo de la doublure trempée du sac à main et la retournai pour la regarder. Elle était vieille et décolorée par le soleil, les coins rebiquaient là où l'eau avait imprégné le papier. C'était un instantané d'une femme asiatique perchée sur un tabouret de bar. Elle lisait un journal et un homme était assis devant un piano à sa droite. Il tournait le dos à l'objectif. Il portait un treillis et son visage était un peu caché. Il était grand, jeune, très musclé et il avait un visage d'ange joufflu et une coupe militaire.

Et c'était moi.

4

Ma fille me tenait par la main. Ruby et Henry étaient au bureau de l'accueil et me regardaient. Henry avait toujours le combiné collé à l'oreille.

Saizarbitoria avait posé nos photos du corps de la jeune femme sur le bureau de Ruby, et elles étaient étalées à côté du vieux cliché. J'avais envoyé Sancho à Powder Junction pour interroger les gens au Wild Bunch Bar, et Lucian était toujours allongé sur le banc dans le hall, toujours – heureusement – endormi.

— Papa?

Elle était blottie tout contre moi, debout, les bras passés dans les miens et le menton posé sur la cicatrice de ma clavicule.

— Papa, est-il possible que… ?

Je la regardai, et c'était comme si elle avait voulu que ce soit vrai.

— Non.

— Alors, pourquoi est-elle venue ici?

— Je n'en ai pas la moindre idée.

Ruby regarda à nouveau, étudiant les photos avec une bienveillance nouvelle. Je contemplai la profondeur bleue de ses yeux et elle hocha la tête.

— Walt, elles pourraient être de la même famille.

Je comparai leurs visages. On pouvait voir une ressemblance, mais avec le gonflement et la décoloration de la victime sur nos photos, il était difficile de faire le pas.

Ou tout simplement, je ne voulais pas le faire.

Henry se mit à parler en cheyenne dans le téléphone ; je comprenais les références à Brandon White Buffalo, mais c'était à peu près tout.

Elle souriait à l'objectif et elle avait des dents magnifiques, comme dans mon souvenir. Pourtant, une tension était visible dans son sourire, une tension asymétrique qui révélait qu'elle n'était pas habituée à ce qu'on la prenne en photo.

Je repensai au corps de la jeune femme trouvé au bord de l'autoroute et j'essayai de le relier à la jeune femme qui souriait sur la vieille photo, et à celle de mon souvenir. Je tendis la main et tournai une de nos photos pour que le profil de la femme soit dans la même position que le cliché. Une partie de la morphologie osseuse correspondait.

Je lançai un coup d'œil à Henry qui avait l'air d'être à nouveau en attente. Il fit un mouvement de la tête en direction des photos.

— C'est possible.

J'allai jusqu'au banc qui se trouvait à côté de l'escalier et je m'assis, prenant garde à ne pas toucher les bottes de Lucian. La dernière chose dont j'avais besoin maintenant, c'était qu'il se réveille. Je restai là, à réfléchir, contemplant les dessins formés par les rayons du soleil sur le plancher. À penser au Vietnam, à Tan Son Nhut et Mai Kim — me rappelant la chaleur, l'étrange lumière et l'ambiguïté.

— Qui était-ce ?

Je sursautai en entendant la voix de Cady et je levai la tête. Je pensais à tous les souvenirs pernicieux qui m'assaillaient depuis quelque temps, les griefs, les doutes, l'orgueil blessé, la culpabilité, et toute l'amertume causée par le débat moral au sujet d'une guerre achevée depuis longtemps. Je restais là avec la même impression que celle que j'avais eue dans le tunnel lorsque le grand Indien avait essayé de m'étrangler. Je m'étouffais en repensant à un passé qui provoquait malaise, agitation et perte de repères.

Je mordis l'intérieur de ma joue et baissai la tête.

— C'était une entraîneuse de bar à la base de l'Air Force où j'avais été envoyé pour une enquête. (Je lançai un coup d'œil à Henry.) Tu l'as rencontrée. Quand tu es venu.

Il hocha la tête.

— Avant le Têt.

— Ouaip.

Mes yeux se posèrent à nouveau sur le motif lumineux à nos pieds, et je contemplai la poussière en train de passer à travers les rais de soleil qui semblaient si lointains.

Tan Son Nhut, Vietnam : 1967

Des nuages de poussière, des cailloux, des papiers gras volèrent sur la piste tandis que les deux rotors du gros CH-47 Chinook forçaient tout le monde à s'accroupir et à détourner les yeux. Le courant d'air provoqué par les lames était assez fort pour me faire tomber et soulever des plaques du tarmac de plus de cinquante kilos. Je gardai les yeux fermés et attendis de ressentir moins de picotements. Le gros hélicoptère se posa, les mitrailleurs de porte se détendirent et les mitraillettes de calibre .50 piquèrent du nez comme si la volonté de combattre avait abandonné l'engin volant.

C'était le cas.

Je sentis une main se poser sur mon épaule, m'attraper et, d'un mouvement vif, m'éloigner des tourbillons d'air sale.

— *Ya-tah-hey*, homme blanc !

J'avais reçu un message du poste de commandement énonçant une priorité n° 1 du groupe d'opérations spéciales, commandement d'assistance militaire. Tout le monde dans la bicoque des communications voulait savoir de quoi il s'agissait, mais j'avais sans un mot emporté le papier dans la rue, dehors, pour l'ouvrir et lire : "Hue et Dong Ha ces dernières vingt-quatre heures. Atterrissage demain soir 1800 pour permission. Nah-kohe."

Lorsque je pus à nouveau ouvrir les yeux, nous étions au bord de la piste d'atterrissage, et je remarquai que l'Ours était paré à toute éventualité – des armes non sécurisées étaient accrochées partout sur lui comme s'il envisageait tranquillement la mort. La Nation Cheyenne, équipe de reconnaissance un-zéro, dite Recon Team Wyoming, portait une mine claymore dans une sacoche en toile avec un détonateur artisanal fourré dans la poche poitrine, un chapelet de minigrenades V-40 de la taille de balles de golf, un fusil CAR-15 et un M79 à canon scié. Il traînait le poids de plus de sacs de munitions que j'avais jamais vus d'un coup, auxquels s'ajoutait, dans son dos, un tomahawk des forces spéciales. Je tapotai de l'index le dispositif de mise à feu installé sur sa poitrine.

— Tu ferais mieux de déconnecter le détonateur sur ce truc, nous avons beaucoup d'ondes radio aléatoires par ici, et il n'est pas impossible que tu t'envoles vers les grands territoires de chasse de l'au-delà.

Il ne bougea pas.

Je secouai la tête et le regardai.

— Tu pensais que tu allais devoir te battre pour arriver jusqu'ici ?

Son sourire fut pincé, sans joie.

— Pour arriver ou repartir, quelle différence ?

Il ne voyageait pas seul ; à côté de lui se tenait un soldat de reconnaissance montagnard, comme les avaient appelés les Français. Il était deux fois plus petit que moi, et le petit bonhomme au visage farouche ne cessait de lancer des regards renfrognés de sous son casque colonial. Il était également équipé de la version sciée du M16, ainsi que d'un pistolet de calibre .22

avec silencieux, d'un minimortier de 60 mm avec munitions, et d'un couteau des forces spéciales, un Randall Model 14 Bowie.

— Walt, je te présente Babysan Quang Sang.

Je tendis la main.

— Enchanté.

Il regarda ma main comme si c'était la première fois qu'il en voyait une. J'attendis quelques instants, puis je la retirai.

— Allez, les gars, je vous offre une bière.

Tandis que nous faisions demi-tour, Henry percuta un lieutenant-colonel qui avançait en sens inverse. Les mouvements de l'Ours ralentirent jusqu'à ce qu'il s'immobilise complètement.

— Regardez où vous allez.

Le lieutenant-colonel resta là un moment à regarder la collection d'armes et le grand Indien avec son amulette en os sculpté à l'effigie d'un cheval suspendue à son cou, l'écusson de la patrouille de reconnaissance et l'insigne qui disait STANDING BEAR. Le pas-encore-colonel regarda alors l'indigène confirmé qui avait l'air prêt à sortir son couteau et à lui sauter à la gorge. Il lui fallut un moment pour réagir, mais lorsqu'il le fit, ce fut avec le sourire.

— Regardez où vous allez, *monsieur*.

Les quarante-huit prochaines heures promettaient d'être palpitantes.

L'ambiance au Boy-Howdy Beau-Coups Good Times Lounge était déjà bien animée lorsque nous y arrivâmes, et il n'y avait pas la moindre table libre. Nous nous glissâmes jusqu'au bar comme un trio de trappeurs tout juste arrivés du Grand Nord-Ouest. Je commandai trois Tiger, me tournai pour trinquer avec mon meilleur ami au monde, et hurlai pour me faire entendre dans la foule :

— C'est bon de te voir vivant !

— C'est bon d'être vivant !

Il regarda derrière lui et vit que le minuscule Montagnard était englouti par la foule. Henry posa sa bière, souleva Babysan et le posa sur le bar entre nous. Quang Sang sourit comme si c'était un événement quotidien et avala sa bière d'un seul trait. Le Khang me lança un regard menaçant depuis l'autre côté du bar, mais il retourna rapidement à son essuyage de vaisselle lorsque Henry ôta sa casquette et la posa sur le comptoir.

— Alors, c'est là que tu passes ton temps de guerre ?

— Je fais parfois une reconnaissance jusqu'au piano. (Il hocha la tête, sachant parfaitement bien que je mentais.) Henry, ils t'ont coupé les cheveux.

Il sourit.

— Ils t'ont coupé les tiens aussi.

Le silence retomba pendant un instant et je me sentis obligé de demander.

— Et ensuite, vous allez où ?

Il jeta un coup d'œil alentour et constata qu'il n'y avait pas de Vietcong dans le voisinage immédiat.

— La Colline 861, puis on saute la clôture et on retourne au Laos.

— Je ne savais pas qu'ils étaient en guerre.

Il haussa les épaules et but une gorgée.

— Ils ne le sont pas.

Je hochai la tête.

— Et qu'est-ce qu'il y a sur la Colline 861 ?

— Des Vietcongs. (Il sourit.) Mais il y en aura beaucoup moins dans vingt-quatre heures. (Il donna un coup de coude au Montagnard.) Powder River.

Le minuscule Montagnard s'écria, d'une voix aussi haut perchée que celle de la plupart des femmes présentes dans le bar.

— Powder River ! Un mile de lâge et un pouce d'eau !

La Nation Cheyenne était là, le visage rayonnant de fierté.

— Je me suis dit que s'il faisait partie de la patrouille de reconnaissance Wyoming, il devait connaître l'histoire de l'État.

— Ouh là…

— Voudrais-tu entendre son interprétation de *Cowboy Joe* ?

Je secouai la tête et regardai Henry.

— Tu es devenu indigène.

Il sourit, mais c'était un sourire plein de dents.

— J'ai toujours été un indigène.

Il leva sa bouteille et la vida en trois gorgées avant de l'abattre sur le comptoir à côté du genou de Quang Sang. Le petit homme l'imita, alors je tapai la mienne avant de lever trois doigts.

Il pointa un pouce en direction de Babysan.

— Tu connais l'histoire de ces gens ?

— Un peu.

Il se pencha un peu plus et notre conversation se déroula à un volume plus raisonnable au-dessus des genoux de Babysan, tandis que je leur tendais leurs bières.

— C'est un mélange d'hommes de tribus malaises, de Han chinois, de Polynésiens et de Mongols.

Il sourit à nouveau, et à nouveau, c'était un sourire plein de dents.

— Tu savais que les Mongols parcouraient plus de quatre cents kilomètres par jour à cheval ?

Je fis la grimace.

— À côté, les cavaliers du Pony Express étaient des petits joueurs. (Il but une gorgée de bière.) Ils ne s'entendent pas avec les autres Vietnamiens. Ils pensent que ce sont des snobs déliquescents qui ne survivraient pas vingt minutes dans la jungle. Les gens des plaines les appellent… (Il jeta un coup d'œil autour de lui, et ses yeux glissèrent sur les autres Sud-Vietnamiens présents dans la pièce.)… des sauvages.

Je hochai la tête.

— Je vois.

— Ils se moquent d'eux parce que leur peau est plus foncée et que leur prononciation est différente, mais ils flanquent régulièrement des dérouillées aux Vietcongs avec leurs arcs et leurs flèches.

— Je vois bien.

— Ils ont une économie locale et l'argent ne signifie rien pour eux. Les Français les payaient en perles…

— Je vois très bien.

— Oncle Sam verse à Quang Sang soixante dollars par mois, et il est le mieux payé de sa tribu.

Je cessai de commenter.

— Ces combattants ont l'éthique guerrière la plus carrée que j'aie jamais vue. (Alors même que nous étions tout près, sa voix était remontée au niveau qu'elle avait précédemment.) Ils ont été exploités par les Vietnamiens, les communistes, les Français, et maintenant, ils le sont par nous. Et lorsque cette guerre criminelle sera terminée, je peux te certifier que ce seront eux qui paieront le prix fort.

Je pris une inspiration et attendis que le militant de tous les combats se calme. Henry avait toujours eu la tête près du bonnet, mais son caractère semblait avoir empiré ces dernières années ; peut-être était-ce la guerre, peut-être était-ce l'époque.

— On dirait que ma remarque sur ton côté indigène t'a un peu contrarié.

Il but une nouvelle gorgée de bière, desserra un peu la mâchoire et me regarda avec insistance.

— Oui.

— Je suis désolé. Je pense parfois que je fais de l'humour.

Je le regardai, il continua à me regarder pendant que je buvais ma bière, un peu plus lentement cette fois.

La soirée était bien avancée. J'avais présenté Mai Kim à Henry et Babysan. Nous avions délocalisé le groupe vers le banc devant le piano, et Henry et moi les contemplâmes, tous les deux, en train de danser lentement au son de *Hurt So Bad*. J'accompagnais Little Anthony and the Imperials avec un doigt. C'était un grand banc de piano, ce qui était une bonne chose, parce que, entre la Nation Cheyenne et moi, il ne restait plus beaucoup de place. Il était tourné vers la piste de danse tandis que je fixai d'un regard ivre les touches du piano.

Henry Standing Bear oscillait sur la musique, mais il cassa le rythme en me cognant l'épaule. Je me tournai vers lui et il tendit sa bière vers la piste. Je me tournai à demi pour voir le couple. Ils étaient les seuls danseurs encore présents, et ils se balançaient dans les lueurs vertes et rouges des pâles lumières de Noël, entre les zones d'ombre oubliées par les projecteurs de la base aérienne.

Après quelques tours de plus, Babysan Quang Sang me montra ses deux pouces levés.

— Je crois qu'il m'aime bien.

Henry sourit.

— Je crois que c'est surtout elle qu'il aime bien. Il était prêt à négocier un amour véritable, mais je lui ai dit que tu payais pour ses services. J'ai tout arrangé avec le pilote là-bas.

Je hochai la tête et regardai vers le bar. Hollywood Hoang leva un verre qui contenait un breuvage ressemblant à du champagne pour sceller le marché, et mon regard se porta sur Mai Kim.

— C'est une gentille fille.

Je le sentis observer mon profil et je me retournai vers le piano. Il continua à me regarder.

— Tu en as profité ? (Je haussai les épaules et secouai la tête.) Pourquoi pas ?

Il but une gorgée de sa bière, je bus une gorgée de la mienne et nous restâmes silencieux plus longtemps que ne l'auraient fait des gens sobres.

— Tu fréquentes toujours cette blonde, là-bas, à Durant ?

Pour autant que je m'en souvenais, Henry n'avait rencontré Martha qu'une seule fois, au bal du rodéo, mais la Nation Cheyenne ne ratait pas grand-chose.

— Je ne sais pas si j'appellerais ça "fréquenter". Je n'ai pas eu la moindre nouvelle d'elle depuis un mois et demi.

Il laissa échapper un petit rire.

— Walter…

Il m'appelait toujours Walter lorsqu'il s'apprêtait à m'asséner un paquet de foutaises philosophiques, comme si la version courte de mon nom ne pouvait pas supporter la tension.

— … C'est la guerre.

— Même ici, j'ai remarqué.

— Il y a une sorte de suspension des procédures normales de fiançailles.

— Nous ne sommes pas fiancés.

— C'est tout comme. Merde, Walter, tu échanges une poignée de main avec une femme et tu as l'impression que tu dois lui être fidèle jusqu'à la fin de ta vie.

Je ne dis rien mais continuai à tapoter les touches, et le silence remplaça nos voix.

Aussi étrange que cela puisse paraître, l'armée avait un accordeur de piano qui parcourait toute l'Asie du Sud-Est, mais comme le Boy-Howdy Beau-Coups Good Times Lounge ne se trouvait pas sur la base, il n'était pas venu jusqu'ici. Je montai d'une octave, mais l'amélioration ne fut pas flagrante.

— Je suis désolé.

Je n'étais pas certain d'avoir bien entendu et je me tournai.

— Quoi ?

Il continua à contempler les danseurs.

— D'avoir crié après toi, je suis désolé.

— Ce n'est pas important.

— Si, ça l'est.

Il se tut à nouveau.

L'Ours ne faisait pas ce genre de déclaration à la légère, et j'avais appris à faire attention à lui lorsque sa voix prenait ce ton.

— Je ne suis pas si sûr que je vais survivre à cette guerre, et je n'aimerais pas que tu aies une mauvaise opinion de moi.

Je continuai à le regarder en me demandant lequel de ses énoncés je voulais contester en premier, et je finis par me décider pour le plus important.

— Bien sûr que tu vas survivre à cette guerre. (Il ne dit rien.) Un jour, on sera des vieux types gros, et on traînera et on boira de la bière et on parlera de me trouver une petite amie. (Cela sonnait faux, même à mes oreilles, alors je m'arrêtai là.) Je sais que c'est dur, là, dehors.

— Ce n'est pas dur, là, dehors. (Sa tête se tourna, mais il ne me regarda pas.) J'aime la nuit ; je vois mes ancêtres dans le noir, j'entends un millier de bruits de pas dans un silence de mort. Les fantômes sont avec moi et je les vois, mais la dernière fois que je suis sorti en reconnaissance, c'était différent. (Ses yeux tournèrent comme des projecteurs.) Je me suis vu.

J'attendis.

— Mais ça allait, parce que ce n'était pas moi. Tant que mon fantôme reste derrière moi, comme une ombre, alors je suis à l'abri.

J'attendis encore.

— Mais s'il me voit, un jour, alors, ça ira très mal.

— C'est vraiment dommage.

Je détournai mon regard de la route et le regardai, lui.

— Quoi ?

Étant donné la lenteur de la réponse de la DEC, et le fait que le personnel administratif du centre d'accueil des vétérans n'était pas disponible avant le lendemain matin, le fait que Brandon White Buffalo ne nous rappelait pas, et le fait que j'étais incapable de me tenir tranquille, nous avions décidé d'aller jusqu'à Powder Junction pour parler au barman du Wild Bunch Bar.

— Que cette jeune femme soit venue si loin à la recherche d'un membre de sa famille…

— Nous ne sommes pas parents.

Il sourit.

— Je te crois. (Il fit un geste vers Cady.) S'il n'y avait pas cette créature assise entre nous, je serais prêt à jurer que tu n'as jamais couché de toute ta vie.

Elle ignora Henry.

— Il paraît évident qu'elle pensait que vous étiez de la même famille, sinon, pourquoi aurait-elle fait tout ce chemin pour venir jusque dans le Wyoming ?

— Et comment aurait-elle su qui tu es, ou, plus important, où tu te trouves ? (Il regarda défiler le paysage à travers la vitre, les derniers contreforts des Bighorn Mountains.) Qui te connaissait de cette époque-là et pourrait fournir ces renseignements aujourd'hui ?

Je réfléchis, et la pensée fut déprimante.

— Tu crois vraiment qu'elle pensait être de ma famille et qu'elle est venue du Vietnam ?

— C'est le pire des scénarios possibles.

Je secouai la tête.

— Pourquoi n'aurait-elle pas écrit ou passé un coup de fil ?

— Peut-être que sa situation ne lui a pas permis de le faire.

La radio interrompit le débat philosophique.

Parasites.

— Unité Un, on a le rapport de la DEC, et Saizarbitoria dit de vous transmettre qu'il l'a oublié, qu'il a pris le paquet des affaires personnelles et qu'il vous le donnera quand vous arriverez. Il veut votre 10-40. Terminé.

J'essayai de décrocher le micro sur le tableau de bord, mais Cady fut plus rapide. Elle avait toujours aimé appuyer sur les boutons.

— Ici Unité Un. Bien reçu. Notre 10-40 est…

Elle me regarda.

— Tu as commencé, tu finis.

La voix de Henry gronda au fond de sa poitrine.

— Borne 255.

Elle me tira la langue et reprit le micro.

— Borne 255, à environ un kilomètre et demi de Powder Junction.

Je me penchai pour mettre mon grain de sel.

— Nous ne sommes qu'à une minute. Dis-lui de nous attendre gentiment.

Nous sortîmes de l'autoroute, prîmes la bretelle en dessous et vîmes deux garçons, on aurait dit des frères, debout dans le coin du jardin d'une garderie, en train de sauter de concert, les bras tendus au-dessus de la tête. Ils nous firent signe.

Je leur rendis leur salut en songeant qu'il ne devait pas y avoir grand-chose à faire dans la partie sud du comté.

Je tournai à droite pour prendre Main Street, entrai dans le parking en pente pour me garer à côté de la voiture de patrouille de Sancho. Une moto partiellement couverte d'une bâche avec des plaques temporaires de l'Illinois trônait sur le trottoir, une Buick marron cabossée avec des plaques californiennes était garée de travers tout au bout, et à côté se trouvait une Land Rover vert sapin avec les mots DEFENDER 90 peints sur le flanc – on n'en voyait pas beaucoup, même pendant la saison touristique. Nous sortîmes et marchâmes sur les planches en bois ; je remarquai que la Land Rover était elle aussi immatriculée en Californie.

Le Wild Bunch Bar n'était pas très différent des autres bars des Hautes Plaines ; c'était un espace plein de coins et de recoins avec trois tables de billard et un café attenant, même s'il offrait quelques détails qui le différenciaient un peu de la plupart des autres. Signe de l'influence des éleveurs de moutons australiens et néo-zélandais, un poster des All Blacks était accroché près de la porte et un drapeau australien effiloché flottait au-dessus du juke-box.

Un téléviseur à écran plat se trouvait à l'autre bout du bar, ajout probablement récent, et un homme aux cheveux noirs vêtu d'une veste en cuir, les yeux cachés derrière des lunettes de soleil, était assis en dessous ; il regardait attentivement les Rockies se faire laminer par les Dodgers. Il sourit, poussa un cri et brandit le poing tandis que l'équipe de Los Angeles remplissait les bases. Pas d'autre client dans le café.

Le bar était du côté gauche de la pièce et Saizarbitoria était installé sur le tabouret le plus proche de la porte. Il buvait un café avec le barman, un jeune homme filiforme tatoué de flammes tribales, le crâne rasé. La trentaine, peut-être.

— Ça va, shérif ? Qu'est-ce que je peux vous servir ?

Je regardai ma fille, qui à son tour le regarda.

— Coca Light.

Je désignai Henry et moi.

— Ice Tea.

Je m'assis sur le tabouret à côté de Sancho et tirai son rapport écrit, glissé sous le sac contenant les objets personnels qu'il tenait entre les doigts. Le barman venait de Chicago, il s'appelait Phillip Maynard et il avait une adresse dans le coin ; il avait emménagé seulement une semaine auparavant. Il revint avec nos boissons, et ses yeux s'attardèrent sur Cady.

— Vous êtes nouvelle dans le coin ?

Elle tira la canette plus près d'elle.

— Non.

Je croisai les bras sur le comptoir et attirai son attention.

— Et vous ?

Il me regarda et établit très vite le lien de famille entre nous.

— Heu…

Je bus un peu de mon thé.

— Alors, il y avait une Asiatique ici avant-hier soir ?

— Ouais.

Je désignai Saizarbitoria d'un mouvement du menton.

— Il vous a montré la photo ?

— Ouais.

— C'est la même femme ?

Il mit ses mains dans son dos et essaya de voir le rapport.

— C'était plutôt difficile à dire, mais les vêtements étaient les mêmes.

Je hochai la tête.

— Il y en a beaucoup par ici, des femmes asiatiques ?

Il marqua une pause.

— Je sais pas. J'ai commencé il y a moins d'une semaine. Elles viendraient ici en masse que j'en saurais rien.

— Quand est-elle arrivée ?

— Vendredi après-midi, avant le rush de la sortie des bureaux.

— OK. Ça fait quelle heure ?

Il réfléchit un moment et haussa les épaules.

— À quatre heures et demie, elle était partie. Elle est pas restée très longtemps.

Je finis mon verre et lançai un coup d'œil à Henry, qui n'avait pas encore touché le sien. Je suivis son regard qui alla se poser sur l'homme aux lunettes noires assis dans le coin ; il sourit d'un air préoccupé avant de reporter son attention sur le match de la National League West.

— Qu'est-ce qu'elle a pris ?

Maynard remplit à nouveau mon verre.

— Je crois qu'elle a juste pris un verre de vin. (Il réfléchit.) Et un sachet de bretzels.

— Elle a dit quelque chose ?

Il tendit le bras et attrapa le verre de bière qu'il avait posé sur le comptoir derrière le bar.

— Nan.

Son regard se porta à nouveau sur Cady.

J'étudiai le rapport.

— Je lis qu'elle est arrivée aux environs de midi ?

— Ouais.

— Elle est restée quatre heures et demie ? fis-je en le regardant. Et vous trouvez que c'est pas longtemps ?

Le rouge lui montait au visage.

— Eh bien… je veux dire… il y a des gens qui restent ici toute la journée.

— Et pendant quatre heures et demie, elle n'a pas dit un mot ?

— Rien en anglais, juste du français et un peu de vietnamien.

Je lui lançai un regard surpris.

— Du vietnamien ?

Il hocha la tête.

— J'ai fait la plonge dans un restaurant vietnamien à Chicago. Je le parle pas, mais je sais le reconnaître quand je l'entends.

— À qui a-t-elle parlé ?

— À elle-même.

— Y avait-il quelqu'un d'autre dans le bar ?

Il scruta la pièce.

— Deux ou trois ranchers qui sont venus se mettre à l'abri du soleil.

— Vous savez comment ils s'appellent ?

— Non.

— Vous les avez jamais vus avant ici ?

Il secoua la tête en signe de dénégation.

— Comme j'ai dit, ça fait moins d'une semaine que j'suis ici.

Je lançai un coup d'œil à Henry. Il continuait à observer l'homme installé dans le coin et qui paraissait toujours apprécier le match de base-ball.

— À quoi ressemblaient-ils ?

— Des ranchers, des gens du coin, pas du genre qui vient de débarquer.

Je me dis que la description collait bien aux frères Dunnigan qui coupaient l'herbe le long de Lone Bear Road.

— Dans les soixante ans ? L'un d'eux avec un chapeau de paille, l'autre avec une casquette de base-ball avec le nom d'un ranch, et qui louche ?

Il hocha la tête avant même de dire un mot.

— Ouais, c'est bien eux.

— Ils lui ont parlé ?

— Un peu, ouais.

— Vous avez entendu quelque chose ?

Il haussa les épaules.

— Ils essayaient de l'emballer. Elle était plutôt mignonne.

— Ils sont partis ensemble ?

— Non, elle est partie avant eux. (Il marqua une courte pause et je sus qu'il envisageait de changer cette partie de l'histoire.) En fait…

L'astuce, dans ce genre de situations, est de faire comprendre au sujet qu'on sait que l'histoire ne s'arrête pas là et de le laisser poursuivre son récit.

— Ouaip ?

— Ils sont partis juste après elle. (Il ferma un œil à demi et inclina la tête.) Ils lui faisaient vraiment du rentre-dedans, maintenant que j'y repense.

Je hochai la tête.

— Autre chose ? C'est une enquête pour meurtre, alors, ne vous privez pas de partager vos impressions.

— Elle a payé en quarters.

— En quarters ?

— Ouais.

Je ne le quittai pas des yeux.

— C'est bizarre.

Il opina du chef, très vite.

— Je me suis dit ça, aussi.

— Vous n'avez pas l'intention de partir, n'est-ce pas ?

Je rendis le rapport à Santiago et me levai.

— J'imagine qu'on peut vous contacter ici ou à l'adresse que mon adjoint a notée sur le rapport ?

— Ouais. Je suis là tout l'été. J'ai pas encore le téléphone, mais j'y travaille. (Il sortit un portable noir ultra-plat de sa poche arrière.) J'ai ça, mais il ne marche que sur la place de parking devant le cabinet du vétérinaire. (Il montra un endroit plus loin sur la rue d'un mouvement du menton.)

Ils ont mis des pierres peintes pour marquer l'endroit, et un panneau qui dit "cabine téléphonique".

— Bienvenue dans le Wyoming.

Il était bien bavard, tout à coup.

— Il paraît qu'il y a le wifi au motel, mais je ne l'ai pas encore trouvé.

Je me levai, impatient de mettre fin à l'interrogatoire et de poursuivre mon enquête.

— OK. Tenez-nous informés, s'il vous plaît.

Je marchai derrière Cady jusqu'à l'homme aux lunettes et aux cheveux noirs qui paraissait encore complètement absorbé par le match. Je remarquai que c'était la coupure publicitaire.

— Bonjour.

Il détourna les yeux du téléviseur, se leva et descendit ses lunettes du bout de son index puis me regarda de ses yeux en amande par-dessus la monture.

— Je vais bien, shérif. Et vous ?

Je fus un peu pris au dépourvu devant son amabilité, sans parler du coq à l'âne, mais on finit par s'habituer à ce genre de réaction lorsqu'on porte une étoile.

— Très bien, merci. Est-ce votre Land Rover, là dehors, avec les plaques de Californie ?

— Oui, monsieur.

Il paraissait avoir cinquante ans, peut-être un peu plus, et il semblait être en très bonne forme physique.

— Y a-t-il un problème, shérif ?

— Vous passiez par ici ?

Il resta silencieux un moment, constatant que je ne répondais pas à sa question.

— Je suis venu voir une propriété, en prévision de ma retraite.

— Ici, dans la région ?

— Oui, monsieur.

— Et que faites-vous dans la vie, monsieur... ?

Sa poignée de main était puissante.

— Tuyen. Je suis dans l'industrie du cinéma, dans la distribution aux États-Unis de films du marché asiatique.

— Pourrais-je voir une pièce d'identité ?

Il alla aussitôt chercher dans sa poche arrière, en sortit un portefeuille en cuir noir, qu'il tint bien serré, et y prit son permis de conduire, qu'il me tendit. Il attendit. Il s'appelait Tran Van Tuyen et il venait de Riverside, en Californie. Même sur la photo, il souriait. Cinquante-sept ans. Je mémorisai le numéro de la plaque d'immatriculation et lui rendis le document.

— Merci.

— Aurais-je fait quelque chose ?

— Non, nous venons d'avoir un incident concernant une jeune femme qui venait peut-être d'un autre État, alors nous nous intéressons à tout le monde. (Il cessa de sourire, à peine.) Monsieur Tuyen, seriez-vous vietnamien ?

Il cligna des yeux et je me sentis coupable d'avoir ne serait-ce que posé la question.

— Oui.

Il n'ajouta rien.

— La raison pour laquelle je vous demande ça, c'est que la jeune fille dont j'ai parlé est vietnamienne.

Il garda les yeux fixés sur le tabouret de bar entre nous.

— Je vois.

— Vous ne sauriez rien à ce sujet, par hasard ?

— À quoi ressemblait cette jeune femme, si vous me permettez de vous poser la question ?

— Longs cheveux noirs, une bonne vingtaine d'années, vêtue d'un haut rose et d'une jupe noire.

Il donna l'impression d'y réfléchir et parut triste que je lui pose la question.

— Non, shérif, je crains que non. (J'observai ce que je crus être une vague d'émotions l'agiter, un mélange de chagrin, de deuil, puis de soupçons.) Qu'est-il arrivé à cette jeune femme?

— Je crains qu'il ne s'agisse d'une enquête en cours, et je ne suis pas en position de dévoiler ce genre d'information à ce stade de l'enquête.

Je sentis remonter de très loin mes années de formation; ma voix devait ressembler à un enregistrement et j'envisageai un instant de terminer la déclaration par "bip". Ce n'était pas la première fois que ça m'arrivait.

— Allez-vous rester longtemps dans la région, monsieur Tuyen?

Il paraissait préoccupé, mais il répondit avec le même sourire artificiel.

— Oui, la propriété que je veux voir se trouve près de la petite ville de Bailey, qui est à côté d'ici, n'est-ce pas?

— Vous remontez par là, et c'est juste après la route secondaire 192. Comment s'appelle la propriété?

— Pardon?

Je m'appuyai sur le bar et essayai de déchiffrer son expression.

— La propriété que vous envisagez d'acheter, monsieur Tuyen.

Il sortit un papier qui ressemblait à un fax émis par une des agences immobilières de Durant. Je l'examinai.

— Le Red Fork Ranch – un bel endroit. (Je lui rendis le document et remarquai qu'il était daté de la veille.) Richard Whitehead déménage?

— Je crains de l'ignorer. Je sais seulement que la propriété est à vendre.

Il rangea le papier dans sa poche, son permis dans son portefeuille, où il prit un billet de dix, puis il se leva et remit le portefeuille dans sa veste. Il mesurait environ un mètre soixante-quinze, ce qui était grand pour un Vietnamien ; il avait les attaches fines et tous ses mouvements étaient d'une précision remarquable.

— Puis-je vous demander où vous logez ?

— Au Hole in the Wall Motel, chambre n° 3. (Il ramassa la bouteille vide et la posa sur le comptoir.) En partant, je vais visiter la propriété. Vous n'allez pas m'arrêter à deux kilomètres d'ici, sur la route, n'est-ce pas ? (Il soupira.) Parce que si c'est le cas, je préfère souffler dans le ballon tout de suite.

Je penchai la tête.

— J'ai comme l'impression que je vous ai offensé, monsieur Tuyen.

Il ne dit rien.

— Si c'est le cas, soyez assuré que ce n'était pas mon intention. Je suis navré de vous le dire, mais nous ne voyons pas beaucoup de Vietnamiens ici, dans le Wyoming, et vous voudrez bien m'excuser de trouver étrange que nous en ayons soudain deux.

Je ne le quittai pas des yeux et luttai avec les sentiments mêlés qui m'agitaient. Il était possible que mes agissements se rapprochent dangereusement du délit de faciès.

Il sourit juste assez pour que je ne sois pas certain d'avoir vu un sourire. Il sortit une carte de sa poche poitrine et me la tendit. Il baissa la tête et marcha vers la porte. Il me lança un dernier coup d'œil au moment où je lui emboîtai le pas et resta un moment immobile, la tête toujours baissée. Son sourire s'était effacé. Il ouvrit la porte et disparut.

Santiago se leva et posa un billet de cinq sur le bar.

— Si quoi que ce soit vous revenait, voici ma carte, appelez-moi.

Phillip Maynard escamota le billet et la carte. Et il s'écria dans notre dos, mais surtout dans celui de Cady.

— Revenez quand vous voulez.

La porte en verre se referma avec quelques heurts derrière nous. Tran Van Tuyen roulait sur Main Street, vers l'ouest, dans la Land Rover qui ressemblait à une émeraude mouvante sur un fond sépia surexposé.

C'était un magnifique après-midi d'été, et je pris une grande inspiration comme je le faisais toujours lorsque je me rappelais que c'était la saison gratifiante de l'année ; et je me sentis minable.

Cady me tira par le bras, elle qui était toujours capable de déchiffrer le fond de mes émotions alors même que je tentais de paraître imperturbable. Elle me serra contre elle.

— Qu'est-ce qu'il y a ?

— C'est quoi, wifi ?

— Papa…

Je pris une nouvelle inspiration et passai mon pouce dans mon ceinturon.

— J'ai peur d'être coupable d'un début de profilage.

Je regardai passer Tuyen, qui garda la tête bien droite et fit faire demi-tour à son 4×4 sur la 192 pour emprunter la bretelle qui passait sous l'I-25. Je rendis son étreinte à Cady.

— Tu as eu un certain succès, là-dedans.

Je piquai un stylo à mon adjoint et gribouillai le numéro de la plaque de Tuyen sur l'enveloppe contenant les effets personnels de la jeune Vietnamienne assassinée. Je lus sa carte – Trung Sisters Distributing, avec une adresse à Culver City et trois numéros de téléphone. Je lançai un coup d'œil à la Nation Cheyenne en rendant son stylo à Saizarbitoria.

— Qu'est-ce que t'en penses?

Henry respira d'abord.

— Oui, Walter, tu as beaucoup de préjugés et cela fait un moment que je me dis que je dois t'en parler.

Je hochai la tête et plongeai la main dans l'enveloppe, sous le regard de tous ceux qui m'accompagnaient.

— Seulement contre les Peaux-Rouges.

Il hocha la tête.

— Il fallait s'y attendre.

Je sortis la pochette plastique que je cherchais et rendis la grande enveloppe à Sancho, qui souriait en entendant nos échanges.

— Vous ne l'avez pas interrogé sur les Indiens ni sur les allumettes, chef.

— Non, effectivement… Fais passer ces numéros à Ruby et voyons ce qu'elle trouve, puis va au Hole in the Wall Motel pour voir s'il y est bien descendu et alerte la patrouille de l'autoroute juste au cas où il déciderait d'aller quelque part.

— Ça marche.

Il disparut dans sa voiture et nous laissa plantés sur les vieilles planches de Powder Junction.

La Nation Cheyenne et ma fille me regardèrent fouiller dans le sac en plastique. Elle tira sur ses petits cheveux autour de la cicatrice.

— Qu'est-ce que tu fais, papa?

Sans répondre, je brandis le porte-clés avec la télécommande et appuyai sur le bouton. Des lumières s'allumèrent et des portières se déverrouillèrent; c'était la vieille Buick marron au bout des planches.

5

La voiture avait été volée en Californie du Sud dans une ville appelée Westminster qui, d'après le standardiste du département du shérif du comté d'Orange, était plus connue sous le nom de Little Saigon, même si elle n'était pas si petite que cela. Ruby avait parlé avec un charmant jeune homme qui avait confirmé un vol de voiture pas vraiment qualifié. Le véhicule avait été volé sur le parking d'un casseur, et le précédent propriétaire, Lee Nguyen, avait déclaré en avoir fait don à une association, mais celle-ci avait probablement décidé que la Buick ne valait pas la peine d'être remise en état.

Nous avions effectué dans le véhicule autant de recherches que nos capacités limitées le permettaient, et nous avions chargé la vieille berline rouillée sur un camion à plateau pour l'envoyer à Cheyenne. À en juger par leur taille, les empreintes digitales que nous avions relevées dans le véhicule étaient celles d'une femme, ou éventuellement d'un enfant, et les résidus de terre laissés par les semelles provenaient de l'environnement immédiat. Rien dans le coffre et, dans la boîte à gants, il n'y avait que la facture d'une pompe à eau neuve qui avait été remplacée à Nephi, dans l'Utah, seulement trois jours auparavant.

Je renvoyai Henry et Cady à Durant dans mon camion car ma fille avait l'air un peu fatiguée. Je me fis conduire dans la voiture de Saizarbitoria jusqu'au poste du shérif. Comme le Suburban n'était pas équipé de la climatisation, nous roulâmes les vitres baissées. Santiago parlait fort pour couvrir le bruit du vent trop chaud et celui du monstrueux moteur, qui consommait près de 30 litres aux cent.

— Le barman n'a pas paru vraiment surpris, pour la Buick.

Nous y étions retournés et nous l'avions à nouveau interrogé ; il avait remarqué la présence de la voiture à cet endroit, mais il n'y avait pas attaché d'importance. Même s'il était là depuis peu de temps, il avait constaté que beaucoup de gens buvaient comme des trous et laissaient leur voiture ou leur camion dans la rue plutôt que de risquer de se faire épingler. Je lui avais demandé si beaucoup d'entre eux venaient de Californie, ce à quoi il avait répondu qu'il n'avait pas fait attention aux plaques minéralogiques.

— Est-ce qu'il te paraissait plus nerveux la première fois que nous l'avons interrogé ?

Le Basque réfléchit.

— Oui, effectivement.

— À ton avis, pourquoi ?

— À cause du gars installé dans le coin, Tuyen ?

— C'est aussi ce que je crois.

Nous nous garâmes devant l'annexe du département des Transports du Wyoming, où nous avions un petit bureau.

— Je vais appeler Ruby pour savoir si elle a quelque chose sur ce Tuyen, ou des nouvelles de la DEC. Tu remontes la piste de la réparation à Nephi.

Je lui tendis la pochette en plastique contenant la facture.

Il me regarda, un peu préoccupé.

— Je crois qu'ils n'ont qu'un seul téléphone ici.

Le transfert à Powder Junction risquait d'être un peu douloureux.

— Alors, je vais la contacter par radio. (Je décrochai le micro du tableau de bord et j'arrêtai Sancho alors qu'il s'apprêtait à fermer la portière de la voiture.) Appelle Maynard dans une heure environ et dis-lui qu'il doit venir nous parler demain matin, ici, au bureau.

Santiago sourit.

— Quelle heure?

— Tôt.

Sans se départir de son sourire, il ajusta ses lunettes de soleil comme une star de cinéma, et il ne fut pas difficile d'imaginer le Gascon avec un béret, une plume et une épée.

— Est-ce que ça veut dire que je suis promu au grade de sous-shérif chef du détachement de Powder Junction du département du shérif du comté d'Absaroka?

— SSCDPJ du DSCA. Ça fait bien, non? Je vais voir comment te faire installer une seconde ligne téléphonique.

Tandis que Saizarbitoria disparaissait dans le bureau, j'allumai le micro et chantai :

— *Ooooh... Ruuuuuubyyyyyy, don't take your love to town...*

Parasites.

— Arrête ça tout de suite. Terminé.

— Bon, t'as du nouveau?

Parasites.

— J'ai des informations sur le gars de Californie.

— Je chante peut-être faux, mais j'écoute juste.

Parasites.

— Tran Van Tuyen est devenu citoyen américain en 1982, et c'est aussi l'année où il a obtenu son permis de travail. Son casier est complètement vierge, même pas une amende pour stationnement.

— Bon. Enfin, ça valait la peine de tenter notre chance.

Parasites.

— Tu ne vas pas te remettre à chanter, quand même ?

J'appuyai sur le micro et ignorai sa remarque.

— Continue à creuser. Il a dit qu'il était venu voir une propriété, le Red Fork Ranch. Trouve Bee Bee et demande-lui si elle en a entendu parler, puis appelle Ned Tanen au département du shérif du comté de L.A. pour savoir s'il a découvert quelque chose.

Parasites.

— OK. Terminé.

— Toujours rien de la DEC ?

Parasites.

— Ils viennent de faxer le rapport. (Il y eut une pause et j'écoutai le silence de la radio.) Ils ont une identité pour la jeune femme.

— C'était qui ?

Parasites.

— Elle s'appelait Ho Thi Paquet. C'était une sans-papiers vietnamienne, arrêtée il y a six semaines pour prostitution à Los Angeles. S'ensuit un arrêté d'expulsion, mais je n'ai pas réussi à avoir de réponses claires sur les raisons qui auraient pu la mener dans le Wyoming.

— Demande à Ned de parler à ses amis du département du shérif du comté d'Orange et de lancer ce nom, avec ceux de Lee Nguyen et de Tran Van Tuyen. Qu'il voie s'ils trouvent quelque chose du côté de Little Saigon. Autre chose ?

Parasites.

— Tu liras le rapport toi-même. Quand est-ce que tu reviens ?

— Je vais aller parler aux frères Dunnigan, puis je demanderai à Saizarbitoria de me ramener. Je pourrais bien le laisser passer une dernière nuit avec sa femme avant de l'exiler à Powder Junction. Comment va le chien ?

Parasites.

— Il va bien.

— Merci, Ruby. (Je marquai une pause.) Cady et Henry sont bien rentrés ?

Parasites.

— Oui, et ils parlent d'aller dîner tous les deux.

— Ils ont dit où ?

Parasites.

— Je n'ai pas le droit de le dire.

Complices.

Parasites.

— J'ai une réunion de l'Association des femmes méthodistes à 7 heures. Tu crois que tu pourrais être là à six heures et demie ?

Je sortis ma montre gousset de ma poche et l'ouvris.

— Facilement.

Parasites.

— Je te prends au mot, tu es prévenu.

Après avoir parlé à Santiago, je réquisitionnai notre unique véhicule et partis vers le Rocking D Ranch et la ville fantôme de Bailey. Les deux gamins du jardin clos étaient encore là. Il me fallut une minute pour trouver les bons boutons dans le Chevrolet que je ne connaissais pas bien, mais je finis par allumer les lumières et faire rugir la sirène, et les regardai sauter, cette fois à contretemps, et agiter les mains alors que je tournais pour prendre la direction de l'ouest.

Il en faut bien peu pour réjouir certains.

Il y avait eu autrefois une mine de charbon à proximité de la petite ville, mais un caprice de la géologie et une catastrophe qui avait causé la mort de dix-sept mineurs au tout début du siècle – le siècle dernier – avaient fait de Bailey une ville fantôme. Tout ce qui restait de l'exploitation était quelques édifices accrochés aux derniers contreforts de la chaîne des Bighorn, et un cimetière.

Je ralentis pour contempler les bâtiments abandonnés dans les dernières lueurs de l'après-midi, des structures verticales qui tentaient de s'harmoniser avec le paysage horizontal. Il n'en restait que six – quelques-uns étaient en bois, d'autres en pierre, deux avaient une devanture, et seul l'un d'eux comportait un étage. Au sol, les vieilles planches devenues grises étaient voilées, et le bois était sorti de sa structure, mais les solides planches brutes résistaient toujours, attendant de résonner sous le bruit des bottes.

Il y avait une salle municipale et au bout de la rue se trouvaient les vestiges de l'édifice de la mine abritant le culbuteur et un ramassis de bicoques sans toit construites le long des falaises de pierre qui s'élevaient à la sortie du village abandonné ; le cimetière envahi d'herbes folles était tout au bout. Dix-sept pierres tombales avaient été dressées, mais il n'y avait pas de corps. La catastrophe était survenue lorsqu'un mineur malchanceux avait touché une poche de gaz, et l'explosion avait fait trembler la terre jusqu'à Powder Junction, à plus de trente kilomètres de là.

Aucun des corps ne fut retrouvé et j'avais toujours une impression étrange lorsque je passais par ce petit endroit solitaire abandonné par la civilisation.

Il restait peu de villes fantômes dans l'État. La plupart avaient été démontées et réinstallées dans des parcs d'attractions et autres destinations touristiques le long de l'I-80.

Le comté aurait été bien avisé de se débarrasser du risque d'incendie, mais il aurait été triste aussi de voir partir l'ensemble des bâtiments. L'un d'entre eux avait déjà brûlé en partie un jour où des gamins venus de Casper avaient bu trop de bières assorties de rasades d'alcool fort et décidé de voir à quelle vitesse brûlaient des bâtiments centenaires. Nous eûmes la chance que cela survienne en hiver ; la neige avait limité les dégâts à un mur écroulé, une arrestation pour conduite en état d'ivresse et trois condamnations de mineurs pour possession d'alcool.

Selon moi, peu de touristes remontaient la 190 jusqu'à Bailey Mountain Road et ses graviers, et ceux qui le faisaient prenaient probablement à tort ce qu'ils voyaient pour le vrai Hole in the Wall des célèbres Butch Cassidy et le Kid. Par un canyon latéral, la route s'éloigne de la rivière, et surgit alors une formation de grès d'un rouge étonnant avec un goulet tout juste assez large pour permettre le passage d'un seul chariot. À cet endroit, une poignée d'hommes pouvaient tenir en respect une armée de shérifs, mais ils n'avaient pas eu à le faire, la réputation de la Horde sauvage avait suffi.

Les romanciers vous feraient volontiers accroire que ce lieu spectaculaire était le Hole in the Wall célèbre dans tout le grand Ouest, mais en réalité, il s'agissait au mieux d'une invention du cinéma et au pire d'un mensonge par ignorance. Le vrai Hole in the Wall se trouvait à environ quarante-cinq kilomètres au sud, et on le voyait à peine tant la faille dans l'à-pic était étroite, permettant tout juste à un homme à cheval de passer. Mon père me l'avait désigné comme le lieu historique le moins mémorable du Wyoming.

Willow Creek Ranch se trouvait désormais sur des terres privées, et Ferg m'avait harcelé pendant des années pour que je lui trouve un moyen d'y accéder, afin de pêcher un peu là où vivait le voleur de chevaux, à l'endroit où Buffalo Creek sortait du canyon et débouchait dans un pré parfaitement triangulaire. La douzaine de cabanes en rondins habitées par Butch, Sundance et les membres de la Horde sauvage avaient toutes disparu, la dernière ayant été transportée jusqu'à Cody pour être remontée dans le musée Buffalo Bill.

Je poursuivis ma route et passai devant Bailey Public School, une école à classe unique, un ultime bastion de l'éducation publique qui, dans ses derniers moments d'existence, comptait deux élèves. Cela me perturbait de penser à la fermeture de l'école, aux cabanes démantelées et aux villes fantômes disparues ; ces événements me rappelaient que l'essentiel de ma vie était derrière moi. Ma scolarité avait commencé dans une école qui ressemblait beaucoup à celle-ci et j'avais passé mon enfance dans une petite ville comparable à ce que Bailey aurait été si l'accident de la mine n'avait pas eu lieu.

En conduisant, je pensai à Cady, à Michael, qui devait arriver d'un moment à l'autre, à Vic, puis à l'élection à venir en novembre et au débat de vendredi.

J'essayai d'arrêter le cours de mes pensées et accrochai mon chapeau au gros crochet à œillet fixé au tableau de bord. La conduite en état d'ivresse était fréquente à Powder Junction, et j'imagine que Double Tough avait inventé cet accessoire pour attacher de manière sûre les conducteurs ivres au véhicule.

La route était mauvaise – visiblement, elle n'avait pas été nivelée depuis le début du printemps –, et les trous et les ornières m'empêchaient de pousser le véhicule au-delà de 50 km/h. Les nuages de poussière obscurcissaient la vue par le pare-brise arrière ; je tournai à droite et pris la montée entre les pins lodgepoles et les peupliers de Virginie épars qui poussaient le long des ravines. Il semblait que la vie avait choisi de déserter pour aller se cacher dans les fissures aux bords déchiquetés de ce paysage rude et qu'elle avait oublié de revenir.

Je suivis une petite ravine où des hirondelles faisaient la roue sur les courants ascendants le long des falaises rousses, et je regardai par-dessus le parapet le torrent encore gros de la fonte des neiges des Bighorn Mountains. Apparemment, la pêche était bonne du côté de chez les Dunnigan, mais j'avais aussi remarqué la présence de panneaux CHASSE INTERDITE et me dis que les poissons étaient – comme le reste – une denrée que les frères ne laissaient pas volontiers échapper.

Ils étaient tous les deux de beaux vieux célibataires; à mon avis, ils ne s'étaient pas mariés parce qu'ils étaient trop radins pour envisager de prendre une épouse. D'après Lucian, leur père, Sean Dunnigan, était comme eux, sauf que dans les sales années 1930, il n'avait pas eu d'autre choix que d'épouser Eileen s'il voulait manger – il était fauché à ce point-là. C'est ainsi qu'étaient nés Den et James.

On racontait qu'Eileen jouait du violon sous le porche du ranch, une mélodie lente et lancinante qui résonnait sur les parois du canyon. Elle ne s'était jamais faite à l'isolement de l'endroit, était devenue sénile au ranch et était décédée dans les années 1970. Sean, qui s'était visiblement habitué à la musique de la seule femme qu'il ait jamais connue, l'avait suivie peu de temps après dans la tombe.

Les frères étaient durs à l'ouvrage, des vieux garçons coriaces, assez coriaces pour survivre à tous leurs voisins, et ils avaient petit à petit acheté les terres alentour avec les droits à l'eau et aux minerais, jusqu'à ce qu'ils finissent par posséder pratiquement la totalité du vallon de Beaver Creek.

James était l'aîné et il avait hérité du ranch, même s'il avait reçu d'une jument teigneuse un coup de sabot en pleine tête lorsqu'il était adolescent, ce qui faisait qu'il n'était pas "tout à fait bien", comme disaient les gens du coin.

Den avait appris que James hériterait et avait été fort contrarié par cette loi de succession, mais il avait accepté son sort et était parti à Deer Lodge prendre un emploi de gardien de prison. Il avait même été fiancé, mais lorsque les fiançailles étaient entrées dans leur seconde décennie, la jeune fille s'était froissée. Den était rentré à la demande de son père lorsqu'il était apparu que James ne pouvait gérer le ranch seul et que Sean était devenu trop vieux pour être d'un grand secours.

Mon interaction professionnelle avec les Dunnigan concernait surtout Den. Un jour, il avait failli tuer un autre rancher avec une pelle lors d'une altercation sur les droits d'accès à l'eau, et une autre fois, il avait brisé une bouteille sur le bar en ville et menacé de pratiquer une trachéotomie artisanale sur un cow-boy de rodéo. Mais en dehors de cela, nous nous contentions de répondre aux appels de Den lorsque James se perdait, ce qui lui arrivait périodiquement. Deux ou trois ans auparavant, pendant la saison de chasse et les premières neiges, nous avions ainsi répondu – de même que la patrouille de l'autoroute et la brigade de recherche et sauvetage du comté – et nous avions retrouvé James installé au Hole in the Wall Bar. Il nous avait affirmé catégoriquement qu'il avait appelé sa mère pour lui expliquer que tout allait bien et qu'il allait passer la nuit dehors.

Le problème était que sa mère était morte depuis un quart de siècle.

Je passai la grille à bétail et me garai à côté d'un Ford Highboy turquoise et blanc de 78 ; le moteur tournait, mais il n'y avait personne dedans. La maison était simple, de plain-pied avec un toit bas et, à côté, un hangar en tôle qui faisait quatre fois la taille de la maison.

Le temps que j'arrive sur l'allée cimentée, Den sortait par la porte principale. Ses yeux mi-clos s'écarquillèrent un peu puis exprimèrent explicitement tout le mécontentement qu'il éprouvait à me voir. Il portait un chapeau de paille blanc tout neuf, rigide comme du plastique, avec un bandeau en crin de cheval tressé noir, et il était vêtu d'une chemise fraîchement repassée et d'un jean dont le pli fendait l'air à chacun de ses pas. Son cou était entouré d'un bandana rouge et blanc et il avait même ciré ses bottes.

— J'imagine qu'il faut que je coupe le moteur de ce foutu camion.

Je m'arrêtai devant l'unique marche qui menait au seuil.

— Désolé, Den, mais il faut que je vous parle, à James et à toi.

Il resta planté là encore un moment à me regarder, puis il s'éloigna, en se dandinant sur ses jambes arquées qui dessinaient presque un cercle complet, jusqu'à l'endroit où était garé son camion. Il passa le bras par la portière du conducteur et coupa le moteur. Un râtelier à fusil où reposait une vieille Winchester .30-30 était visible par la lunette arrière.

Den vint me rejoindre et je sentis l'odeur de bière de son haleine au moment où il passait devant moi d'un pas furieux. Je le suivis dans la maison sans y avoir été invité et sans dire un mot.

La lumière fauve du début de soirée se répandait sur le paysage de la Powder River et diffusait un éclairage agréable dans la cuisine. James était assis devant la table en formica, avec, devant lui, un petit verre et une bouteille de liqueur de myrtille Bryer's. Je devinai qu'il s'agissait du dîner. Une bouteille vide de Busch ainsi qu'un nombre important de capsules pliées en deux et éparpillées sur la table marquaient l'endroit où Den avait dû être assis avant mon arrivée. Les murs étaient recouverts de panneaux en pin noueux, et tous les appareils électroménagers étaient de ces modèles qu'on avait appelés "Golden Harvest" dans les années 1950. J'étais certain que rien n'avait changé dans cette cuisine depuis la mort de leur mère.

La chaleur était étouffante, même avec le ventilateur industriel qui était encastré dans une des fenêtres. L'aîné des deux frères se leva quand j'entrai, essuya ses paumes sur son jean et me tendit la main. Il paraissait gêné que je l'aie surpris ainsi en train de boire dans sa propre maison.

— Bonjour Walt. Est-ce que tu veux du café ? Maman le fait le matin pour nous.

Je me retins de commenter.

— Non, merci. Est-ce que je peux m'asseoir, James ?

Il tira une chaise à mon intention et jeta un coup d'œil à son frère, debout près de la porte, les bras croisés et le chapeau toujours sur la tête.

— J'imagine que tu sais pourquoi je suis ici ?

James se rassit et posa un bras sur la table.

— Ça concerne cette fille qu'on a trouvée ?

— Ouaip.

Il hocha la tête et se mordit les lèvres.

— Et le bar ?

— Ouaip.

— On l'a vue, là-bas.

J'ôtai mon chapeau et le posai sur l'assise en vinyle orange de la chaise voisine de la mienne.

— C'est ce que j'ai compris.

James contempla la surface de la table.

— Eh ben…

— On est pas obligés de te dire le moindre putain de truc. On a rien fait du tout à cette fille.

Je me tournai vers Den, mais ses yeux étaient rivés sur le linoléum.

— Il ne me semble pas que quelqu'un ait prétendu le contraire.

Il croisa les bras un peu plus et garda les yeux baissés.

— Mais c'est pour ça que t'es là, non ?

— J'ai des questions à vous poser, à toi et à ton frère. (J'attendis un moment.) Pourquoi tu ne viendrais pas t'asseoir, on pourrait parler.

Il s'assit sur un tabouret pliant à côté du réfrigérateur. Je me tournai vers James.

— Tu veux me raconter ce qui s'est passé au bar ?

Il lui fallut un moment pour se mettre à parler, et il ne répondit pas à ma question ; il me montra la bouteille posée sur la table et dit :

— Est-ce que t'en veux un peu, Walt ? Je vais te chercher un verre propre.

— Non, merci.

J'attendis et commençai à penser qu'il y avait peut-être plus à découvrir que je ne l'avais envisagé au départ.

James passa sa langue sur ses lèvres et se versa un verre de la liqueur épaisse.

— Il faisait chaud vendredi, alors on a fait une petite pause vers 1 heure, 2 heures de l'après-midi. Tu vois, pour prendre un petit coup de frais. (Je remarquai le tremblement de ses mains lorsqu'il reposa la bouteille.) Elle était là, assise au bout du bar. Alors, Den et moi, on s'est assis quelques tabourets plus loin. (Il leva les yeux et eut un sourire triste.) C'était une jolie jeune femme et elle arrêtait pas de nous regarder. (Ses yeux se baissèrent, se posèrent sur le verre à liqueur.) On est juste deux vieux ouvriers, Walt. On n'a pas l'habitude qu'une jolie jeune femme fasse attention à nous.

— Vous lui avez parlé ?

Den interrompit son frère.

— Putain, on croyait que c'était une Jap. Elle parlait même pas un mot d'anglais.

J'attendis et James se remit à parler.

— On a essayé de lui offrir quelques verres, mais elle a refusé. Au bout d'un moment, elle s'est levée et elle a fait un petit salut de la main et elle est partie.

— Le barman peut te le dire.

Je me tournai vers Den.

— Et ensuite ?

Il se referma comme une huître, boudeur à nouveau, mais James s'éclaircit la voix et je me retournai pour le regarder avaler son eau-de-vie. Je trouvai que son visage était plus rouge qu'il n'aurait dû l'être.

— On est sortis et on s'apprêtait à monter dans le camion, et elle était là, à côté de sa voiture, comme si elle nous attendait.

Den l'interrompit à nouveau.

— Et c'était bien ce qu'elle faisait, elle nous attendait.

J'essayai de maintenir la conversation sur la bonne voie.

— Et ensuite ?

James s'éclaircit la voix à nouveau ; on aurait dit que tout son sang lui était monté au visage.

— Elle avait besoin d'argent pour son essence…

Son visage devenait de plus en plus rouge, et si je ne les avais pas si bien connus, j'aurais dit que les frères Dunnigan étaient sur le point d'imploser tellement ils étaient gênés.

— Et elle… elle voulait… s'accoupler avec nous.

Je restai assis là sans bouger, histoire de m'assurer que j'avais bien entendu.

— Je croyais que vous aviez dit qu'elle ne parlait pas anglais ?

James semblait être sur le point de faire un arrêt cardiaque.

— Elle parlait pas. Elle parlait pas, mais…

— Comment avez-vous compris, alors ?

Den arracha son chapeau de paille et le lança contre les placards de la cuisine.

— Elle a attrapé la queue de James et elle a pointé son doigt sur le bouchon de l'essence. C'était pas clair, d'après toi, putain de merde ?

Je m'arrêtai en haut des escaliers du bureau et restai là à observer le hall d'accueil et à écouter la sonnerie ininterrompue du téléphone. Il était tard, mais toutes les lumières étaient allumées et le sac à main de Ruby était posé sur sa chaise avec son pull.

Je me jetai sur la porte et courus pour attraper le téléphone, mais au moment où je tendai la main pour saisir le combiné, la sonnerie s'arrêta. Je regardai la lumière rouge qui avait cessé de clignoter mais restait allumée, et fixe : quelqu'un avait décroché, quelqu'un qui se trouvait dans le bâtiment.

Le chien avait disparu aussi. Je remontai le couloir, passai devant mon bureau et cherchai s'il y avait des Post-it – les Post-it étaient notre forme de communication prosaïque –, mais il n'y en avait qu'un et il était signé de Cady. Je brandis le petit carré jaune vers la lumière et lus. "Papa, nous sommes au Winchester. Viens nous rejoindre." Ruby avait écrit l'heure : 18 h 17. Il y avait quatre heures de cela.

J'entendis un bruit venant de l'arrière du bâtiment. Je poursuivis mon chemin jusqu'au bout du couloir, d'où je pouvais voir de la lumière dans les cellules et la kitchenette.

Je m'arrêtai sur le seuil et regardai Ruby s'éloigner du téléphone accroché au mur et s'asseoir sur une de nos chaises métalliques pliantes, caresser le chien et reprendre son activité, qui ressemblait à du tricot.

Je m'appuyai contre le mur et dis :

— Ruby ?

Elle ne m'entendit pas, alors même que le chien levait la tête et agitait la queue.

— Ruby ?

Elle leva les yeux. Elle avait le visage grave.

— J'ai raté ma réunion des femmes méthodistes.

Ses yeux allèrent jusqu'à la cellule, et je me penchai afin d'apercevoir notre unique pensionnaire.

Il mangeait avec ses doigts, et une pile parfaitement régulière de moules à tarte s'élevait à côté de la porte de la cellule. Il ne leva pas les yeux lorsque j'avançai délibérément pour mieux le voir. Ses cheveux tombaient autour de son visage jusqu'à ses genoux, mais il portait le survêtement que je lui avais laissé et les mocassins.

— Apparemment, il s'est réveillé.

— Et il avait faim.

Je jetai un coup d'œil à la pile posée aux pieds du grand Indien.

— Il en a mangé combien ?

— Huit, au dernier comptage. Avec trois Coca Light.

— C'est donc que sa gorge n'a pas été si abîmée.

Il continua à mâcher tandis que j'allais jusqu'à la chaise où Ruby était assise.

— Il a dit quelque chose ?

— Non.

— Comment t'as su qu'il avait faim ?

Elle leva les yeux vers moi.

— J'ai fait l'hypothèse que puisqu'il vivait dans un tuyau d'évacuation sous Lone Bear Road…

Le géant plaça adroitement les derniers moules vides par-dessus les autres, mais il ne bougea pas de sa couchette.

— Est-ce que ça veut dire qu'il en veut une autre ?

— C'est ce que cela a signifié les huit dernières fois.

Je plongeai la main dans le minicongélateur et saisis la dernière de nos tourtes, la sortis de la boîte et la mis dans le four à micro-ondes. J'appuyai sur les boutons que j'avais mémorisés lors de mon propre dîner et me tournai face à ma standardiste.

— Pourquoi es-tu restée ? (Je croisai les bras sur ma poitrine.) Tu savais que j'allais rentrer.

Elle ramassa son tricot et ignora ma question.

Je regardai dans la cellule. Le grand Indien n'avait toujours pas bougé.

— Où est Lucian ?

— Il a décidé de rentrer à la maison.

Le micro-ondes émit un petit bip, et je sortis le surgelé du jour, avant de le poser précipitamment sur le comptoir pour ne pas me brûler les doigts.

— Laisse-la refroidir avant de lui donner, sinon, il est capable de ne pas attendre qu'elle soit à bonne température pour la manger.

Je hochai la tête, sortis une fourchette en plastique du tiroir et la posai sur le bord de la tourte.

— Le rapport de la DEC ?

— Sur ton bureau.

Elle poursuivit son tricot.

Je m'apprêtai à retourner à mon bureau pour aller chercher le rapport, et je brandis le Post-it de ma fille pour que Ruby puisse le voir.

— Elle est rentrée ?

— C'était elle, au téléphone, juste au moment où tu es arrivé. Et pour répondre à ta question, elle est au lit, là où tous les gens sensés devraient se trouver à l'heure qu'il est.

Elle cessa de tricoter et me regarda.

— Voudrais-tu savoir pourquoi ?

Elle se leva et fourra les aiguilles et la pelote dans un immense sac en toile.

— Veux-tu que je te montre pourquoi je suis toujours là ?

Je reconnaissais une question tendancieuse lorsque j'en entendais une, mais je me contentai de hocher la tête, lui lançant le regard ahuri que je réservais aux gens cinglés qui posaient au shérif ce genre de questions. Elle marcha d'un pas lent jusqu'au couloir, où elle disparut. Le chien l'avait suivie mais s'était arrêté sur le pas de la porte. Je me baissai pour le frotter derrière les oreilles.

— Quoi ?

Ruby s'était retournée pour me regarder.

— Viens ici.

Je haussai les épaules et allai la rejoindre. Nous restâmes tous les trois dans le hall à attendre tandis que Ruby semblait prêter l'oreille. Au bout d'un moment, je demandai à nouveau.

— Quoi ?

Elle tendit un index et dit :

— Juste une minute.

Nous étions tous les trois aux aguets, mais la seule chose que j'entendais, c'était la climatisation du bâtiment et le bourdonnement de l'ordinateur de Ruby sur le bureau de l'accueil.

— Quoi?

Il y eut soudain un déchaînement sonore et un énorme impact, et j'aurais pu jurer qu'un camion était rentré à pleine vitesse dans le bâtiment. Je tendis un bras pour poser ma main sur le mur et me tenir. Il ne se passa pas beaucoup de temps avant que le bruit et la vibration ne se répètent, et j'aurais juré que le camion avait reculé pour foncer une seconde fois dans notre bureau.

— Mais qu'est-ce que…!

Le rugissement et l'impact paraissaient venir de la cellule. Je partis en trébuchant sur le chien qui aboyait furieusement pour retourner dans le fond et voir le grand Indien se jeter contre les barreaux de toute sa force, qui était considérable, en émettant un son que je n'avais jamais entendu de la bouche d'un humain.

Un sous-traitant privé avait posé les barreaux, dans les années 1950, lorsque Lucian avait hérité le vieux bâtiment Carnegie de la bibliothèque du comté d'Absaroka, une fois qu'ils avaient déménagé, un bloc plus loin. Je n'avais jamais réfléchi à la résistance des équipements en un quart de siècle, mais ce fut la première de mes pensées en voyant le monstre reculer jusqu'au mur opposé de la cellule et se préparer à charger à nouveau.

— Hé!

Je battis inconsciemment en retraite jusqu'au comptoir, faisant tomber la tourte dans l'évier, et sous mes yeux écarquillés, un bloc de muscles d'environ cent soixante-quinze kilos vint se fracasser contre les barreaux.

J'aurais juré qu'ils avaient bougé.

— Hé!

Je fis un pas en avant, posai ma main sur mon arme de service et pensai à la douleur qui allait m'être infligée si lui et les barreaux me tombaient dessus.

— Hé !

Le géant avait juste commencé à reculer pour se préparer à une nouvelle attaque, lorsqu'il m'entendit et remarqua que j'étais là, à seulement deux mètres de lui. Sa tête se leva, et je dois admettre que ce fut une impression étrange, de sentir quelqu'un me regarder d'en haut. Ses cheveux étaient un peu en arrière, et je vis un œil sous le bourrelet de tissu cicatriciel tandis que ses mains s'avançaient et se posaient avec légèreté sur les barreaux. Il portait une bague en argent avec des animaux que j'identifiai comme des loups en corail et en turquoise alternés tout autour. J'étais certain que j'aurais pu la glisser à mon gros orteil.

J'avais levé mes mains pour lui montrer que je ne lui voulais aucun mal – encore eût-il fallu que j'en sois capable – et je restai là, à regarder cet œil unique.

— Tout va bien, tout va bien… Je ne bouge pas.

Il resta là un moment, puis lentement, il se baissa pour se mettre en position assise sur la couchette. Il respirait fort, après les efforts qu'il avait faits pour détruire la prison, et j'écoutai le sifflement de l'air dans sa gorge, derrière les pansements.

Au bout d'un moment, le chien cessa d'aboyer et je remarquai que Ruby et lui étaient sur le seuil et nous regardaient, la tête passée dans l'embrasure de la porte. Quels renforts. Je me passai une main sur le visage et regardai Ruby, haletant moi-même un peu.

— Il aurait suffi de me le dire, non ?

116

Tan Son Nhut, Vietnam : 1968

Il secoua la tête.

— Non. C'est confidentiel.

Babysan Quang Sang n'avait jamais vu un hamburger auparavant et, du bout du doigt, il souleva le pain comme s'il était piégé. C'était du buffle d'eau, la *viande du jour* locale. Il se tourna pour regarder Henry, qui prit son hamburger et mordit dedans. Quelques secondes plus tard, le Montagnard prit son sandwich et mordit à son tour. Il mâcha lentement, sans quitter Henry des yeux, à la recherche d'autres indications.

— *Il ne goûte pas comme le jambon*[*].

Henry rit.

— Il dit que ça n'a pas le même goût que le jambon.

Nous regardâmes Babysan essayer d'appréhender la notion de frite, et j'observai le grand Indien qui aurait été plus à son aise en train de scalper des hommes blancs un après-midi d'été au bord de la Little Big Horn River.

— Je vais dire quelque chose que je n'aurais jamais pensé dire un jour.

Il prit une frite dans l'assiette de Babysan, la trempa dans le ketchup, et la fourra dans sa bouche comme s'il faisait une démonstration. Il se tourna pour se pencher vers moi.

— Quoi ?

Babysan mangea la moitié d'une frite et reposa le reste dans son assiette. Il était possible que le Vietnamien en ait assez de tout ce qui était d'origine européenne.

— Je t'envie.

L'explosion de son rire aurait pu faire croire que je l'avais frappé, et il était assis là, à quelques petits centimètres de moi, avec une expression indéchiffrable.

— J'envie la clarté de ce que tu es en train de faire.

Il rit à nouveau et réfléchit. La pause fut si longue qu'on aurait pu, pendant ce temps, réciter la totalité du serment d'allégeance, mais pour les Cheyennes du Nord, ce n'était rien.

* En français dans le texte.

— Qu'est-ce que tu fais ici, exactement ?

Je pris mon temps moi aussi.

— Pas grand-chose. J'ai été envoyé par le QG pour enquêter sur une overdose de drogue, mais personne ne parle.

Je plongeai mon regard dans celui d'une paire d'yeux qui voyaient le monde tel qu'il était vraiment et je ressentis la honte de ma mission. Je pensai à ce que j'étais en train de faire et me demandai quel rôle je jouais dans tout ça.

— Cet endroit est un tel merdier...

Henry prit une autre frite à Babysan.

— On dirait bien la litote du siècle.

Les mots suivants sortirent avant même que la pensée ne soit complètement formée.

— Emmène-moi à Khe Sanh.

Il me regarda et se mit à rire, mais il se rendit compte que j'étais sérieux et devint à son tour très grave.

— Tu es fou ? Tout le monde, y compris tous les marines au Vietnam, l'état-major et LBJ en personne essaient d'en sortir et toi, tu veux y aller ?

— Ouaip.

Il jeta un coup d'œil alentour pour voir si les hommes en blanc ne traînaient pas par là. Il ne souffla mot, puis il baissa la tête comme si je n'avais pas dit ce que j'avais dit, ses yeux tout juste visibles sous son chapeau de brousse.

— Walt, tu peux te faire tuer là-bas.

— C'est mieux que de mourir d'ennui ici.

— Walter...

— Écoute, j'ai trois jours de perm à China Beach, et ce n'est pas là que j'ai l'intention d'aller.

Je lisais le rapport, le menton calé dans la paume de ma main.

Elle avait été inconsciente après quelques secondes, même si son cœur avait probablement continué à battre pendant quinze à vingt minutes. Comme on l'avait supposé, la strangulation manuelle infligée par l'avant-bras indiquait un assaillant bien plus fort que la victime.

De petites abrasions linéaires étaient apparentes sur son cou, mais elles avaient été causées par les ongles de la mourante quand elle avait tenté de desserrer l'étau qui lui écrasait la gorge. La chair sous les ongles avait été analysée et, comme je l'avais supposé, il s'était avéré que c'était la sienne.

La fracture de l'os hyoïde et d'autres cartilages était évidente, comme l'hémorragie de la thyroïde devant le larynx. Je relus le rapport depuis le début et levai les yeux vers l'homme allongé dans la cellule.

Cela n'avait pas de sens. Pourquoi un homme de cette taille, ayant une telle force, utiliserait-il son avant-bras pour étrangler une femme minuscule alors qu'il aurait pratiquement pu lui briser la nuque entre son pouce et son index ?

Le géant avait fini la dernière tourte des heures auparavant. Il avait soigneusement posé la fourchette qu'il n'avait pas utilisée et placé le moule en plastique sur la pile, puis il avait glissé le tout entre les barreaux, à mi-chemin. Il était maintenant profondément endormi, et le souffle de ses ronflements offrait un battement régulier qui rythmait la conversation que nous avions, Sancho et moi.

Saizarbitoria avait passé la nuit chez lui avec sa femme pendant que je restais de garde à la fois pour Durant et Powder Junction. Il avait appelé le Hole in the Wall Motel et avait eu confirmation que Tran Van Tuyen avait effectivement pris une chambre jusqu'à mercredi. Il goûta son café puis ajouta encore du sucre qu'il prit sur le comptoir, comme le faisait Vic. Je bus une gorgée du mien et tirai le sac de couchage un peu plus près du mur où j'essayai de reposer mon dos douloureux. Je bâillai et regardai mon adjoint au visage détendu.

— Quel résultat du côté du centre d'accueil des vétérans ?

Il goûta à nouveau son café et le trouva à sa convenance. Il s'approcha et s'assit sur la chaise que Ruby occupait la nuit précédente.

— Les administratifs ne travaillent pas beaucoup le dimanche soir, nous risquons de devoir y retourner. (J'approuvai d'un signe de tête et continuai à siroter mon café.) Mais je peux vous dire une chose…

— Quoi ?

Sans lâcher sa tasse, il désigna la pile de moules à tourte entre les barreaux, le manche de la fourchette pointé vers l'extérieur.

— Il y a été.

— Qu'est-ce qui te fait dire ça ?

— On leur faisait ranger leur vaisselle du dîner exactement de cette façon, dans le secteur de haute sécurité du pénitencier.

Le Basque avait passé deux ans à Rawlins et il en savait plus long sur les pénitenciers que je ne le voudrais jamais.

— Il te rappelle quelque chose ?

— Non, et il n'est pas de ceux qu'on oublie facilement.

Le jeune homme repoussa son chapeau sur sa nuque et caressa son bouc de mousquetaire.

— Si je devais deviner, je dirais fédéral.

— L'hôpital s'apprêtait à envoyer ses empreintes à la DEC. Vois avec eux.

— OK.

Je bus du café et contemplai le grand Indien endormi.

— Tu n'as jamais vu quelqu'un qui réagissait de la manière que je t'ai décrite lorsqu'on l'a laissé seul ?

Il hocha la tête.

— Une ou deux fois.

— Qu'est-ce que vous en avez fait ?

— Direct à Evanston.

L'hôpital psychiatrique de l'État.

— Vois avec eux aussi.

— OK.

— Il faudra que nous ayons quelqu'un ici en permanence. (Je me tournai et le regardai.) Sinon, je ne crois pas que notre prison pourra résister. (Il se leva et prit le chemin de la sortie.) Vic ou Ruby sont arrivées ?

Il cria du bout du couloir.

— Nan.

Je criai à mon tour tout en jetant un œil dans la cellule.

— Appelle-les et dis-leur de prendre des tourtes, au passage.

6

— Alors ça, c'est un Fucking Big Indian.

La véritable signification de l'acronyme FBI.

Vic était rentrée de son congé sabbatique à Douglas, qui n'avait pas arrangé son vocabulaire. Elle sirota son café et me regarda. J'étais en train de réfléchir à tout ce que je devais emporter à Powder Junction, puisque tel semblait être l'endroit où j'allais passer la journée. Elle avait calé ses pieds sur mon bureau, où elle avait posé le trophée de tir remporté pendant le week-end.

— Tu as dégainé plus vite que tous les membres de l'Association des shérifs du Wyoming ?

— Ouais, y compris ce gros enculé de Sandy Sandberg et l'autre péteux de Joe Ganns.

Sandy était le shérif du comté de Campbell voisin, et Joe Ganns était le représentant controversé de l'inspection sanitaire chargé de vérifier le marquage du bétail, qui avait la réputation d'être la gâchette la plus rapide de l'Ouest.

— Je parie que ça t'a rendue populaire.

Ma petite adjointe de Philadelphie haussa les épaules et j'essayai de ne pas m'attarder sur les muscles de ses bras, que mettait en valeur sa veste d'uniforme sans manches.

— Ça lui a plutôt foutu les boules, mais merde, Walt, quel âge il a, ce mec, cent trois ans ?

Le silence régnait dans la pièce lorsque je lançai mon sac sur mon fauteuil et y fourrai deux radios manuelles avec deux grandes bouteilles d'eau, les rapports envoyés par l'Illinois, et ma Thermos, un objet vert tacheté monstrueux fabriqué par Aladdin avec une poignée en cuivre et un autocollant usé qui disait carburant à boire. Elle finit par reprendre la parole.

— Alors, tu pars jouer à Powder Junction et moi je me retrouve à parler à tous les centres d'accueil des vétérans des Hautes Plaines ?

— Tu veux qu'on échange ?

Elle réfléchit.

— Non.

— Appelle Sheridan d'abord. Ils ont une unité psychiatrique dans le bloc 5. Vois s'ils ont jamais eu notre gars.

Elle fit la grimace, puis ses yeux se plantèrent dans les miens comme des couteaux.

— Comment tu sais où se trouve l'unité psychiatrique à Sheridan ?

Je regardai ce que j'avais rangé dans le sac en toile.

— J'y suis allé en visite, autrefois, en 72. Voir Quincy Morton, le spécialiste du SSPT.

— Syndrome de stress posttraumatique ?

— Ouaip.

Elle m'observa.

— Ça se manifestait comment, par des flash-backs ?

Je soupirai et tirai la fermeture Éclair du sac.

— C'était différent, en ce temps-là. Personne ne voulait parler de ça, alors j'allais au centre d'accueil des vétérans une fois par mois, et je buvais une bière et je parlais à Quincy à l'heure de la fermeture, le vendredi après-midi. Ça m'aidait.

— 1972 ?

— Ouaip.

Elle continua à me fixer.

— Ça, c'est quand tu es rentré, que tu t'es marié et que t'es entré dans le département du shérif?

— Ouaip.

— J'ai une question. (Je voyais assez bien où elle voulait en venir.) Tu as quitté l'armée en 70, mais tu n'es pas réapparu avant 72. (J'attendis.) Qu'est-ce que tu as fait pendant les deux années entre les deux?

Je jetai la bandoulière du sac sur mon épaule, allai jusqu'à la porte et baissai les yeux vers elle.

— Qui a plus le droit de parler librement que celui qui n'a pas un toit où loger sa tête?

Le sourcil s'arqua dans sa position si familière.

— Et ça sort d'où, ça?

— *Timon d'Athènes*, le second serviteur de Varron.

Elle hocha la tête.

— Oh, bien sûr, comment ai-je pu oublier!

Elle tendit la main et glissa un index dans la poche de mon jean.

— Tu es vraiment un type plein de surprises.

Elle tira et je me penchai vers elle. Elle leva les yeux vers moi, les pupilles vieil or délicatement ombrées par les longs cils noirs.

— Alors, est-ce que tu vas avoir du temps libre quand mon frère sera là pour courtiser ta fille dans les règles de l'art?

— J'espère.

Le sourire carnivore revint.

— Peut-être qu'on pourrait organiser des rencarts parallèles.

Il me fallut un moment pour réaliser tout ce qu'elle était en train de me donner, pensant à cette nuit à Philadelphie, aux parties de son corps que je n'avais pas vues depuis. J'aurais eu un demi-million de choses à dire, sur ces moments où je la regardais, ceux où je pensais à elle, ceux où je revoyais cette fameuse nuit. J'aurais voulu lui dire que, dans ces moments-là, quelque chose à l'intérieur s'envolait et que je n'étais jamais sûr de pouvoir atterrir à nouveau. Puis, je pensais aux années qui nous séparaient et qui ne s'effaceraient jamais. À l'écart qui ne cesserait de grandir, et même si tout allait bien, il y avait tant de manières pour que tout finisse mal quand même.

Son regard balaya mon visage et j'eus l'impression que mes pensées fuyaient, s'évaporaient de ma tête, se noyaient dans ses yeux méditerranéens iridescents.

— Quoi ?

J'essayai d'inspirer, puis je regardai le sol en marbre usé ; c'était plus facile.

— Écoute…

— Non.

Elle resta immobile quelques instants puis se leva. Nous avions tous deux conscience que son doigt était toujours accroché à ma poche. Elle était toute proche, se tenait à côté de mon bras, un tout petit peu derrière moi, et je sentais son haleine sur mon épaule.

— Je ne cherche pas la chaleur et la sécurité d'un foyer.

— Ouaip.

La pièce était plongée dans le silence, mais j'entendais quand même Ruby taper sur son clavier, à son bureau, dans le hall.

— Tu es tellement ravagé et tu trimballes tellement de casseroles… (Je sentis son menton contre mon triceps.) Mais j'aime bien être avec toi, OK ?

— Ouaip.

Sa respiration continua à souffler sur mon bras, et même ça, c'était bon.

— C'est tout ce dont j'ai besoin.

Je hochai la tête et ne dis pas "ouaip" à nouveau, parce que je savais qu'elle me donnerait un coup. Au bout d'un moment, elle s'écarta et je sentis l'index quitter ma poche après avoir tiré une dernière fois.

— Et Henry? Il n'aurait pas une piste pour notre colossale affaire?

Je hochai la tête et essayai d'obtenir de ma bouche qu'elle produise des phrases complètes.

— Il se peut qu'il y ait un lien de famille avec Brandon White Buffalo.

Sa voix monta de mon dos.

— Un autre FBI.

— Henry fait ses exercices avec Cady ce matin, et ensuite il a dit qu'il irait jusqu'à la réserve pour essayer de trouver Brandon.

J'ajustai le sac sur mon épaule, m'appuyai sur le chambranle de la porte et jouai avec le trou où je devais mettre une poignée neuve – évitant toujours de croiser son regard.

— Il y a Frymire au fond, qui fait de l'Indian-sitting, mais je ne crois pas que tu vas tirer quoi que ce soit d'autre de lui ou de Double Tough, alors appelle Ferg et dis-lui de ramener ses fesses par ici.

— Oui, mon commandant. (Elle me fit un salut militaire.) Et le gars dans la Land Rover, Tran Van Tuyen?

Je la regardai et essayai de réfléchir, de réfléchir à n'importe quoi d'autre.

— Il se peut que je passe au Hole in the Wall Motel le voir.

— Tu veux que je descende à P.J. un peu plus tard?

Je réfléchis à cela aussi.

— Il faut que quelqu'un s'occupe du reste du comté.

Elle hocha la tête.

— Je peux emmener ta fille déjeuner. (Elle sourit, les yeux pétillants à nouveau, et je pensai à Philadelphie.) Nous pourrons parler de tes indélicatesses pendant la guerre.

— Ha ha…

Je partis devant, mais elle me suivit de près jusque dans le hall.

— Ce vieux Longmire, le tombeur de ces dames…

Elle parlait encore alors que nous arrivions au bureau de Ruby.

— À cin' dollars le coup…

Heureusement, Ruby était absorbée par son ordinateur et elle ne nous prêtait pas la moindre attention. Elle triait les mails, jetant à la poubelle les indésirables, dont nous avions reçu une pelletée la veille au soir. Je décidai d'aiguiller rapidement la conversation dans une autre direction.

— Est-ce qu'on reçoit toujours tous ces messages pleins de charabia ?

— Oui.

Elle continua à appuyer sur le bouton EFFACER, et je regardai les mots remonter sur l'écran et disparaître.

— Soixante-douze depuis hier.

— Pas d'idée sur leur provenance ?

Elle déplaça la souris et je la vis cliquer quelques fois et me faire signe de regarder. L'en-tête disait District scolaire du comté d'Absaroka.

— On dirait que le conseil d'école a décidé de me faire la peau avant le débat.

Elle m'ignora et lut un des messages.

— C'est n'importe quoi, des lettres enchaînées au hasard. Ça a commencé hier soir et ça s'est arrêté tôt ce matin.

Vic se pencha à son tour et je sentis l'odeur de son shampooing.

— Alors, ce n'est pas automatique.

— Non.

Je jetai un coup d'œil à la pendule et me dis que je ferais mieux d'y aller si je devais arriver à Powder Junction pour la rencontre avec le barman.

— Rien de Bee Bee de Durant Realty, ni de Ned à L.A. ?

Les grands yeux bleus de Ruby se levèrent vers moi, pleins d'irritation.

— Il est huit heures moins le quart.

Je leur lançai un dernier coup d'œil et hochai la tête.

— Bien sûr.

— Ce qui veut dire qu'il est sept heures moins le quart sur la côte ouest.

J'étais à mi-chemin sur les escaliers lorsque Vic cria à mon intention d'une voix chantante :

— Tu reviens bientôt, soldat, moi si chauauauaude… !

Tan Son Nhut, Vietnam : 1968

— Cinquante dollars ?

Hollywood Hoang était là, sur le tarmac, en cette fin d'après-midi, sous un soleil tropical chaud comme une poêle à frire, tandis que le gros Kingbee chauffait. Il attendait son argent, les bras croisés sur sa poitrine, vêtu de sa combinaison bleu clair. Nous criions de toutes nos forces, de toutes nos cordes, alors même que seuls quinze centimètres séparaient nos deux visages.

— Lui avec elle toute la nuit. Moi vous aime bien, lieutenant, et c'est pourquoi vous avez réduction de moitié !

Je regardai derrière Hoang et vis Henry porter Babysan Quang Sang dans l'hélicoptère.

— Cinquante dollars, c'est le prix réduit ?

Il sourit.

— C'est plus cher pour filles de coucher avec des Montagnards, alors ça réduit réduction. Je prends billets verts ou certificats de paiements militaires, pas de dong.

Je sortis mon portefeuille et lui donnai les cinq billets de dix.

— Elle n'avait pas l'air de s'en préoccuper hier soir…

— Elle call-girl de classe mondiale.

Il me fit une tape sur l'épaule et m'entraîna vers les pales en rotation lente, se dirigeant vers l'endroit où Baranski se tenait, sur l'aire de stationnement. L'inspecteur de la DCR et Mendoza m'avaient dit que cette idée-là était très mauvaise, mais ils avaient cédé devant mon obstination. Baranski fit signe à Hoang et lui donna une sacoche. Il salua une dernière fois tandis que le pilote me suivait, et nous grimpâmes dans le ventre de l'hélicoptère, le petit Vietnamien glissant soigneusement la sacoche derrière le siège du copilote.

Il faisait sombre dans le Kingbee, même avec les portières ouvertes. J'enfonçai mon casque sur ma tête et attendis que mes yeux s'accommodent à la pénombre. Il n'y avait pas beaucoup de place, avec tout le matériel qui partait pour Khe Sanh, alors le personnel de vol était réduit à l'Ours, Babysan Quang Sang, deux infirmiers militaires de la Navy, et moi. Je tirai sur mon gilet pare-balles, raide d'être resté replié, et sentis qu'il m'écrasait la poitrine tandis que la grosse machine se mettait à monter ; au moins, j'espérais que c'était le gilet pare-balles.

Le hasard avait fait que c'était le même hélicoptère que celui dans lequel j'étais arrivé, celui qui transportait les morts. Je ne savais plus très bien si Hollywood Hoang était le pilote, mais nous avions eu une conversation sur le transport des morts. Il avait dit qu'une fois que les *ma*, ou les esprits des morts, avaient voyagé avec vous, ils restaient toujours dans votre sillage. Sans renoncer à leur panache et au spectaculaire, les membres du personnel de vol étaient des gens superstitieux qui avaient épousé ces croyances, et ils savaient que la mort, comme le suicide, était contagieuse.

Babysan était endormi, calé contre la cloison, avec un filet partiellement enroulé autour de lui, attaché avec des courroies de nylon, juste au cas où nous serions amenés à opérer des virages inattendus. Henry inspectait les chargeurs de sa panoplie d'armes, et il jeta un coup d'œil pour voir comment j'allais. Le vol allait être long et il connaissait la manière dont mon estomac vivait les trajets en hélicoptère.

— Comment te sens-tu ?

Je hochai la tête, mais en la gardant bien droite pour ne pas voir la campagne qui défilait tandis que nous foncions vers le nord à 200 km/h, souhaitant que la nuit tombe pour que je ne puisse plus rien voir.

— Ne vomis pas ici.

— Je ne vomirai pas.

— Il y a une chose que tu dois faire…

— Ouaip ?

— Quand ce truc atterrit, tu cours comme un malade.

Je lui lançai un coup d'œil mais détournai rapidement le regard des fumées qui montaient des enfers que nous survolions – des panaches gris au-dessus des rizières dans les zones épargnées, la couleur albâtre des vapeurs de phosphore et l'épaisse fumée noire et l'odeur d'essence émises par le napalm. J'espérais que je verrais la fumée violette qui définissait la zone d'atterrissage et qui signifierait la fin de notre vol.

Les infirmiers nous proposaient toujours des dextroamphétamines quand on sortait de nuit. Je ne les prenais jamais, parce que j'étais tellement surexcité que je craignais qu'avec un stimulant supplémentaire, je n'explose pour de bon. Je tendis les pilules à l'Ours, mais il se contenta de secouer la tête et de sourire, ses dents brillant comme des pierres de rivière dans la pénombre de la soute.

— Je n'en ai pas besoin. Et toi ?

Je me penchai et sentis son épaule contre la mienne.

— Là, tout de suite, tu pourrais pas sortir une aiguille de mon trou de balle avec un tracteur.

Il rit et, tandis que nous progressions, la lumière baissa.

Pas un troufion n'a appelé Khe Sanh la base ouest de notre défense, mais beaucoup d'autres gens l'ont fait. L'image héroïque de marines assiégés en train de résister contre toute probabilité avait tant enflammé l'imagination du public que Lyndon Johnson avait réuni tous ses chefs d'état-major pour leur faire signer une déclaration destinée à "rassurer au mieux le public" : Khe Sanh serait défendue jusqu'au bout.

Khe Sanh, c'était les états-majors qui se tenaient par la main et une relecture terriblement émouvante de *Kumbaya*.

Au milieu des collines, à cheval sur une vieille route tracée par les Français et qui allait de la côte vietnamienne jusqu'aux villes laotiennes du delta du Mékong, Khe Sanh était au départ un cantonnement des forces spéciales qu'on avait bâti pour recruter et entraîner les hommes des tribus locales. Aujourd'hui, c'était un fort inquiet étalé au bord de la Route 9 où, selon les rapports du renseignement américain, convergeaient quatre divisions d'infanterie nord-vietnamienne, deux régiments d'artillerie et un certain nombre de divisions blindées.

On était dans le *déjà-vu** et c'était Diên Biên Phu qui recommençait.

C'était Little Big Horn.

J'ignorais ce que ça allait être une fois que j'y serais, mais je me dis qu'il se passerait quelque chose. Plus de huit mille hommes s'y trouvaient, plus de trois fois la taille de ma ville natale, et j'imagine qu'ils m'avaient aussi intrigué. C'étaient des marines en mauvaise posture, et je ne voulais pas avoir eu l'occasion d'y aller et devoir ensuite dire que je n'y étais pas allé. Je ne pouvais pas dire que ma lucidité était à son comble, mais rester assis à Tan Son Nhut à contempler les couchers de soleil me rendait dingue et je savais que je devais en partir.

Je contemplai l'assise de toile du strapontin, puis la surface en plastique noir du M16A1 qui paraissait absorber le peu de lumière ambiante. Pour les rudiments, ils nous avaient donné – et ce n'était pas une blague – des BD qui nous expliquaient

---

* En français dans le texte.

comment faire fonctionner et entretenir le fusil, ce qui renforçait encore l'idée que le fusil d'assaut M16 ressemblait à un jouet. Il y avait même une blonde pulpeuse qui vous disait des choses importantes, par exemple que vous ne deviez jamais fermer l'un ou l'autre chargeur avec le levier en position auto, ou comment appliquer le lubrifiant pour armes légères. Je pensai à une autre blonde, un soir à la Fête du rodéo du comté d'Absaroka, à une danse lente qui s'était terminée dans un doux baiser. Ce fut la pensée sur laquelle je me fixai jusqu'à la fin de ce vol, jusqu'à ce que les secousses provoquées par les vents ascendants me rappellent où j'étais et où j'allais.

Je jetai un coup d'œil vers le type de la Navy et lus son badge : MORTON. Lorsque je levai les yeux, je vis qu'il me regardait.

— Quincy Morton, Detroit, Michigan.

Je pris la main tendue.

— Walt Longmire, Durant, Wyoming.

Il sourit.

— L'Indien fou, c'est un ami à toi ?

— Ouaip.

Il hocha la tête.

— Il a tout pigé. Dès que cet engin touche la terre nourricière, c'est *di di mau*, putain de *di di mau*.

J'approuvai d'un signe tandis que nous survolions la terre torturée. Je songeai à un bleu qui avait posé des questions sur les trous de tirailleurs, et je me rappelai un sergent enjoué dans une salle de classe très silencieuse, qui nous disait qu'un marine ne creusait pas de trous.

Mais ils avaient creusé à Khe Sanh.

Tandis que nous approchions à l'aveugle, on voyait bien que les fortifications étaient sécurisées d'une manière aléatoire, avec des sacs de sable et des obstacles barbelés qui étaient déployés sur les coteaux poussiéreux et enfumés plongés dans la brume de la nuit. La zone d'atterrissage, à une courte distance devant nous, était coincée entre des routes sinueuses et des bâtiments de fortune. On aurait dit que nous atterrissions dans une décharge du Sud-Est asiatique.

Le sol tremblait, les collines tremblaient et l'air tremblait, ce qui voulait dire que l'hélico tremblait. Je vis Henry penché sur les tas de matériel, cramponné à un combiné dans lequel il hurlait, tandis que Babysan Quang Sang faisait la moue et que ses yeux fixaient la pénombre sous le bord de son casque colonial. L'Ours s'appuya en arrière contre la cloison matelassée, il tourna son visage vers moi et m'adressa un sourire crispé.

Je bougeai un peu dans mon siège.

— Quoi?

Il prit une inspiration puis expulsa les mots comme s'il avait hâte de s'en débarrasser.

— On se fait refouler. Ils font venir des renforts qui ont priorité sur nous, alors ils nous déroutent vers le casernement.

— Qui est où?

— À Khesanville. (Ses yeux s'agrandirent.) En dehors du périmètre.

Je hochai la tête, ou je crus le faire. Il se pencha à nouveau et sa voix avait plus d'intensité que je n'en avais jamais entendu chez lui.

— Écoute-moi, lorsque cet engin se pose, tu cours. Tu cours et tu ne t'arrêtes sous aucun prétexte, tu m'entends?

Cette fois, je suis certain que je hochai la tête.

— Ils vont canarder cet hélicoptère comme une cible en carton dans une roulotte de fête foraine, alors tu cours comme tu n'as jamais couru de ta vie. Tu cours en direction des tranchées, des sacs de sable, de ce que tu veux, mais tu cours jusqu'à ce que tu atteignes quelque chose qui se trouve loin de cet hélico.

— *Di di mau*?

L'Ours sourit et le soldat Morton me regarda en dressant les pouces.

Au bout d'un moment, Henry s'adossa et attira le CAR-16 plus près contre sa poitrine, ainsi que la mine claymore avec son détonateur. Il sortit son amulette à tête de cheval et passa son pouce sur la surface lisse de l'objet en os.

Je dégageai le chargeur de mon fusil Colt et vérifiai la sécurité.

— Et le matériel ?

Il lui fallut un moment pour réagir, et lorsqu'il le fit, il ne souriait plus.

— Nous ne faisons plus dans la livraison de matériel.

Débouchant ma Thermos, je lui versai une tasse et regardai alentour. Il existait peut-être des endroits plus déprimants que l'annexe du bureau du shérif à Powder Junction, mais pour ma part, je n'en connaissais pas.

J'avais été en poste ici au Moyen Âge, lorsque j'avais été embauché par Lucian. La norme était de faire une période d'essai à P.J. avant d'être transféré à Durant, au bureau principal du shérif. Santiago Saizarbitoria était passé à travers les mailles du filet et, apparemment, il se rendait compte de la chance qu'il avait eue. Il y avait là un bureau en métal, un assortiment de cartes topographiques représentant la totalité du comté, un poste de radio de NOAA, et c'était à peu près tout.

Je me versai une tasse et m'assis sur la chaise devant le bureau, pour permettre à Sancho de s'installer dans le fauteuil principal. Il sirota son café mais parut insatisfait.

— Il y a du sucre ?

Je secouai la tête.

— Non.

— Une objection à ce que j'aille jusqu'à l'épicerie pour y prendre quelques bricoles ?

— Non.

J'eus l'impression que je devais faire quelques efforts, alors j'essayai de poursuivre la conversation.

— Est-ce que je t'ai parlé de James Dunnigan ?

— À propos de quoi ?

— Il pense que sa mère fait le café pour lui tous les matins.

Sancho hocha la tête, un peu troublé.

— C'est bien.

— Elle est morte depuis presque trente ans. (Je portai le gobelet chromé à ma bouche.) Den m'a dit qu'il avait acheté une de ces cafetières électriques avec un programmateur, et qu'il explique ça à James tous les jours, mais tous les matins, James pense que sa mère morte fait le café.

Quelques secondes passèrent.

— Vous pensez qu'il est dangereux ?

Je souris au Basque. Il était terriblement sérieux.

— Non, je faisais la conversation, c'est tout.

— Oh. (Il posa sa tasse sur la table et se pencha.) Après avoir parlé à Maynard, on va au Hole in the Wall Motel et on vérifie que Tran Van Tuyen y est ?

— Ouaip.

— Je viens d'avoir le fin mot sur le reçu en Utah. Je crois que vous allez trouver ça intéressant.

Je levai les yeux vers la pendule et me dis que nous avions cinq bonnes minutes pour parler avant que le barman n'arrive, s'il venait à l'heure convenue.

— Il n'y a pas de numéro de téléphone sur le reçu, alors j'ai appelé le département du shérif du comté de Juab, je leur ai faxé une copie et j'ai obtenu qu'une adjointe de là-bas aille voir ce qu'elle pouvait trouver. Elle m'a rappelé pour me dire que ce n'était pas vraiment un garage, mais plutôt un ferrailleur au bord de l'autoroute. Lorsqu'elle arrive là-bas, elle trouve le mobile home au milieu de tout un fatras de débris, elle se fait pourchasser dans toute la décharge par un troupeau de chiens, de chèvres et une mule…

— OK.

— … et elle voit un type debout devant la caravane avec une femme en train de lui balancer ce qui semble être toutes ses affaires personnelles. L'adjointe lui demande ce qui se passe, et il dit qu'il ne sait pas, que la femme a perdu la tête. L'adjointe lui montre le fax avec le reçu et il prétend ne jamais l'avoir vu. Puis, au milieu des possessions terrestres du type qui ont volé par la fenêtre, l'adjointe remarque un chéquier. Elle le ramasse et le compare, l'air de rien, à l'écriture du reçu. Correspondance à cent pour cent. Elle le montre au type au moment où ils esquivent la salve suivante, et il admet qu'il se souvient à peine de la fille. Il décrit notre victime et il dit qu'elle est venue jusqu'à son portail avec une pompe à eau foutue et qu'il l'a réparée et qu'elle est repartie.

— Ça paraît plausible.

— J'ai parlé à l'adjointe des quarters et je lui ai dit que la fille n'avait probablement pas beaucoup d'argent, alors elle lui a demandé comment la femme vietnamienne avait payé la réparation...

— Elle a couché avec lui.

Le Basque s'interrompit pour me regarder.

— Comment vous le saviez?

— Elle a utilisé la même méthode de troc moralement douteuse avec les frères Dunnigan.

Son regard s'attarda sur moi encore un peu.

— Eh bien, nous voilà avec un schéma récurrent.

Nous entendîmes le ronflement d'une moto et un coup tapé sur la porte en verre, et Santiago se leva pour aller voir. Il ouvrit la porte, Phillip Maynard entra et Saizarbitoria lui désigna le siège vide à ma gauche. Le barman s'assit. Apparemment, il en avait besoin. On aurait dit qu'il n'avait pas dormi de la nuit.

— Comment allez-vous, Phillip?

Il renifla et bougea nerveusement sur sa chaise.

— Ça va, un peu fatigué… Qu'est-ce qui se passe ?

— Phillip, j'ai passé quelques coups de fil à Chicago et j'ai eu des informations en lien avec des incidents vous concernant sur Maxwell Street, d'où vous êtes originaire.

Il jeta un coup d'œil au dossier posé sur le bureau.

— Heu…

Je baissai le regard vers le dossier.

— Je n'ai pas besoin de vous dire ce qui se trouve là-dedans, mais nous savons tous les deux comment certaines accusations pourraient être interprétées ; deux cas d'entrée par effraction, vol qualifié, violence conjugale et ordonnance restrictive qui court encore.

— Écoutez, c'était un accord complètement bidon et…

Je levai une main.

— Phillip, attendez une seconde. (Je posai la main sur le dossier.) Pour être honnête, ce qu'il y a dans ce dossier m'importe peu. Ça me dit que vous n'avez rien d'un enfant de chœur, mais tant que vous vous tenez à carreau dans mon comté, on s'entendra bien. Mais nous avons quand même un problème.

Je laissai cette dernière phrase en suspens un moment.

— Je pense qu'il se peut que vous m'ayez menti hier, ou du moins que vous ne m'ayez pas dit tout ce que vous saviez. Est-ce le cas ?

Il s'agita sur sa chaise.

— Ouais.

— Alors, pourquoi avez-vous fait une chose pareille ?

Il haussa les épaules et resta là, silencieux, avant de reprendre.

— Il m'a payé.

— Qui ?

— Le type.

Je sentais le regard de Saizarbitoria peser sur moi pendant que je questionnais Maynard.

— Tran Van Tuyen ?

— Ouais, lui. L'Oriental qui était au bar.

— Asiatique, Vietnamien pour être exact. Qu'est-ce qu'il a dit ?

— Il a posé des questions sur la fille d'avant-hier, puis il est revenu et il m'a donné cent dollars pour ne pas citer son nom.

Je levai les yeux sur Sancho, qui attrapa ses clés sur le bureau et alla rapidement jusqu'à la porte.

— Quel genre de questions a-t-il posées ?

— Juste si j'avais vu cette fille ou si j'avais entendu parler d'elle. Il avait une photo.

— Est-ce qu'il l'a appelée par son nom ?

— Ouais, c'était quelque chose comme Packet.

— Est-ce qu'il a dit autre chose ?

Maynard réfléchit puis secoua la tête.

— Juste qu'il savait que la voiture lui appartenait et qu'elle s'était sauvée et qu'il était à sa recherche.

— Rien d'autre ?

Il secoua la tête à nouveau.

— Rien, et ça, c'est la vérité, shérif.

Je le raccompagnai, restai à côté de mon camion et l'avertis qu'en cas de nouveau mensonge, je lui trouverais une place quelque part dans les galeries sous la prison. Il approuva d'un signe de tête, balança une jambe par-dessus la selle de la Harley et partit vers les rangées de maisons en ruines au sud de la ville.

J'étais encore debout lorsque le Suburban réapparut au coin en cahotant. Saizarbitoria écrasa les freins et s'arrêta devant moi dans un grand dérapage. Il se pencha pour baisser la vitre côté passager, mais je lui épargnai cette peine et ouvris la portière.

— Tuyen a disparu.

Je hochai la tête.

— Qu'est-ce qu'ils ont dit?

— Ils ont dit qu'il est allé à la réception, qu'il a payé sa note, qu'il a sauté dans sa Land Rover et qu'il est parti.

— Il y a combien de temps?

— Environ vingt minutes. J'ai déjà donné son signalement à la patrouille de l'autoroute.

Je réfléchis.

— Tu prends la 192 vers la Powder River, tu fais la boucle vers Durant et tu reviens par la 196. Je prends la 191 et la 190 en direction des montagnes.

Il disparut vers l'est et je partis vers l'ouest.

J'étais sur le point de prendre le virage pour passer sous l'I-25 lorsque je vis les deux enfants, ceux qui m'avaient fait signe la veille, et je remarquai que l'un d'eux portait un T-shirt avec l'inscription Shelby Cobra. Ils étaient appuyés sur la même barrière, comme de banales sentinelles, du haut de leurs huit ans – enfin, l'un de huit ans, l'autre de six, peut-être. J'eus une idée. Je m'arrêtai sur le gravier. J'appuyai sur le bouton pour faire descendre ma vitre, mais avant que je puisse prononcer un seul mot, le plus grand, qui avait des lunettes, s'empressa de parler.

— Vous êtes le shérif?

— Ouaip. Vous n'auriez pas…

Il sourit et attrapa le plus jeune par l'épaule.

— Moi, c'est Ethan, voici mon frère Devin.

— Enchanté. Vous n'auriez…

Le cadet dit, d'une voix fluette:

— Est-ce que vous cherchez des méchants?

Je hochai la tête.

— Oui. Vous n'auriez pas vu passer par hasard une Land Rover verte il y a environ un quart d'heure ?

Ils hochèrent la tête tous les deux.

— Oui, monsieur. DEFENDER 90...

Le plus grand poursuivit :

— Vert Canada, toit ouvrant, avec pare-chocs avant ARB, et plaques à motifs en losanges sur les ailes avant.

Je restai une seconde à le regarder, ne sachant que répondre à cette description, puis je me rabattis sur un vieux classique des westerns :

— Ils sont partis par où ?

Ils désignèrent tous les deux l'I-25.

— Est-ce qu'il est monté sur l'autoroute ?

Le blond répondit.

— Non, il est passé en dessous.

— Il est monté par l'autre côté ?

Cette fois, ce fut le brun qui prit la parole.

— Nan. Hé, on peut venir ?

— Pas tout de suite, peut-être tout à l'heure.

Je les saluai et mis en marche les lumières et la sirène, mais cette fois, je les laissai allumées, remerciant les forces divines d'avoir fait le mâle américain passionné par tout ce qui roule. Je pensai au Red Fork Ranch et j'appelai Saizarbitoria pour lui dire de faire demi-tour et de prendre la 191 le long de l'autoroute, côté ouest, et l'informer que j'allais prendre la 190.

L'appel suivant fut pour Ruby, qui paraissait toujours irritée, cela, sans même que je chante.

— Qu'est-ce qu'il y a ?

Parasites.

— Encore une avalanche d'e-mails, j'en ai assez de les effacer.

J'appuyai sur le micro.

— Des nouvelles de L.A. ou de Bee Bee?

Parasites.

— Rien de L.A., mais Bee Bee a appelé et a dit que ce Tuyen s'est informé sur Red Fork samedi. Alors, s'il s'intéresse à la propriété, cet intérêt est très récent.

— Bon. Je ne sais pas encore comment, mais ce type est mouillé.

Parasites.

— Est-ce que tu le tiens?

— Non, mais j'y travaille.

Je raccrochai le micro sur le tableau de bord. Je montai la pente douce entre les parois rouges et arrivai sur la route de graviers qui contournait la ville fantôme. J'avais juste atteint le sommet de la colline lorsque je remarquai l'éclat d'un objet réfléchissant et je ralentis. J'éteignis les lumières, fis taire la sirène, passai la marche arrière et redescendis jusqu'à un endroit d'où je pouvais voir, nichée dans le canyon, la seule et unique rue délabrée de Bailey. La Land Rover vert Canada était garée tout au bout, à côté des planches. Je fis faire demi-tour au gros trois quarts de tonne et descendis jusqu'à la ville fantôme.

À sa belle époque, la population de Bailey avoisinait les six cents habitants. La ville comptait une banque, un hôtel, un hôpital, un bureau de poste, et autre chose qu'on trouvait rarement dans les villes fantômes des Hautes Plaines: une grande salle municipale, qui avait été bâtie au sommet de la petite montée près de la route conduisant à la mine.

Je roulai lentement dans la petite rue, regardai partout entre les bâtiments et rangeai mon camion devant la voiture de Tuyen. Je sortis et m'approchai de la Land Rover; elle était verrouillée et vide. Les sacs de Tuyen étaient à l'arrière, parmi eux, une mallette rigide qui ressemblait à celles qui renferment souvent des ordinateurs.

J'examinai la rue à nouveau et défis la courroie de mon Colt.

Rien.

Je mis le pied sur les planches voilées et commençai à descendre d'un côté de la rue. J'essayai de ne pas faire de bruit, mais mes bottes résonnaient sur les planches comme si j'étais le héros d'un western de série B.

La plupart des vitres étaient cassées et recouvertes de planches clouées, mais au travers des fentes j'apercevais l'intérieur, sinistre; le plus souvent, le plancher avait résisté. Les bâtiments étaient poussiéreux et sales, mais ils étaient solides, et seul le bâtiment incendié au bout de la rue, Zarling's Dry Goods, semblait être sur le point de s'effondrer.

Il y avait un mur de pierres à la sortie de Bailey; il était en partie écroulé et offrait une large vue encadrée du coteau qui montait par le cimetière jusqu'à la salle municipale, avec la mine, dans le fond.

Le vieux cimetière était entouré de grilles en fer forgé, un témoignage de sympathie de la part d'une entreprise qui ne s'était pas donné la peine d'extraire les corps des dix-sept mineurs décédés. Tran Van Tuyen était assis sur un des épais barreaux de la clôture à côté de l'entrée, le dos tourné vers moi.

Je parcourus les derniers mètres sur les planches, descendis les marches pour arriver sur la terre sèche et craquelée de la route, et entamai la montée vers le cimetière. Le chemin était à peine visible au milieu des chardons violets et des bardanes, et la seule odeur perceptible était celle de la chaleur. J'approchai et Tuyen ne bougea pas, alors que j'étais certain qu'il avait entendu mon camion et mes pas dans la rue en contrebas.

Je m'arrêtai à la grille et le regardai. Il était assis les mains sur les genoux, doigts croisés. Sa tête était un peu penchée dans la lumière directe du matin. La veste légère en cuir noir que j'avais vue dans le bar était posée sur son bras, et il portait des lunettes de soleil. Il faisait chaud et la chaleur augmentait à chaque seconde, mais il ne transpirait pas.

Au bout d'une minute, je vis ses épaules monter puis descendre.

— Ils sont tous morts le même jour.

Je gardai les yeux rivés sur lui tandis que les cigales stridulaient dans les hautes herbes et je pensai à l'éventualité de la présence de serpents à sonnettes.

— C'était un accident dans la mine, en 1903.

— Une catastrophe terrible.

— Ouaip.

Il marqua une nouvelle pause.

— Est-ce que vous croyez en la réincarnation, shérif ?

Je n'aurais pas pensé que la conversation prendrait cette tournure.

— Je ne sais pas trop.

— En quoi croyez-vous ?

— En mon travail.

Il hocha la tête.

— C'est bien d'avoir un travail, une chose à laquelle on peut consacrer sa vie.

Quelque chose clochait.

— Monsieur Tuyen, il faut que je vous parle.

— Oui ?

— Il s'agit de la jeune femme.

Il hocha la tête.

— Je m'en doutais.

— Nous avons questionné le barman du Wild Bunch Bar. Il a dit que vous posiez des questions sur cette Ho Thi Paquet et que vous lui avez donné de l'argent.

Sa main bougea, et tout à coup je trouvai la mienne posée sur ma hanche et sur mon .45. Il tenait quelque chose entre ses mains, et il me tendit l'objet. C'était une photographie de la jeune femme, plus jeune peut-être. Elle portait un costume de danseuse et elle était entourée d'autres filles ; elle avait tourné la tête et souriait.

Il prit une grande inspiration et expira lentement.

— Cette photo a été prise le jour où elle a obtenu son diplôme d'une école de danse en Thaïlande. Sa mère était venue la voir danser.

Je pensai qu'il avait fini de parler mais les mots suivants lui échappèrent, tout juste audibles.

— Elle était notre unique petit-enfant.

7

Nous étions assis dans le bureau. Tuyen tenait sa tasse de café, dont il avait accommodé le contenu avec les ingrédients que Saizarbitoria avait rapportés de l'épicerie de Powder River. Il ne devait pas aimer le succédané de crème, parce qu'il n'avait pas encore trempé les lèvres dans sa boisson.

— J'ai une autre activité. Une association qui réunit les enfants vietnamiens avec leurs parents américains : les *bui doi*, ce qui se traduit par "enfants de poussière".

Il gardait les yeux rivés sur le plancher.

— Enfants de poussière est une organisation à but non lucratif, et depuis deux ans, j'ai décidé de m'engager plus nettement.

— Et en profitant du Vietnamese Amerasian Homecoming Act* ?

Santiago me lança un coup d'œil et je haussai les épaules.

— Exactement. (Tuyen regarda Saizarbitoria.) Depuis 1987, nous avons aidé vingt-trois mille Amérasiens et soixante-sept mille de leurs parents à immigrer dans ce pays.

Je bus un peu de café.

— Ça doit être très gratifiant.

— Très.

---

* Loi mise en place en 1989 pour faciliter l'immigration des enfants de mère vietnamienne et de père américain aux États-Unis.

Je hochai la tête et me fis un pense-bête mental pour me souvenir de demander à Ned qu'il s'informe sur l'organisation californienne.

— Et qu'est-ce que c'est que ce Trung Sisters Distributing? demandai-je en sortant sa carte du dossier posé sur le bureau.

Il leva la tête.

— C'est une autre de mes activités, qui n'est pas bénévole.

Il sortit une autre carte de sa poche de veste et me la tendit; celle-ci portait les mots ENFANTS DE POUSSIÈRE et l'adresse était la même que celle de l'entreprise de cinéma, comme les trois numéros de téléphone.

— Je trouve parfois plus flatteur d'être dans la distribution de films que de me présenter comme un enquêteur à la recherche d'hommes qui ont peut-être des enfants illégitimes.

J'approuvai d'un signe de tête.

— En particulier des hommes dans ma tranche d'âge qui ont peut-être fait le Vietnam?

— Cela peut provoquer un choc assez important, et parfois les réactions ne sont pas particulièrement positives.

— J'imagine...

Je posai ma tasse sur le bureau. J'en avais assez de tout ça. Je regardai Saizarbitoria qui paraissait m'observer. Je me retournai vers Tuyen.

— Et le Red Fork Ranch?

— Je m'intéresse vraiment à cette propriété.

— Mais ce n'est pas la raison pour laquelle vous êtes ici.

Il baissa la tête.

— Non.

— Monsieur Tuyen, je suis réellement désolé de paraître insensible, mais j'ai besoin d'informations sur votre petite-fille.

Il posa son café toujours intact sur le bureau, et ce que je dus faire ensuite ne me plut pas du tout.

— Je suppose que son nom d'épouse était Paquet?

— Oui. Elle a été brièvement mariée à un jeune homme, ici, aux États-Unis.

— Cela s'est passé en Californie, j'imagine.

— Oui. Dans le comté d'Orange, à Westminster.

— Little Saigon.

Il leva les yeux et eut un sourire triste.

— Je n'ai pas l'habitude d'entendre les gens désigner ainsi ce quartier en dehors de la Californie du Sud.

— Monsieur Tuyen, avez-vous la moindre idée de la raison pour laquelle votre petite-fille aurait volé une voiture pour s'enfuir jusque dans le Wyoming?

— Pour tout dire, j'en vois plusieurs.

— Visiblement, elle ne voulait pas que vous vous en mêliez, alors comment se fait-il que vous ayez réussi à la retrouver?

— Elle s'est procuré une de mes cartes de crédit, une carte de paiement d'essence. Elle a aussi, disons, emprunté un ordinateur portable de valeur, des bijoux et quelques autres objets, mais c'est grâce à la carte de paiement que j'ai pu retrouver sa trace.

Je le regardai un moment.

— Nous n'avons pas trouvé de carte de crédit sur le corps de votre petite-fille.

— La carte est restée chez un routier, Flying J, à Casper. C'est là que je l'ai récupérée.

— Alors, vous vous êtes dit qu'elle allait vers le nord et vous êtes allé jusqu'à Powder Junction?

— Oui, c'était une hypothèse qui en valait une autre.

— Vous est-il venu à l'esprit de contacter un quelconque bureau de police pour savoir s'ils pouvaient la retrouver?

Il croisa ses doigts sur ses genoux et les regarda fixement.

— Ma petite-fille… Ho Thi a été mêlée à un certain nombre d'événements malheureux, et j'ai pensé que cela entraînerait une réaction plus officielle à sa disparition.

Je regardai la lumière rasante sur le côté de son visage, puis me lançai.

— Vous voulez parler des événements qui remontent à six semaines environ ?

Il lui fallut un temps considérable pour répondre :

— Oui.

— Alors, vous vous êtes dit qu'avec votre expérience auprès des Enfants de poussière, vous pourriez la retrouver vous-même ?

— Oui.

— Ces incidents dont vous parliez concernant Mme Paquet ; nous avons des informations du bureau du shérif du comté d'Orange au sujet de certaines accusations.

Il me regarda avec une brusquerie qu'il ne put ou ne voulut pas cacher.

— Je ne vois pas en quoi…

— J'essaie simplement de me faire une idée plus claire de sa situation, de la manière et de la raison pour lesquelles elle s'est retrouvée ici.

Ses yeux ne quittèrent pas les miens.

— Je comprends que vous avez un homme en cellule ?

Je savais qu'il était contrarié, mais j'avais besoin de réponses.

— Les accusations de prostitution ?

Il prit une profonde inspiration.

— C'est le jeune homme auquel elle était mariée ; il était impliqué dans un certain nombre d'activités illégales et il l'a impliquée aussi.

— Dans la prostitution ?

— La traite d'êtres humains.

Il ramassa sa tasse mais se contenta de regarder le liquide.

— Le Vietnamese Amerasian Homecoming Act a ouvert la voie à des dérives ; un certain nombre d'agents vietnamiens travaillant au consulat américain se mettent en cheville avec des "courtiers" qui achètent les passeurs qui… Comment dit-on en langue familière ?… font entrer en douce des illégaux aux États-Unis. Le consulat américain leur accorde un visa dès qu'ils emmènent leur nouvelle… heu… famille, disons, avec eux. Ces courtiers se font près de vingt mille dollars par visa accordé aux accompagnants.

— Et cet homme, Paquet ?

— Rene Philippe Paquet.

— Il est impliqué là-dedans ?

— Était. Il est mort à Los Angeles.

— Comment est-il mort ?

Tuyen déglutit. Les mots semblaient lui laisser un mauvais goût dans la bouche.

— Il était aussi mouillé dans les stupéfiants et il a été trouvé mort dans son appartement.

Je me levai et allai jusqu'à l'unique fenêtre aménagée dans l'unique porte, et je regardai à travers la décalcomanie passée et effilochée du département du shérif du comté d'Absaroka la cour de l'école primaire surexposée dans la lumière du soleil, de l'autre côté.

— Je crois que je suis un peu troublé, Monsieur Tuyen. Comment Ho Thi, dont je suppose qu'elle était une citoyenne américaine, s'est-elle mise à fréquenter Paquet ?

Au ton de sa voix, je sus qu'il s'était tourné vers moi.

— Je crains que vous ne compreniez pas la complexité de ma relation avec ma petite-fille, shérif.

Je m'appuyai sur la porte, le dos toujours tourné au bureau, et j'attendis.

— Peut-être, shérif, devrais-je d'abord vous raconter ma propre histoire ?

— Vous avez fait la guerre ?

— Oui.

Un demi-tonne rouillé passa en haletant sur la route autrement déserte.

— Vous parlez très bien anglais.

Il prit une profonde inspiration.

— Oui. J'ai été recruté dans un petit village dans la province de Lang Son, et comme j'avais des facilités pour apprendre les langues, j'ai été envoyé par l'armée sud-vietnamienne auprès des rangers. Je parlais très bien anglais, en particulier, ainsi que français, chinois et russe ; ils m'ont donc affecté à la liaison avec les forces spéciales américaines et le programme Short Term Roadwatch and Target Acquisition*.

— Les Tigres noirs et le STRATA ?

— Oui. J'ai été blessé deux fois, et j'ai été décoré avant d'être transféré à l'ambassade américaine à Saigon. Lorsque la guerre s'est intensifiée, on m'a donné l'opportunité de m'expatrier aux États-Unis, mais sans ma femme et mon fils. Alors je suis resté et nous avons survécu grâce à mes compétences dans le domaine de l'administration, jusqu'à ce que je puisse emmener ma famille en vacances à Taïwan, d'où nous avons fui vers la France, puis ici. Avec mes contacts à l'ambassade, j'ai pu me procurer un travail dans la distribution de films et, il y a six ans, j'ai enfin pu monter ma propre affaire.

---

* Groupe d'étude et d'observation du commandement d'assistance militaire au Vietnam : programme de missions de reconnaissance rapide en territoire ennemi, menées par les forces spéciales afin d'identifier des cibles potentielles.

Santiago se versa un autre café.

— On dirait que le rêve américain s'est réalisé.

Je ne quittai pas la fenêtre des yeux.

— Je remarque que nous n'avons pas encore parlé d'une petite-fille.

— Oui.

Quelque chose dans la manière dont il répondit me fit tourner la tête pour le regarder.

— Il est parfois difficile d'expliquer ce que signifie déserter en temps de guerre à ceux qui ne l'ont pas vécu. Vous avez fait la guerre américaine, n'est-ce pas, shérif ?

— Oui.

Il m'observa un moment.

— Alors, vous pourrez peut-être comprendre. J'avais passé du temps à Saigon, à la fois pendant et après la guerre. Avec une femme qui n'était pas ma femme.

Je hochai la tête, me détournai de la cour d'école et revins m'asseoir sur le coin du bureau métallique.

— Votre intérêt pour les activités de l'association Enfants de poussière est né de votre expérience personnelle ?

— Oui, et ma petite-fille est arrivée il y a plus d'un an. Il était évident qu'elle n'avait pas eu une vie facile, ce qui, avec le temps, s'est manifesté de multiples façons. (Il prit une nouvelle inspiration.) Elle ne parlait pas la langue et n'a pas fait d'effort pour l'apprendre après son arrivée. Elle était agressive et insoumise avec nous, et elle a commencé à passer de plus en plus de temps avec le jeune homme dont j'ai parlé. (Je le regardai examiner ses doigts entrecroisés.) Elle a été arrêtée pour racolage il y a six semaines.

— Je crois que je comprends mieux la raison pour laquelle elle pouvait vouloir s'enfuir, mais avez-vous la moindre idée de celle pour laquelle elle est venue jusque dans le Wyoming ?

— Non.

Saizarbitoria me regardait toujours tandis que je me penchais par-dessus le bureau pour fourrager dans mon sac de toile. Je tirai la photo, toujours dans la pochette plastique, de l'un des dossiers et la tendis à Tuyen.

— Connaissez-vous cette femme ?

Il prit la photo et l'examina, puis il leva enfin le regard vers moi.

— Non.

Ses yeux se posèrent sur moi un moment, se baissèrent vers la photo, puis vinrent à nouveau se poser sur moi.

— Et ça, c'est vous ?

— Oui.

— De quand date cette photo, si je puis poser la question ?

— Fin 67, juste avant le Têt.

Il l'examina à nouveau, et je crus entendre les années défiler dans sa tête comme les boules d'un boulier. Je me penchai en avant.

— Troisième génération : est-il possible que ce soit la grand-mère de Ho Thi ?

— Ce n'est pas la femme que j'ai connue…

— Alors, peut-être son arrière-grand-mère ? Cette femme sur la photo se nommait Mai Kim et elle est morte en 1968.

Il scruta le cliché, mémorisant le visage de la femme et le comparant avec celui de sa petite-fille.

— C'est possible. La connaissiez-vous bien, shérif ?

— Pas dans le sens personnel du terme ; c'était une entraîneuse qui travaillait dans un bar juste à côté de la base de l'Air Force de Tan Son Nhut, où j'ai été envoyé comme inspecteur des marines.

— Vous étiez déjà policier à l'époque ?

— Oui.

Il y réfléchit encore un peu.

— Vous pensez qu'il est possible que Ho Thi ait reçu sa photo des mains de sa mère ou d'une autre femme de la famille, et qu'elle ait cru, à tort, qu'elle vous était apparentée ?

— Là, tout de suite, c'est tout ce que j'ai et le seul lien avec le Wyoming que je voie.

— Je comprends.

— Monsieur Tuyen, je vais avoir besoin que vous regardiez des photos de votre petite-fille pour que vous la reconnaissiez, afin que nous ayons une identification formelle et que nous soyons certains qu'elle était bien votre petite-fille. Ensuite nous pourrons prendre les dispositions nécessaires avec la division des enquêtes criminelles pour que le corps soit renvoyé en Californie.

— Oui, bien sûr.

— Aviez-vous prévu d'y retourner très bientôt ?

Il regardait toujours la photo dans la pochette en plastique et songeait peut-être à d'autres choses rangées dans d'autres sacs en plastique.

— J'avais l'intention de partir aujourd'hui, mais apparemment, une fois que j'ai été dans mon véhicule, je n'ai pas trouvé l'énergie.

Je tendis le bras pour récupérer la photo, mais il se méprit et me serra la main, alors je repris la photographie de l'autre main.

— C'est tout naturel. Je comprendrais que vous souhaitiez avoir du temps seul, mais si vous préférez voir ces photographies cet après-midi, vous devrez venir jusqu'à mon bureau à Durant.

— Je ne suis pas certain que j'en serai capable cet après-midi, mais peut-être vais-je retourner à l'hôtel, dans ma chambre, et je verrai comment je me sens un peu plus tard.

Il se leva.

— Très bien. Demain matin, c'est aussi bien. Vous avez toujours ma carte ?

— Oui. (Il s'arrêta à la porte et nous lança un dernier regard.) Et vous avez les affaires personnelles de ma petite-fille ?

— Oui.

— Je voudrais bien les reprendre.

— Je suis certain que nous pourrons vous les donner dès que nous aurons reçu toutes les informations de Cheyenne et que nous aurons obtenu les renseignements sur vous et votre petite-fille.

— Je vais m'en assurer.

Il était toujours là et je sus exactement ce qui allait suivre.

— J'hésite à vous poser la question, mais j'ai cru comprendre que vous aviez arrêté un homme pour le meurtre de Ho Thi ?

Je croisai les bras.

— Nous avons un homme sur lequel portent des soupçons raisonnables en lien avec sa mort. Mais il n'y a pas de preuve concluante contre lui.

Sur la porte vitrée, en arrière-plan, la silhouette de Tuyen était sombre et imprécise.

— Cet homme vivait sous l'autoroute ?

— Je le crains.

Je vis le contour de sa poitrine se soulever et s'abaisser.

— Il est difficile d'imaginer que des choses comme celles-ci peuvent arriver, même ici.

Il tourna la poignée, ouvrit la porte et disparut.

— Bon Dieu, chef…

Saizarbitoria m'avait suivi jusqu'à la cour de l'école, où je me trouvais, le talon calé sur un barreau de la cage à poules. J'avais le regard perdu sur les grandes pâtures menant à la Powder River. Il y avait une petite colline vers l'est de la ville, et plus loin, sous l'effet des torrents remontant vers le nord, les plaines étaient plissées comme un lit mal fait. Tout avait une couleur d'aquarelle passée, et on aurait dit que si l'on effleurait quoi que ce soit, l'objet tomberait en poussière et serait emporté par le vent. Nous avions besoin de pluie.

— Qu'est-ce que tu as dit ?

Il était debout à côté de moi, la main enroulée autour d'une barre pendant un moment, puis il la retira précipitamment du métal brûlant. Il souffla sur ses doigts.

— Vous avez été un peu dur, avec un type qui vient de perdre sa petite-fille.

— Ça ne fait pas si longtemps qu'il l'a retrouvée.

— Bon sang.

Il parla à voix très basse, mais je l'entendis distinctement.

J'avais déjà assez de mal à penser aux choses auxquelles je devais penser sans avoir à supporter le poids de son jugement.

— Appelle Jim Craft, au comté de Natrona. Qu'il aille faire un tour au Flying J, qu'on sache ce qu'ils ont à dire sur la carte volée.

Il s'éclaircit la voix, ajusta ses lunettes de soleil parabole et fourra ses mains dans ses poches.

— Très bien.

— Ensuite, demande à la DEC s'il y a des indices sur le corps de Ho Thi qui révéleraient l'utilisation de drogues.

Le rebord de mon chapeau était trop bas sur mes yeux, je le repoussai et continuai à regarder l'horizon à la recherche de nuages qui ne s'y trouvaient pas.

Il se raidit un peu.

— Pourquoi ?

— Parce que Paquet en prenait, et si elle était dans la prostitution, elle était probablement aussi dans la drogue.

Je décrochai ma botte du barreau métallique et restai à le regarder. Il était joli garçon et il n'y avait dans son attitude aucune réticence, en particulier à mon égard, et c'était pour cela que je l'aimais autant. Je me retournai et m'apprêtai à partir vers mon camion.

— Tu serais étonné de voir ce que tu serais capable de faire si tu étais à bout de ressources.

Khe Sanh, Vietnam : 1968

L'armée nord-vietnamienne avait déterminé sa cible assez rapidement et les tirs de mortiers fusaient autour de nous comme des chandelles romaines dans la moiteur de la mousson.

Je plongeai contre la paroi et forçai le passage de l'air dans mes poumons, sans savoir si le sifflement que j'entendais était celui de ma respiration ou celui des tirs ennemis. Je tournai la tête et vis Henry en train de détacher Babysan Quang Sang du filet qui le maintenait en prévision de l'exercice de feu indochinois qu'allait essuyer l'hélicoptère.

Il ne me regarda qu'une fois.

— Cours, et ne t'arrête pas avant d'avoir atteint quelque chose.

Les générateurs ainsi que les Willie Petes* lancées de l'intérieur du périmètre éclairaient la zone avec une puissance latérale aveuglante qui projetait des ombres contrastant violemment avec la surface mouillée, luisante, de toutes choses – comme si on en avait eu besoin.

* Surnom des grenades fumigènes au phosphore à effets incendiaires utilisées au Vietnam.

Nous approchions inexorablement et à bonne vitesse, et le gros Kingbee suivait les contours de la vallée tandis que nous effectuions l'approche finale, rasant la terre ferme à environ deux mètres jusqu'à s'immobiliser sur la zone d'atterrissage mouillée où les rotations frénétiques des pales dessinèrent des ronds géants.

Tout le monde bougea en même temps. Hollywood Hoang mit les gaz à fond tandis que nous tombions tous d'un côté, les deux infirmiers suivant Henry et Babysan Quang Sang lorsqu'ils sortirent par la porte latérale au milieu des rafales de pluie dans la nuit incandescente.

Je quittai ma position accroupie et bondis à la suite des silhouettes qui s'éloignaient au pas de course ; les deux infirmiers étaient partis sur la droite, vers la carcasse carbonisée d'un tank M47, et Henry et Babysan disparurent dans une tranchée à environ cinquante mètres de moi.

J'avais l'impression d'être un bison en train de pourchasser une antilope.

Au moment où mon pied quitta ce qui se voulait être la piste d'atterrissage, je sentis l'hélico amorcer une soudaine remontée comme s'il tombait de la terre plutôt que de s'en élever. Hoang nous avait donné tout le temps qu'il pouvait et il était en train de se tirer de là. Je courus les vingt premiers mètres lorsque quelque chose me plaqua dans la boue rouge avec un souffle d'une puissance impressionnante, et je manquai immédiatement d'oxygène. Une explosion plus forte que tout le reste retentit. L'impact de la déflagration écrasa mon casque sur mon nez et me poussa vers l'avant, et je tombai en diagonale dans la boue grasse et rouge.

J'étais presque sûr que je brûlais. Ce n'était pas que j'avais l'impression d'être en feu, mais l'odeur était si proche qu'elle devait venir de moi. Je n'entendais rien d'autre que le bruit de ma propre respiration et de mon sang qui battait dans mes tempes. Lorsque je bougeai, il me sembla que je me voyais bouger au ralenti ; même ma tête pivotait comme si elle était emmanchée au bout d'un long poteau.

Je me forçai à me lever, mais je tombai sur le côté dans la gadoue et je me tournai à moitié vers la lumière. Mes yeux se fermèrent tant elle était furieusement aveuglante, mais lorsque j'en ouvris un à demi, je vis une forme allongée un peu plus loin. Le feu éclaira le contour d'une main, puis un bras se leva dans l'air nocturne. Je me levai à moitié, trébuchant dans la fumée et les rideaux obliques de pluie.

Ce n'était que ruines partout, et le goût acre de l'incendie me remplit la gorge et me serra les entrailles, prêt à être expulsé. J'eus un haut-le-cœur mais j'avançai en titubant, cherchant le bras qui s'était tendu vers moi. Je tombai sur des débris fumants et parvins à distinguer une partie du fuselage de l'hélicoptère tandis que les gouttes d'eau crépitaient sur le métal surchauffé.

L'uniforme de Hollywood Hoang était roussi mais encore en grande partie bleu ciel. Je tendis le bras et je l'attrapai, tombai en arrière mais tins bon, essayant toujours d'obtenir que cesse dans mes oreilles ce sifflement strident.

Il ne pesait pas bien lourd. Je le portai, parcourant lentement la distance qui nous séparait de la tranchée, m'interrogeant sur le sort de tous les autres.

C'est là que je vis les corps.

L'un des infirmiers n'y était pas arrivé. Pour une raison quelconque, l'essentiel de l'explosion s'était propagé vers la gauche et l'avait emporté avec elle. Les rotors, le moteur, ou bien la férocité de la déflagration l'avaient surpris et il était en trois morceaux. L'autre infirmier rampait dans l'huile en feu et hurlait. Tout au moins, je supposai qu'il hurlait, puisqu'il avait la bouche ouverte.

J'allai jusqu'à lui, je le ramassai en l'attrapant par le devant de sa veste et le hissai sur un de mes genoux couverts de boue. Je le saisis à nouveau, avec une meilleure prise, et son visage se tourna vers le mien :

— Ne me laisse pas.

Je soulevai Quincy Morton de Détroit, Michigan, balançai Hoang par-dessus mon épaule et me tournai pour repartir vers la tranchée. La fumée enveloppait tout, nous avions, en quelque sorte, disparu. J'avançai péniblement dans les ténèbres. La chaleur me collait au dos comme un fer à vapeur et le poids des deux corps me ralentissait au point que j'en étais presque à ramper dans la boue qui collait aux semelles de mes rangers.

Je me souvins des béliers aux entraînements de football à l'USC, et des deux entraînements quotidiens éreintants sous le soleil californien, et je redressai les épaules, rentrai la tête et tirai.

J'avais fait au moins sept pas lorsque quelqu'un me percuta. Il rebondit et dut tomber sur le sol, alors je lâchai l'infirmier de la marine l'espace d'une seconde pour essayer d'aider celui qui était tombé, mais le matelot se méprit sur mon geste et se cramponna à mon bras juste au moment où je voyais le canon de l'AK-47 se lever et se pointer sur mon nez. Peu importait. Je n'avais pas mon fusil.

Il tira, et dans le crépitement de cigale produit par la mitraillette qui se lâchait, je tombai au milieu du sifflement des balles qui passaient en me rasant. Je me jetai sur lui comme une masse, sentis qu'il tentait de dégager l'automatique qui était coincé sous moi, mais j'avais libéré une main et j'avais trouvé son cou. Tout était mouillé et nous glissions l'un contre l'autre dans la boue.

Il battait des pieds, mais le poids que nous faisions à nous trois ne lui laissait pas beaucoup de liberté de mouvement. Je serrai la main sur son larynx et sentis le cartilage qui commençait à céder tandis que sa voix se brisait. J'enfonçai mon doigt dans la cavité pleine d'air de son œsophage. Je n'entendais plus rien depuis l'explosion, mais je pouvais imaginer entendre encore ses crachotements. Il devait gargouiller comme un bébé qui prend son élan avant de pousser un hurlement à pleins poumons.

Qui ne vint jamais.

Il ne bougeait pas, ne respirait pas, mais je n'étais toujours pas certain qu'il était mort.

Je restai couché sur lui. J'eus des haut-le-cœur, des accès de toux et je vomis.

Je crachai, me vidai la bouche et cherchai à tâtons les deux hommes allongés près de moi, sentant les mains de l'infirmier qui s'agrippait à moi. Je me mis à genoux, puis debout, le ramassai à nouveau et partis en titubant dans la pluie étouffante. Je pris un peu de vitesse, me rendant compte que si nous restions à découvert encore un peu, nous allions mourir.

L'armée nord-vietnamienne avait franchi les limites de la garnison et avançait vers le périmètre ; nous n'avions que quelques pas d'avance sur eux. Je sentais mes bottes s'enfoncer dans la terre ocre, et le peu d'adrénaline qui me restait me donna de l'élan tandis que nous progressions dans les tourbillons de ténèbres obscurcies par la fumée et la brume.

Je poursuivis mon chemin, chaque pas un peu plus grand que le précédent, en me répétant, comme une litanie : *Je ne mourrai pas comme ça… Je ne mourrai pas comme ça… Je ne mourrai pas comme ça.*

Des hommes surgirent devant moi, mais je n'avais pas le temps de les combattre tous, alors je me contentai d'avancer comme un bulldozer, les emportant avec moi. Le plus grand était tout près et il essaya de se débarrasser de moi comme un halfback cherchant une brèche dans la ligne des joueurs adverses, mais j'étais trop lourd avec les deux corps que je portais, et je l'entraînai avec moi au moment où je perdis pied et nous fis basculer tous par-dessus le bord de ce qui ressemblait à un monde plat.

Nous tombâmes, et je pus enfin entendre les armes qui tiraient autour de moi et les jurons, heureusement dans ma propre langue. J'ouvris les yeux, mais je ne vis que l'eau de pluie rougeâtre qui filtrait entre les sacs de sable gorgés d'eau. Et Henry. Il se tenait le front et un filet de sang coulait entre ses doigts. Il riait et hochait la tête avec le sourire amer de celui qui a survécu en silence.

Il me parla sans détourner la tête tout en tirant avec son Colt Commando 5.56 par-dessus le bord de la tranchée, la flamme du canon jaillissant du métal noir comme les yeux d'une espèce de citrouille de Halloween dégonflée. Le sang coulait toujours de sa tête à l'endroit où je l'avais frappé, et il se tourna vers moi.

— Quand j'ai dit "cours jusqu'à ce que tu atteignes quelque chose", ça ne voulait pas dire moi.

Elle lança un morceau de croûte au chien, qui était assis dans le hall, à ma gauche. Nous regardâmes la bête attraper le morceau de pâte cuite et l'avaler en deux bouchées.

— Parce que c'est ton tour et qu'il n'y a personne d'autre.

Ma réponse n'avait pas l'air de la satisfaire, mais elle était relativement contente que j'aie apporté à dîner avant de partir au ranch voir comment allait Cady.

Vic sirota sa Rainier et regarda le géant plier la dernière part de sa pizza, la fourrer dans sa bouche derrière l'impénétrable rideau de cheveux noirs, et mâcher. Il avait mangé toute sa pizza, plus ce qui restait d'une autre dont Vic avait prélevé une part ainsi que les restes d'une troisième dont j'avais dévoré trois parts. Il avait descendu le litre de soda que nous lui avions donné et avait fini par s'allonger sur sa couchette en repliant son bras sur ses yeux.

Vic l'observa pendant un moment, puis elle se mit à parler.

— Alors, *la* nuit que je vais passer à dormir dans la prison, tu vas rentrer chez toi ?

Je ne dis rien. Elle me regarda boire une gorgée de ma bière.

— T'es sûr que tu veux pas rester dans le coin ?

— Un de nous doit rester dans cette pièce. (Je jetai un coup d'œil au prisonnier, qui ronflait doucement.) Et dans les circonstances…

Elle haussa les épaules.

— C'est la pizza la plus dégueulasse que j'aie jamais mangée.

Je ne quittai pas l'Indien des yeux.

— Il a eu l'air de l'apprécier.

— Il vit sous l'autoroute. Je ne suis pas certaine que sa sensibilité gastronomique soit si raffinée.

Je grattai le R de l'étiquette sur ma bouteille de bière avec mon ongle de pouce.

— Saizarbitoria pense que je suis raciste.

— Pas grave. Moi, je pense que tu es un négrier. (Elle repoussa sa casquette, la présence du couvre-chef étant le signe que sa coiffure n'était pas au top – une chose dont j'avais appris à ne pas parler.) Pourquoi?

— J'ai été un peu dur avec Tuyen, aujourd'hui.

— Vraiment?

— Ouaip.

Je contemplai la bande de colle bleue à l'endroit où l'étiquette s'était décollée.

— Je ne sais pas, peut-être que j'ai des préjugés. Il était dans les Tigres noirs et le programme STRATA.

Elle me regarda fixement.

— Et pour ceux qui sont nés après l'Ère du Verseau, ça veut dire quoi, ton truc?

— Les Tigres noirs étaient la version sud-vietnamienne de nos forces spéciales, et le STRATA était un programme qui parachutait ces gars-là derrière les lignes ennemies. Ils étaient une centaine, je crois, et un tiers environ ne sont jamais revenus.

— Alors ce type est un dur de dur?

— Possible. (Je pris une profonde inspiration.) Son anglais est bon, meilleur que ce que j'ai jamais entendu chez aucun Vietnamien…

Le silence dura trop longtemps, alors je changeai de sujet:

— Pas de nouvelle de Quincy, au bureau des vétérans?

Elle abaissa sa bouteille de bière et me regarda me lever et rassembler les détritus, posant les deux boîtes de pizza et les bouteilles sur le comptoir.

— Il est en vacances au paradis sur terre, à Detroit, et il ne rentrera que demain matin. Je lui ai dit que quelqu'un passerait.

— Est-ce que tu leur as demandé s'il leur manquait un Indien de deux mètres dix?

— Oui, mais le demeuré à qui j'ai parlé ne m'a pas donné d'infos franchement intéressantes.

— Tu veux venir avec moi à Sheridan, demain matin?

— Non.

Elle se leva, me regarda tandis que je m'arrêtais sur le seuil, puis elle s'appuya sur la porte du minifrigo.

— Pas après avoir dormi par terre dans la prison toute la nuit... seule. (Je la regardai s'avancer vers moi, la manière dont l'uniforme tombait exactement comme il fallait, là où il fallait, la luxuriance des jardins suspendus de Babylone, la perfection de sa silhouette.) C'est l'uniforme, c'est ça?

— Non, ce n'est pas l'uniforme.

— Parce que... parce que c'est pas grave. Il y a des gars qui sont bizarres, qui aiment bien une femme en uniforme, mais pas toi.

Nous nous tenions dans l'embrasure de la porte, échappant tout juste au champ de vision du géant, et je ne savais pas pourquoi, la conversation que nous avions projeté d'avoir était encore pire ici.

— Pas quoi?

— Pas bizarre.

— Non, effectivement.

Elle était debout tout près de moi et j'avais le dos au mur – et pas seulement au sens propre. Elle tendit un bras et toucha ma manche, fit courir ses doigts le long de mon bras et dessina l'écusson brodé. Ses yeux, ses mémorables yeux, se tournèrent vers moi. Je sentais son odeur, celle de tout son corps, et le souvenir de cette nuit-là à Philadelphie commença à me revenir.

— Écoute...

Son visage était à environ vingt centimètres du mien.

— Quoi?

— C'est juste que... Je ne sais pas si...

Dans le hall peu éclairé, ses yeux brillèrent et je me surpris à observer la lueur qu'ils émettaient.

— Quoi?

— Ce qu'on a fait, cette unique fois, c'était hors contexte, et maintenant, on est de retour...

Elle se hissa lentement sur la pointe des pieds et sa main alla se promener sur ma nuque pour me tirer vers elle; la distance entre nos visages se réduisit.

— Qu'est-ce que tu dirais, si on quittait ces uniformes et qu'on repartait hors contexte?

Je posai mes mains au creux de ses reins et la sentis frissonner comme un poulain.

Contrairement à la croyance populaire, les meilleurs baisers ne commencent pas bouche contre bouche. Celui-ci commença sur la cicatrice de ma clavicule, monta en grignotant les muscles sur le côté de mon cou, puis marqua une pause à ma mâchoire. J'avais du mal à respirer, quand je l'entendis gémir, et on aurait dit que ce gémissement venait d'ailleurs, de l'Orient, et qu'il n'était pas si ancien. Je tournai mon visage vers le sien pour permettre à nos lèvres de se joindre, mais elle s'était figée et avait tourné la tête vers les cellules.

Nous restâmes tous les deux le souffle court et sa voix résonna, rauque.

— Je crois que le prisonnier se réveille.

Je hochai la tête et regardai son bras et son visage s'éloigner. Je la rattrapai et l'attirai d'une main, posant mon menton sur le sommet de sa tête, et je la tins là un moment, sans parler. Je la sentis soupirer et la lâchai.

— Je crois que je devrais retourner dans son champ de vision.

Je la regardai déplacer la chaise pliante et s'asseoir de manière que l'Indien puisse la voir. Il se calma instantanément.

— Si cela te fait plaisir, je pensais justement te proposer un rendez-vous.

Sa tête se leva et le vieil or de ses yeux brilla à nouveau, la longue canine se découvrant comme une fusée de détresse couleur ivoire.

— Un rendez-vous ?

Je sentis mon courage s'enfuir vers les collines.

— C'est comme ça qu'on disait, dans le temps, un rendez-vous.

— Ah ouais ?

— Ouaip.

Je suis à peu près sûr que mon visage s'était un peu empourpré, mais bravement, je passai au-dessus et me remis à ramasser les détritus sur le comptoir.

— Et maintenant, on appelle ça comment ?

Un demi-sourire ironique se dessina sur son visage ; elle était comme un chat qui jouait avec une souris lorsqu'elle leva la tête.

— Une partie de jambes en l'air.

Je m'attardai à côté d'elle un moment, puis je jetai un coup d'œil au grand Indien avant de sortir. Apparemment, nous n'étions jamais synchrones. Elle attendit que je sois au milieu du hall avant de s'écrier :

— Toi sûr partir ? Moi t'aimer looooongtemps…

8

J'emmenai Cady pour faire la boucle de cent kilomètres jusqu'à Sheridan, après la fin des exercices, le matin. Nous passions juste devant Lake DeSmet à côté de l'I-90 avec le chien assis entre nous. Elle avait balancé ses sandales par terre et s'était installée jambes repliées sur la banquette, comme elle le faisait toujours.

Je remarquai qu'elle s'était habillée pour l'arrivée de Michael, prévue plus tard dans la journée ; elle portait une jupe à godets d'un bleu turquoise très vif et un T-shirt noir à paillettes sans manches. Elle cachait ses cheveux auburn sous un chapeau de cow-boy en paille très stylé avec une courroie de cuir ornée de coquillages et de plumes, beaucoup de plumes. Ses boucles d'oreilles étaient assorties à sa jupe. Haute couture avec une touche cow-girl/biker. Elle leva les yeux vers moi et continua à caresser le chien.

— Ne te moque pas de mon chapeau.

— Je n'ai pas dit un mot.

— Mais tu y pensais.

J'enclenchai le régulateur de vitesse et m'installai confortablement.

— C'est un très beau chapeau.

— Papa, je t'interdis.

Je la regardai.

— Quoi ?

— Tu allais essayer de faire de l'humour.

Elle prit une grande inspiration et regarda par la fenêtre la vallée de Piney Creek.

C'était le moment où, dans mon rôle de père, j'étais censé dire quelque chose – la chose juste – et je me demandais bien ce que c'était. Elle était apparemment un peu tendue à la perspective de l'arrivée de Michael, et il était de mon devoir d'apaiser son anxiété.

— Tu es magnifique.

Elle baissa la tête et j'attendis.

— Je porte le chapeau à cause de la cicatrice.

— Oh, chérie…

— Je me suis dit que… (Elle se tut un moment, mais ce n'était pas parce qu'il n'y avait plus rien à dire.) Mes cheveux sont trop courts, je n'ai pas assez pris le soleil…

— Tu es magnifique, je te le jure. (Je dépassai un semi-remorque et je me rabattis sur notre file.) Elle signifie beaucoup pour toi, cette visite ?

C'était un sujet que j'avais eu l'intention d'aborder avec elle, sans être jamais parvenu aussi près d'une ouverture. J'avais décidé qu'en tant que parent, je construirais avec ma petite fille rousse aux grands yeux une relation fondée sur l'absolue vérité, et c'était devenu la seule langue que nous comprenions.

— Eh bien, ce sera une bonne occasion pour vous deux de passer un peu de temps à apprendre à vous connaître vraiment, même s'il ne s'agit que de quelques jours.

J'espérais que cela sonnait mieux à ses oreilles qu'aux miennes.

— Qu'est-ce que ça veut dire ?

Apparemment, non.

— Je me dis juste que ce sera un bon moment. Avant, vous étiez dans un rôle, lui, le policier, toi, la victime…

(Je lui lançai un coup d'œil avant de ramener mes yeux sur la route.) Il y a eu l'hôpital, puis le téléphone. Je crois juste que ce sera une bonne occasion pour vous deux d'être dans un décor plus naturel et d'apprendre à vous connaître vraiment.

— C'est la seconde fois que tu utilises le mot "vraiment"; tu veux dire qu'on ne se connaît pas, en fait?

— Ce n'est pas ce que j'ai dit.

— Vraiment?

Il me semblait que son esprit faisait d'énormes progrès. Je tentai mon dernier atout, la voix patricienne autoritaire de la raison.

— Cady...

— Je ne veux pas en parler.

Nous roulâmes les vingt dernières minutes en silence, tandis que je prenais la seconde sortie de Sheridan et que je remontai Main Street jusqu'au centre d'accueil des vétérans, qui s'était installé dans le fort Mackenzie, à un endroit superbe, sur un plateau juste au nord de la ville : des bâtiments massifs en brique rouge au milieu d'immenses peupliers de Virginie au feuillage magnifique. Nous passâmes devant le poste du gardien, désormais désert, longeâmes l'allée bordée de conifères qui projetaient leur ombre longiligne devant nous, et elle décida de me parler à nouveau.

— Alors, comment ça se fait que je n'aie jamais rencontré ce Quincy Morton?

— C'était avant ton époque.

— Encore des trucs qui sont arrivés avant que je ne sois née? (Elle regarda autour d'elle pendant que je contournai les différents bâtiments fortifiés.) Alors, tu as eu une période difficile après la guerre?

J'y réfléchis.

— Je ne sais pas si j'appellerais ça une période difficile… C'était une période troublante et je cherchais des réponses. Quincy m'a écrit pour me dire qu'il était transféré de Detroit à Sheridan.

Elle me regarda.

— Est-ce que Maman t'a aidé?

— Oui, mais elle n'était pas allée au Vietnam, et je crois que j'avais besoin de quelqu'un qui y avait été.

— Et l'Ours?

Je haussai les épaules.

— Il n'était pas dans le coin.

Je sentais les yeux gris calmes posés sur le côté de mon visage.

— Apparemment, cela ne t'a pas affecté.

Je garai le Bullet à l'ombre d'un arbre et laissai les vitres à moitié baissées pour le chien. Je pensai à l'accord que j'avais conclu avec elle.

— Eh bien si, cela m'a affecté.

Lorsque nous sortîmes du camion, je remarquai qu'elle avait laissé son chapeau sur la banquette.

Les Pères fondateurs de Sheridan avaient comploté pour obtenir le fort Mackenzie afin de se protéger de l'hostilité des Indiens. Le fait que 23 133 Indiens seulement aient occupé une zone dont la taille avoisinait celle de l'Europe, que ce nombre comprenne des hommes, des femmes et des enfants, ou que nous soyons en 1898 et que le directeur du Bureau du recensement américain ait énoncé sans ciller que c'était la fin de la période de la Frontière ne parut pas peser lourd dans la négociation.

Plutôt astucieux, ces politiciens de Sheridan – ils se rendaient compte des avantages économiques apportés par une garnison de l'armée installée dans le voisinage. La demande de produits locaux, en particulier de bœuf, allait augmenter, et le fort offrirait des emplois à une population active en plein essor ; il fournirait aussi des élèves-officiers de West Point auxquels les mères fondatrices pourraient donner leurs filles. On peut facilement imaginer l'expression de leurs visages lorsque les premières troupes du 10ᵉ de cavalerie, les compagnies G et H, débarquèrent des trains à Sheridan et qu'ils se révélèrent être des soldats… noirs – des *buffalo soldiers*.

Le bureau de Quincy Morton ne se trouvait pas au même endroit ; en fait, rien n'était au même endroit. Je n'étais pas venu depuis un moment, et apparemment les lieux avaient fait l'objet d'une impressionnante extension. C'était bien agréable de revoir Quincy, et lorsque je décrivis le grand Indien qui était installé dans ma prison, il sut très exactement de qui il s'agissait.

— Tu comprends bien que je n'ai pas la moindre obligation de te fournir des informations si tu me présentes pas une injonction en bonne et due forme ?

— Oui, et si cela te pose un problème, je vais de ce pas voir Chuck Guilford et mettre en route toute la machine à paperasses, mais cela ne va pas aider cet homme qui est enfermé dans ma cellule.

Je regardai Quincy entortiller autour de ses doigts sa barbe broussailleuse parsemée de boucles grises dont je n'avais pas le souvenir. Il était aisé de voir comment les Indiens des Plaines avaient comparé les cheveux des soldats noirs avec la fourrure des bisons. Il ajusta ses lunettes, jeta un coup d'œil à Cady, puis alla jusqu'à une armoire à classement en chêne et s'accroupit. Je remarquai que le tiroir qu'il tirait était le plus bas, marqué W-Z.

White Buffalo. Pas de doute.

Il sortit une épaisse liasse du dossier suspendu et revint la poser sur le bord de son bureau, sans s'asseoir.

— Je conduis cette jolie jeune femme dans la grande salle du pavillon n° 5, où le café est médiocre, mais c'est un solarium avec de grandes baies vitrées qui offrent une vue incroyable sur les montagnes.

Il offrit son bras à Cady, qui sourit et le rejoignit sur le seuil en faisant tournoyer sa jupe turquoise. Il détacha un badge du blazer bleu marine accroché sur la patère.

— Le dossier ne sort pas de mon bureau, et je t'attends dans un quart d'heure. C'est un service d'enfermement volontaire, mais dis-leur juste que tu es avec moi et ils te laisseront entrer.

Il referma la porte.

J'approchai la chaise de Quincy du bureau et regardai autour de moi ; je devais vouloir retarder le moment où je me confronterais au dossier. Le thérapeute avait une affiche encadrée du musée Buffalo Bill de Cody accrochée au mur et qui représentait les *buffalo soldiers* du 10ᵉ de cavalerie ; sur son étagère, quelques boîtes intactes de repas tout prêts et une fausse grenade à main sur son bureau, avec une petite plaque sur laquelle on lisait EN CAS DE RÉCLAMATION, TIRER LA GOUPILLE. Du moins, je supposai que c'était une fausse grenade.

Une étiquette adhésive blanche était collée sur la couverture du dossier qui portait le nom VIRGIL WHITE BUFFALO.

Virgil.

Je pensai à l'auteur de *L'Énéide*, au guide supposé de Dante à travers les enfers. Je contemplai le dossier et espérai que ses voyages avaient été plus agréables.

Ce n'était pas le cas.

Il m'avait fallu les quinze minutes pour lire la totalité du dossier et, depuis que j'avais quitté le bureau de Quincy et que j'avais commencé à marcher en direction du pavillon n° 5, mon esprit me martelait ces seuls mots.

Mon Dieu.

C'était un jour sans la moindre brume, malgré la chaleur. Je pris une grande inspiration et humai le parfum relevé de l'herbe fraîchement coupée. Tout en parcourant les allées soignées, je réfléchis à ce que j'avais lu. Je m'arrêtai devant les portes doubles en plexiglas et regardai l'agent s'approcher. J'énonçai le nom de Quincy et il me dit de descendre le couloir jusqu'à la seconde bifurcation à droite et de continuer tout droit.

Ils étaient assis à une petite table ronde sur laquelle se trouvaient trois tasses à café à grosse anse et un pot en plastique blanc. Je m'assis et les écoutai poursuivre leur conversation, qui concernait surtout la visite très prochaine de Michael et les projets de Cady, son retour à Philadelphie après Labor Day.

Je restai assis et je contemplai les montagnes. Je pensai encore à ce que j'avais lu dans le cabinet du médecin.

Mon Dieu.

Cady poussa vers moi une tasse de café.

— Quincy dit que tu lui as sauvé la vie.

Je tournai la tête et la regardai.

— Ah ouais ? Eh bien, il délire, et c'est pour ça qu'ils le gardent dans un endroit comme celui-ci.

Se disant qu'elle ne tirerait pas l'histoire de son père, elle se tourna vers Quincy, qui lui fit un récit dans lequel je ressemblais à Captain America. Je lui avais tellement parlé du Wyoming, disait-il, que lorsqu'un poste à la coordination du service SSPT s'était libéré au centre d'accueil des vétérans à Sheridan, sa femme Tamblyn et lui avaient sauté le pas et ne l'avaient jamais regretté.

— Il n'y avait que trois habitants noirs dans le Wyoming, à l'époque, et j'ai été chargé d'essayer de rétablir l'équilibre des communautés.

Quincy hocha la tête, il tapota affectueusement le bras de Cady et désigna une autre paire de portes en plexiglas qui donnaient sur l'extérieur et une pelouse si verte qu'on aurait dit une flaque de chartreuse.

— Il y a un chemin qui passe par là et aboutit à un autre, qui fait le tour du terrain de rassemblement et qui monte jusqu'à une grande demeure, autrefois la résidence du commandant du fort. Une salle de bal occupe le premier, avec un plancher en bois et des persiennes qui ouvrent sur les montagnes. (Il attendit un moment.) Tu devrais aller la voir.

Cady, habituée à être écartée de mes conversations les plus indélicates dans l'exercice de mon métier de policier, hocha la tête et serra mon épaule en passant. Elle jeta un dernier coup d'œil à Quincy.

— Si par hasard vous décidez de le garder, je vous le dis tout de suite, vous ne pouvez pas ; nous avons trop besoin de lui.

Doc sourit.

— Il est trop futé. Les petits futés amènent toujours des ennuis.

Nous regardâmes l'aide-soignant ouvrir les portes. Cady ôta ses sandales pour traverser le terrain de rassemblement pieds nus.

— Mon Dieu, Walter. Quelle jeune femme extraordinaire…

Je la regardai marcher avec précaution, passant lentement son pied par-dessus les brins de l'herbe douce, avant de poursuivre son chemin tranquillement.

— Elle fait semblant.

Il se tourna vers moi et son inquiétude était palpable.

— Elle m'a raconté ce qui s'est passé à Philadelphie.

Je hochai la tête mais ne dis rien, je me demandai ce qu'elle avait dit exactement.

— On dirait qu'elle fait des progrès fabuleux.

— J'espère bien.

Il m'observa.

— Qu'est-ce qui t'inquiète ?

Je grognai.

— Qu'elle force trop, qu'elle ne force pas assez, que nous fassions trop d'entraînements physiques et pas assez d'exercices intellectuels, que nous fassions trop d'exercices intellectuels et pas assez d'entraînements physiques…

Il rit.

— Tu n'as pas changé, Walter.

Je pris une grande inspiration et essayai de contrôler l'angoisse qui étreignait ma poitrine.

— Je ne suis pas si sûr que c'est une bonne chose, Doc.

— Si. (Il but un peu de café.) Tu as lu le dossier.

— Oui.

— Et ?

Je me plongeai dans la contemplation de ma tasse et d'un passé qui rendait mon café transparent.

— Et s'il m'arrive jamais d'avoir l'impression que j'ai eu la vie dure, je penserai à Virgil White Buffalo.

Il posa sa tasse sur la table et approcha sa chaise. Il écouta l'histoire de Ho Thi Paquet et hocha la tête à intervalles réguliers sans interrompre mon récit – un rituel dont je me souvenais bien. Lorsque j'eus fini, il leva les yeux vers moi.

— Penses-tu que c'est lui, le coupable ?

Je pris une nouvelle inspiration.

— Je ne le pensais pas avant d'avoir lu ce sacré dossier.

Nous savourâmes le silence paisible que nous cultivions depuis tant d'années, avant qu'il ne reprenne la parole.

— Je viens juste d'y retourner.

— Où ?

— Au Vietnam.

— Pourquoi ?

Il rit.

— On dirait que tu n'as pas encore trouvé la paix.

— Non, pas vraiment. J'en suis loin, à des kilomètres.

Je lui versai encore du café tandis qu'il continuait à rire.

— J'ai emmené Tamblyn et nous y sommes retournés l'an dernier, nous avons séjourné au Morin Hotel à Hue. Et voilà qu'on est assis là, à prendre notre petit déjeuner et à boire du café *Buon me Thuot*, en train de regarder les noix tomber des arbres et qui me rappelaient…

Il but une gorgée.

Je hochai la tête.

— Et c'était comment, à part pour les noix ?

Il sourit.

— Tout le monde essaie de te vendre des choses. (Il leva à nouveau les yeux vers moi.) Nous avons pris la Route 1 par Da Nang jusqu'à ce vieux village de pêcheurs, Hoi An – des scooters partout et pas un seul buffle d'eau. Des magasins partout, avec des tableaux, des bijoux et des T-shirts. Les night-clubs à Hue ont des noms comme Apocalypse New et M16. J'ai montré à Tamblyn Red Beach 1 et Red Beach 2, où on avait lâché les premières troupes terrestres américaines.

Il y eut une longue pause et c'est là seulement que je compris qu'il se parlait à lui-même.

— Pour tout dire... c'était assez étrange.

Je sirotai mon café et laissai mon regard s'égarer sur les quelques plaques de neige qui couronnaient encore les montagnes.

— Peut-être qu'on a gagné, après tout.

Tan Son Nhut, Vietnam : 1968

Le commandant de l'Air Force que j'avais vu précédemment était de garde, et DeDe Lind, la playmate de *Playboy*, était toujours sur la paroi de la hutte Quonset, à tenter de nous convaincre que nous étions en août.

— Je trouve étrange que vous ayez été envoyé ici par le prévôt pour enquêter sur l'overdose d'un soldat et que vous vous soyez retrouvé dans un hélicoptère qui explose à Khe Sanh.

— Oui, monsieur.

Il baissa les yeux sur le dossier posé sur son bureau, qui contenait les papiers de décharge de l'hôpital. Cela faisait presque une semaine, et ils avaient essayé de me renvoyer à Chu Lai, au quartier général, mais je leur avais dit que je voulais retourner à Tan Son Nhut.

— Il est dit ici que les nuques de cuir vous destinent une Navy Cross et une Silver Star.

— Oui, monsieur.

— Qu'est-ce que vous avez fait, là-bas, à Khe Sanh ? Coulé un sous-marin ?

— Oui, monsieur.

Il regarda à travers ses culs de bouteille.

— Pardon ?

— Non, monsieur.

Il m'observa pendant un long moment de ses yeux morts.

craig johnson

— Votre enquête officielle était censée durer quatre semaines, mais je vais faire en sorte que cette durée se réduise à trois et que vous partiez d'ici rapidement.

— Monsieur, c'est le quartier général qui me donne mes ordres…

— Vous voulez parler de ces ordres concernant une enquête que vous avez ignorée parce que vous étiez parti vous amuser à Khe Sanh?

Je ne dis rien. Il se leva et fit le tour de son bureau. Il regarda mon bras, toujours en écharpe, et la plaie suturée sur mon arcade sourcilière laissée par ma collision avec Henry.

— Alors, comment elle avance, cette enquête, lieutenant?

Je m'apprêtai à parler, mais il m'interrompit.

— Le boulot qu'on vous a envoyé faire ici? Comment ça avance?

Ma tête me faisait mal, et l'informer que les drogues étaient endémiques dans le pays tout entier et que j'avais fait l'objet d'intimidations de la part de ses subordonnés n'allait pas arranger mes affaires.

— Pas très bien, monsieur.

Il croisa les bras et s'assit sur le bord de son bureau.

— Dans le temps restant où nous bénéficierons de la faveur suprême de votre présence, vous vous consacrerez exclusivement à cette enquête et évoluerez exclusivement sur cette base. (Il secoua la tête devant mon incompétence.) Vous me recevez?

Je pensai à ces manuels en bandes dessinées pour les M16.

— Oui, monsieur.

— Rompez.

On était en fin d'après-midi, le moment du jour asiatique où le soleil semblait ne pas vouloir disparaître. Je descendis jusqu'à la Porte 055 et allai jusqu'au Boy-Howdy Beau-Coups Good Times Lounge avec l'idée très claire de me payer une cuite épique. Il n'y avait pas trop de monde, je récupérai donc quatre bières au bar et battis en retraite jusqu'à mon arme de choix. J'ôtai mon écharpe et la jetai sur le piano, bricolai

180

un peu en clé de *fa*, puis tentai ensuite d'attaquer un morceau de Fats Waller.

Mai Kim vint me rejoindre et approcha un tabouret pour s'installer et me regarder jouer. Le *Stars and Stripes* était plié sous son bras, mais elle ne me demanda pas de lui donner une leçon. J'imagine que mon humeur transparaissait. Elle resta là, pourtant, à m'observer.

— Salut, Mai Kim.

Elle sourit et croisa les jambes.

— Hé, toi revenu?

— Pour un petit moment.

Elle parut inquiète.

— Toi retourner en Amérique?

Je bus la première de ma seconde paire de bières.

— Je finirai par rentrer, mais pour l'instant, il ne s'agit que du quartier général à Chu Lai.

Elle se pencha en avant pour regarder mon visage et le bandage sur mon avant-bras.

— Toi blessé?

Je levai les yeux et fus frappé par la symétrie de son visage de poupée chinoise, encadré par les soyeux cheveux noirs.

— Pas gravement.

— Toi triste?

— Un peu. (Je ne la quittai pas des yeux; il me sembla qu'elle était un peu abattue, elle aussi.) Et toi?

Une vague esquisse de sourire passa et s'effaça avant d'avoir pu finir de se former.

— Mon petit ami de Tennessee, il pas écrit.

— Il est rentré à la maison?

— Oui. (Elle hocha la tête.) À quoi penses toi?

— À une fille.

Je pensai à la blonde là-bas, à Durant, et me demandai si elle y était toujours.

Elle parut encore plus triste.

— Une fille américaine?

— Ouaip.

Je continuai à remanier le fameux boogie-woogie *A Good Man Is Hard to Find*, ma main gauche alternant entre des notes uniques sur la partie basse du clavier et des accords autour du *do* central.

Elle fit une tentative pour avoir l'air joyeux, le sourire déformant un peu les coins de sa bouche.

— C'est ma chanson préférée, tu joues.

Je gardai le titre pour moi, même si je me disais qu'elle le connaissait et continuai à jouer.

— Tu me parles de l'Amérique ?

— Vaste sujet…

Elle tendit le bras et caressa le côté de mon front, prenant garde d'éviter les points de suture.

— Parle-moi de endroit préféré, encore.

— Chez moi ?

Ses doigts effleurèrent mes cheveux puis se posèrent sur mon épaule.

— Oui.

Les mots se déversèrent comme le torrent auquel je pensais, et je lui rendis son sourire.

— Il y a un endroit dans la partie sud de mon comté dans le Wyoming, à côté du Hole in the Wall, pas loin d'une petite ville appelée Powder Junction.

— Hole in the Wall ?

— Ouaip, je t'en ai parlé, tu te souviens ? C'est un endroit célèbre où les hors-la-loi se cachaient.

— Hors-la-loi ?

— Butch Cassidy et le Sundance Kid.

Elle hocha la tête en reconnaissant les noms. Je pensai au fait qu'après avoir purgé les trois quarts de sa condamnation, George LeRoy Parker avait été présenté au gouverneur William H. Richards et avait déclaré qu'il ne commettrait plus jamais de hold-up dans une banque au Wyoming. Il avait été libéré et, fidèle à sa parole, il n'avait plus jamais braqué de banque au Wyoming – mais on n'avait pas parlé du Colorado.

— Ils se sont cachés près du lieu où Buffalo Creek débouche du canyon à l'endroit précis où on arrive devant ces immenses parois rouges qui font soixante-quinze kilomètres de long.

Je pensais aux grosses truites alanguies qui se prélassaient dans les eaux froides étincelantes sous le soleil, à l'abri des roseaux aux feuilles effilées.

— Il y a une vieille ville fantôme qui s'appelle Bailey, et à côté, c'est le meilleur coin de pêche de toutes les Bighorn Mountains.

— Bailey. Bighorn Mountains.

— Ouaip.

— Mai Kim !

La voix de Le Khang retentit à l'autre extrémité de la pièce. Elle se retourna et les regarda, lui et le soldat de l'armée de l'air et sa moustache. Il se tenait debout, impatient, à côté du comptoir.

Elle me regarda, sourit et descendit de son tabouret.

— Tu retournes là-bas ?

Je posai ma bouteille sur le piano et contemplai les touches.

— Je ne sais pas…

Elle fit descendre sa main de son épaule jusqu'à mon bras blessé et, doucement, caressa la gaze et les bandages qui se trouvaient là.

— Cette fille, est là-bas ?

Je laissai échapper un petit rire.

— Ouaip.

Elle me donna une petite tape sur l'épaule avant de s'éloigner.

— Toi vas partir.

Je continuai à boire sans faiblir tout l'après-midi, et le poids de mon bras tirait mon épaule de plus en plus bas, jusqu'à ce que je ne puisse plus jouer que d'une main.

J'avais probablement vidé une caisse entière de bières lorsque je remarquai que la nuit était tombée et que la foule se pressait contre moi. J'avais aussi remarqué que Le Khang n'avait pas apporté de bière depuis un bon moment, ce qui signifiait sans nul doute que j'étais désormais indésirable.

Un bras bleu clair qui m'était familier vint à ma rescousse. Il se tendit et posa une nouvelle bière à côté des bouteilles vides sur le bord du couvercle ouvert du piano en bois veiné, presque hachuré.

— Comment ça va, Hollywood?

Il sourit et s'assit sur le bord du banc, et je remarquai le peu de place qu'il prenait en comparaison de Henry Standing Bear. Hoang avait été libéré deux jours seulement après l'incident de Khe Sanh, il avait déjà réintégré le vol actif et avait accompli trois missions depuis le début de la semaine.

— Je t'offre une bière.

— Merci.

Il continua à me sourire.

— Toi ivre.

— Rond. (Il eut l'air stupéfait.) Rond comme une barrique.

Son visage s'éclaira, il était toujours partant pour apprendre une nouvelle expression d'argot américain.

— Rond comme une barrique?

— Rond. Comme. Une. Barrique.

Il cogna sa bière contre la mienne tout en se répétant l'expression. Je saisis la bouteille embuée et la cognai à mon tour. La leçon d'anglais m'avait fait penser à Mai Kim, et les images d'elle étaient inexorablement attaquées par les vagues d'alcool qui ne cessaient de s'écraser sur les plages de mon esprit.

— Où est Mai Kim?

Il me regarda, le regard vide.

— Elle pas ici.

— Où est-elle?

— Elle partie.

Je bus ma bière.

— Oh.

Je me grattai la tête et regardai mon chapeau glisser et tomber sur les pédales du piano. Hoang se baissa et le ramassa, avant de le reposer sur ma tête, à l'envers.

— Toi rond comme une barrique.

Je me redressai et me levai, pas franchement stable, et j'attendis que le monde cesse de bouger. Il se faisait tard et je décidai d'entamer la longue marche jusqu'à l'autre côté de la base, à l'endroit où ils me logeaient dans les baraquements réservés aux visiteurs. Hoang était à côté de moi; il posa sa main sur mon bras pour m'aider à compenser mon inclinaison persistante.

— Toi rentres?

— Ouaip. (Je tendis une main pour m'agripper au piano, qui me fournit un peu plus de stabilité que le petit pilote.) Si j'y arrive.

— Je t'aide.

Je trébuchai et faillis tomber sur le tabouret du piano avant de voir tout le monde s'écarter. J'eus un bref haut-le-cœur et je laissai échapper un rot, ce qui me soulagea.

— Ça va.

Tandis que je me tournais et que j'avançais d'un pas traînant vers la porte ouverte, Hoang me souleva un bras. Il se glissa en dessous pour m'aider à me frayer un chemin à travers ce qui semblait être le pont agité par la houle du Boy-Howdy Beau-Coups Good Times Lounge. Je m'écartai et dégringolai les deux marches en bois devant le seuil du bar.

Je roulai sur le côté et plongeai mon regard dans la nuit du ciel brumeux et piqueté d'étoiles.

— Aïe.

Le visage d'Hoang apparut au-dessus de moi.

— Toi tombé.

— Je crois que j'aurais besoin d'un peu d'aide.

Le pilote vietnamien m'attrapa par le bras et m'aida à me remettre sur mes pieds. Il était étonnamment fort et il me tirait et me soutenait tandis que j'avançais en titubant sur le chemin de terre rouge désert. Il hocha la tête.

— Toi as sauvé ma vie.

Je regardai la silhouette ridicule de cet homme minuscule dans sa combinaison bleu clair et son écharpe en soie blanche.

— Quand?

— Toi drôle de bonhomme.

Je m'arrêtai et saluai les deux agents qui étaient stationnés devant la Porte 055. Ils demandèrent à Hoang si j'allais y arriver ou s'ils devaient appeler une patrouille avec une jeep, ou peut-être un chariot élévateur. Hoang secoua la tête et expliqua que nous allions marcher jusqu'à la prochaine porte pour me donner une chance de dessaouler. Il expliqua aussi comment je lui avais sauvé la vie.

Ils répondirent que c'était génial.

Ensuite, il expliqua comment j'avais sauvé la vie à d'autres gens aussi.

Ils dirent que c'était génial, ça aussi.

Je vomis.

Je ne crois pas qu'ils ont trouvé ça tellement génial.

Hoang me soutint tandis que nous continuions à marcher le long de l'enceinte et que nous contemplions, sous le clair de lune, les hauts murs badigeonnés à la chaux du vieux fort français, Hotel California, comme l'appelaient les locaux. Il n'avait pas l'air réel, ou il paraissait trop réel, et j'avais l'impression d'être dans un décor de cinéma où nous pouvions nous promener derrière la structure et voir les poutres sur lesquelles s'appuyaient les murs blancs.

La nausée remonta dans ma gorge et je m'arrêtai, pour m'adosser et m'asseoir sur une surface dure.

— Hé, Hollywood, est-ce que tu as vu *Beau Geste*?

— Non, mais il faut que je te parle.

— Un film avec Ronald Colman?

Il avait l'air un peu inquiet.

— Non…

— Avec Gary Cooper?

— Non.

Je regardai Hoang, qui était flou et tremblotant dans l'étrange promiscuité de la nuit vietnamienne.

— Et *Gunga Din*? Tu l'as vu, ça?

— Lieutenant… il faut que je te dire quelque chose.

— Quoi?

Il regarda autour de lui.

— Il faut que je te dire quelque chose.

Je l'ignorai et me mis à réciter du Kipling.

Tu peux parler de gin et de bière
Lorsque tu es bien à l'abri ici,

Et qu'on t'envoie à des combats pour t'entraîner comme
à Aldershot,
Mais quand il s'agit de massacres
Tu reprendras ton travail de porteur d'eau
Et tu lécheras les bottes brillantes de celui qui en a.
Il s'écarta un peu.
— Lieutenant…
Je secouai la tête et le regrettai immédiatement.
— Pas grave.
Je baissai les yeux et vis que ma main était posée sur une
pierre tombale. Je relevai la tête et j'en vis plein d'autres autour
de moi ; elles étaient posées là, des milliers, dans la brume
nocturne, et elles étincelaient comme des dents dans le clair
de lune. Un chien aboya au loin, le son approcha par saccades
comme les bords coupants de sifflants reproches chuchotés.
Lorsque je levai les yeux à nouveau, Hoang avait disparu.

Quincy était reparti travailler et j'avais traversé le terrain
de rassemblement sans ôter mes bottes.

Le fort avait reçu son nom de Ranald Slidell Mackenzie,
et c'était à sa résidence que Doc avait envoyé Cady. Je pensai
à lui, à l'histoire de l'endroit en traversant le hall d'entrée,
et je montai les marches jusqu'à la salle de bal à l'étage.
Mackenzie était sorti de West Point en 1862, premier d'une
promotion de vingt-huit. Il avait combattu pendant la guerre
de Sécession, et avant la fin de la guerre, il avait été blessé
quatre fois, avait reçu sept citations et était devenu général
et responsable de toute une division.

Dans notre partie du pays, cependant, sa réputation était
liée à la défaite de Dull Knife, le chef cheyenne, et de son
village. Un jour froid de novembre 1876, à l'endroit appelé
Red Forks, sur la Powder River, juste un peu plus haut que
l'endroit où je me trouvais la veille, Mackenzie et quatre

cents hommes du 4ᵉ de cavalerie, ainsi que quatre cents éclaireurs indiens, avaient pris le chef et ses cent quatre-vingt-trois familles par surprise. Ils avaient détruit le village, leurs provisions, et avaient efficacement mis fin au mode de vie nomade de la nation cheyenne du nord.

Henry Standing Bear aimait rappeler à qui voulait bien l'entendre que Mackenzie était mort dans la maison de sa sœur à Staten Island, dans l'État de New York, en 1882, victime d'une syphilis au dernier stade et, comme dirait Lucian, fou comme un lapin avec la chtouille. Henry notait également que sa mort n'avait pas manqué de désagréments.

Cady se tenait debout devant une grande baie vitrée et elle regardait les dernières neiges qui restaient incrustées dans les crevasses ombrées des cimes rocheuses. Elle était toujours pieds nus. Elle se tourna et la jupe turquoise tournoya avec elle tandis que les lattes du plancher de chêne craquaient et résonnaient sous mes pas.

Elle leva les bras.

— Tu danses avec moi?

Je souris et la pris par la main.

— Il n'y a pas de musique.

— Mais si, il y en a.

Elle cala mon autre bras dans son dos et m'emporta dans une valse fantaisiste, son visage calé contre mon épaule. Nous tournions dans la salle de bal vide et silencieuse, et je pensais à Virgil White Buffalo et je regardais ma fille, qui levait la tête et souriait. Une fois que nous eûmes parcouru tout le salon, je me penchai pour déposer un baiser sur la cicatrice en U à la racine de ses cheveux et m'efforçai de me concentrer sur tous les bonheurs de ma vie.

9

— Quarante-deux accusations de meurtre ?

— Au moins.

J'imaginais le visage du Californien, le Californien né dans le vaste désert à côté de la base de l'Air Force Edwards, aujourd'hui shérif d'un comté dont la population était dix-huit fois plus importante que celle de mon État tout entier.

— Ils les ont fait rentrer par Long Beach et nous avons eu l'info par un coup de fil anonyme passé de l'embarcadère de la ville ; c'était un container en provenance de Belgrade, en Yougoslavie.

— Pourquoi la Yougoslavie ?

— Les Vietnamiens n'ont pas besoin de visa pour y entrer. Environ quarante mille Chinois passent par là tous les ans, et les Vietnamiens se glissent dans le flot. Tout le monde n'est pas – comme toi – capable de les distinguer.

Je pris une grande inspiration et m'amusai à tirer l'oreille du chien, qui avait la tête posée sur mon genou.

— Qu'est-ce qui s'est passé ?

— Les trafiquants avaient dit aux clandestins à bord du cargo de ne pas faire de bruit, et ils avaient empilé des cagettes de fruits contre les parois pour une meilleure isolation. Les salopards ont fermé les aérations, leur ont donné quatre seaux de vingt litres d'eau et leur ont dit que le transfert était une affaire de quelques heures.

J'avais rencontré Ned à la réunion de l'Association nationale des shérifs à Phoenix – nous avions tous deux évité
la soirée officielle en nous cachant dans le bar de l'hôtel
pour nous lamenter sur notre sort de pères de filles adultes.
Il aimait la pêche à la mouche et il avait fait deux fois
l'expédition jusqu'aux Bighorns au cours des huit dernières
années. C'était un homme bon et je percevais la souffrance
que lui causait ce récit, mais j'avais besoin de tout savoir.

— Et ce n'est pas ce qui est arrivé ?

— Non. Ils ont chargé le container sur un semi-remorque
et sont partis vers Compton. (J'attendis.) Cette enflure de
Paquet gare le camion sur un parking derrière son appartement et monte déjeuner chez lui. Il regarde un film et, tant
qu'il y est, il s'offre une petite partie de jambes en l'air. Il
évalue mal son temps, s'attarde trop et laisse quarante-deux
personnes dans un container hermétiquement fermé garé sur
un parking asphalté de Californie du Sud, en plein mois de
juillet, par 40 °C.

J'expirai lentement et le chien leva la tête vers moi.

— Ils se sont mis en sous-vêtements, ils ont essayé de
boire le jus des tomates et ont tenté d'ouvrir les aérateurs. (Il
lui fallut un moment pour reprendre son récit.) Nous pen-
sons qu'ils ont commencé à s'affoler au bout de six heures ;
ils se sont mis à détruire les piles de cagettes et à taper sur les
portes. J'imagine qu'il y a eu beaucoup de cris, mais personne
n'est venu… (Il marqua un silence.) Walt, je n'ai jamais rien
vu de pareil de toute ma vie.

— Tous… ?

— Sauf une. Ce soir-là, j'étais accompagné d'un
contrôleur du ministère des Transports, Danny Padilla. On
a été les premiers à monter une fois que les portes ont été
ouvertes. Il a dit que c'était bizarre, un camion de produits

alimentaires qui ne soit pas réfrigéré. Ensuite, on a senti l'odeur. J'ai allumé ma lampe torche, le sol était couvert de corps, aucun ne bougeait – on se serait cru dans *La Nuit des morts vivants*. Et là, j'ai vu cette jeune fille au fond. Elle tapait sur la paroi du container pour attirer notre attention. Elle a dû ramper sur les corps des autres pour nous rejoindre.

— Que lui est-il arrivé ?

— On l'a emmenée à l'hôpital du comté, puis on a transmis son dossier aux services de l'immigration. Ensuite elle a été aidée par une de ces associations qui s'occupent de ce genre de cas.

— Comment s'appelait-elle ?

— Pas Paquet. (J'entendis bruisser des feuilles de papier.) Ngo Loi Kim. Pauvre petite… Pour te dire, j'ai même pensé l'adopter moi-même.

— Tu as bien dit que son nom de famille était Kim ?

— Ouais. Ça te dit quelque chose ?

Je fixai des yeux le sous-main posé sur mon bureau et regardai mon stylo écrire le nom.

— Ça remonte à un moment. Au Vietnam, il y avait une fille qui portait ce nom-là.

Pendant quelques minutes, je n'entendis plus rien.

— Walt, tu connais l'équivalent de Kim en anglais, non ?

— Smith ?

Il rit.

— Ou Jones, comme tu veux.

Ruby apparut sur le seuil de mon bureau, mais je levai une main et elle tourna les talons, le chien la rejoignant au petit trot.

— Qu'est-ce que tu as pu trouver d'autre sur ce Paquet ?

— Pas mal de choses, en fait. Nous avons obtenu ses relevés téléphoniques, son ordinateur et d'autres choses encore. Dans le comté de L.A., il y avait quelqu'un qui déplaçait beaucoup de clandestins vietnamiens – à cause de la pornographie enfantine et des bordels en activité, dans ce coin-là –, et il est apparu qu'il était le grand manitou de tout ça. C'est du moins ce que me dit le bureau du procureur de l'État.

— Grosse enquête ?

— Du lourd. Ils aimeraient bien savoir comment tu t'es retrouvé embarqué là-dedans.

— Et t'as jamais entendu parler de ce type, Tran Van Tuyen ?

— Je ne crois pas, mais je peux passer quelques coups de fil de mon côté.

— Ce serait génial si tu pouvais, Ned. Merci.

J'entendis quelqu'un lui parler en bruit de fond et j'attendis. Je jetai un coup d'œil à la pendule accrochée au mur et me dis que Vic allait revenir de sa pause déjeuner d'un moment à l'autre.

— Et les accusations de prostitution contre la petite-fille ?

— Une seule, et elle a eu le malheur ou le bonheur – je suppose que ça dépend du point de vue où on se place – d'avoir pour premier client un adjoint du bureau du shérif du comté d'Orange, en civil. (Il y eut un silence.) C'est dur pour certains d'entre eux de s'intégrer dans une nouvelle culture, et si elle sortait d'un milieu défavorisé…

Je regardai fixement le nom que je venais d'écrire sur mon sous-main.

— Hé, Ned ?

— Ouaip.

— Est-ce que tu peux essayer de savoir ce qu'est devenue cette Ngo Loi Kim ?

— Oui, je peux.

Un long silence s'installa à nouveau, comme souvent lorsque deux hommes se retrouvent à parler d'un sujet qu'ils auraient préféré éviter.

— Qu'est-ce qui te fait penser que ce grand Indien n'est pas le coupable?

— Juste un pressentiment.

Je l'entendis étouffer un rire à l'autre bout.

— On m'a dit qu'il t'avait bien amoché. (Je ne réagis pas.) Tu veux que je te faxe les infos ou est-ce que vous avez un e-mail, là-bas?

— Je te parle en ce moment même d'un vieux téléphone à touches, j'espère que tu es impressionné.

Je le transférai à Ruby et il me balança une dernière gentillesse juste avant que j'appuie sur le bouton, puis la liaison avec la côte s'interrompit.

Je restai immobile et regardai les feuilles des trembles frémir dans la douce brise qui soufflait sur la berge de Clear Creek – le ciel était toujours sans nuages et nous avions toujours autant besoin de pluie. Je commençai à avoir cette impression familière, cette sensation préoccupante, comme une démangeaison que je ne pouvais pas vraiment définir. Il y avait quelque chose, planqué sous la surface, et si je parvenais à le débusquer, tout deviendrait tout à coup très simple, je le sentais.

Je me levai et longeai le couloir jusqu'aux cellules où le géant était allongé, le bras replié sur les yeux, et où Frymire ronflait, assis sur sa chaise. Ma standardiste/réceptionniste apparut quelques instants plus tard avec le chien, et un bloc-notes. Le chien s'appuya contre ma jambe avec la gracieuse légèreté d'un grizzly apprivoisé et Ruby baissa la voix dès qu'elle vit que toutes les autres personnes présentes étaient endormies.

— Henry dit que Brandon revient de Rapid City demain, et Lucian a appelé. (Je lui opposai un regard vide.) On est mardi.

Je la regardai encore un moment, puis je hochai la tête et désignai la cellule d'un geste avant de chuchoter à mon tour :

— Vic et Cady vont à Sheridan chercher Michael à l'aéroport, donc, c'est ma soirée de permanence auprès de Virgil.

— Il a dit qu'il apporterait l'échiquier.

Elle biffa quelque chose sur sa liste, puis soupira et regarda sa page en faisant la grimace.

— Quoi ?

— J'ai encore eu des e-mails incompréhensibles transmis par le wifi de l'école, marqués BPS.

Je fis semblant d'en comprendre la signification.

— Appelle l'administration de l'école.

— C'est ce que j'ai fait.

— Des nouvelles de Saizarbitoria ?

— Non.

— De Vic ?

— Elle est au tribunal, et c'est la seconde fois que tu poses la question.

— La DEC ?

— Non.

— Tu veux bien me rendre service ? (Elle leva les yeux, et son visage était l'illustration parfaite du mot "colère" dans le Webster édition junior.) Je n'ai pas d'ordinateur, sinon, je le ferais moi-même.

— Quoi ?

— Faire des recherches sur cette organisation, Enfants de poussière, pour voir quel est le lien avec Tuyen. (Je restais à contempler la cellule, incapable de dire si le grand type était vraiment endormi.) Et fais-moi savoir quand arrive le rapport du bureau du shérif de L.A.

— Il a appelé.

— Qui, Tuyen ?

Elle hocha la tête.

— C'était le point suivant sur ma liste. Il s'est renseigné sur le corps de sa petite-fille et ses effets personnels.

— Est-ce que tu lui as dit que c'était la DEC qui décidait ?

— Oui.

— Comment a-t-il réagi ?

Elle leva les yeux.

— Pas bien, mais dans ce contexte…

— Est-ce qu'il a mentionné le moindre papier officiel établissant son lien de parenté avec Ho Thi Paquet ?

Je sentais les grands yeux bleus posés sur moi.

— Non, mais il a dit qu'il serait au Hole in the Wall Motel, chambre n° 5.

Je soutins son regard.

— Il a changé de chambre ?

— Il a dit que la télévision ne fonctionnait pas dans l'autre.

Elle ne me quittait pas des yeux.

— Walter, cet homme vient de perdre sa petite-fille et il est tout seul, dans une chambre de motel, à Powder Junction.

À l'exception du faible bourdonnement du miniréfrigérateur et du ronflement de Frymire, le silence régnait dans le coin des cellules – et ses paroles portèrent d'autant plus que sa voix n'était qu'un chuchotement :

— Tu ne crois pas que Saizarbitoria devrait y aller pour savoir comment il va ?

— J'irai demain matin ; Cady voudra passer du temps avec Michael.

Ma voix parut un peu dure, comme toujours lorsque j'étais gêné. Je gardai le silence encore quelques instants, songeant qu'il était probablement temps que je me soumette à la sagacité morale de Ruby.

— Est-ce que je peux te poser une question ?

Elle croisa les bras.

— Bien sûr.

— Est-ce que tu crois que je suis raciste ?

Elle sourit et s'empressa de cacher sa bouche derrière sa main.

— Toi ?

— Oui, moi.

Je fourrai mes mains dans mes poches.

Elle leva le menton et m'examina, et j'avais l'impression que j'aurais dû porter une veste plombée anti-rayons X.

— Tu veux dire, à cause de tes expériences pendant la guerre ?

— Ouaip.

— Non.

C'était une réponse franche, qui ne laissait pas beaucoup de place à une poursuite de la discussion. Je jetai un coup d'œil à son regard inflexible et haussai les épaules, puis je me tournai en apercevant Virgil qui bougea son bras et nous regarda tous les deux.

— Je me demandais, juste.

— Tu as un préjugé, quand même. (Le chapeau rabattu sur les yeux, je lui lançai un regard par en dessous.) Tu te préoccupes moins des vivants que des morts.

Tan Son Nhut, Vietnam : 1968

Je m'appuyai sur la pierre tombale, mais il ne fallut pas beaucoup de temps pour que la gravité et l'alcool me fassent glisser, et ma tête ressentit la désagréable onde de choc provoquée par mon cul entrant en contact avec le sol. Je restai assis là, à regarder mes jambes pendant un temps qui me parut très long jusqu'au moment où un éclair de lumière rouge balaya les milliers de pierres blanches qui m'entouraient.

Il y eut du mouvement sur ma droite. Je tournai la tête dans cette direction et l'appuyai contre la surface fraîche de la pierre. Une personne était là. Elle regardait au loin, debout dans le cimetière. Il me fallut un moment pour retrouver ma voix.

— Hé…

La jeune femme se retourna. Elle était vietnamienne et son visage m'était familier. Elle leva la main et la tendit vers moi, les doigts déliés mais implorants.

Je me mis à bouger, mais tout ce que je parvins à faire fut de balayer l'air de mon bras dans sa direction.

— Je ne peux pas… Désolé…

Quelques inspirations furent nécessaires pour rétablir l'équilibre dans mon estomac. Je me souvenais d'elle, mais je ne parvenais pas à voir l'endroit où je l'avais aperçue au milieu de toutes ces étoiles filantes rouges.

Ses doigts étaient toujours tendus. Ils avaient l'air froids, mais ils étaient juste au-delà de ma portée. Je m'appuyai de tout mon poids sur la pierre et me hissai à l'aide d'un bras, attrapant le bord de la pierre suivante du bout des doigts, et je me levai. J'avais l'impression d'être un Lazare éméché et je n'étais pas certain d'y arriver.

Je regardai autour de moi, mais elle n'était pas là. Lorsque je la revis, elle se déplaçait avec agilité entre les stèles, promenant ses doigts sur la surface des pierres, et je suis certain que cela venait de mon ivresse, mais chaque fois qu'elle en effleurait une, j'entendais de la musique.

J'avançai dans son sillage. Elle s'arrêta et regarda par-dessus son épaule. Les lumières rouges clignotèrent à nouveau et un léger mouvement se dessina aux coins de sa bouche, comme un sourire.

— Attendez, Miss, s'il vous plaît…

Elle tournait lentement, comme si elle dansait, avec deux doigts qui murmuraient quelque chose à mon intention tandis que j'avançai à pas lourd, comme un somnambule, avec l'impression que ma tête flottait entre mes épaules.

— Ma…

Ses doigts se promenaient sur le sommet des stèles et elle en jouait comme sur les touches d'un piano. Elle jouait comme moi, faisait les mêmes erreurs, utilisait les mêmes accords dissonants.

Je voyais les vagues de son s'éloigner des pierres comme les rides que feraient des galets lancés dans une eau lisse. Le morceau était mélancolique et triste, et je le reconnus ; je me mis à chanter – "A good man is hard to find / You always get the other kind" – et je me jetai vers l'avant, mais chaque fois que je touchai une pierre, la note qu'elle exprimait se taisait, jusqu'à ce qu'il n'y ait plus de mélodie.

La brume nocturne qui montait des fossés d'irrigation et s'enroulait autour des tiges des bambous l'engloutit, la lumière rouge intermittente avait disparu et il faisait noir. Je percutai une rangée de stèles et tombai, demeurai là un moment, à respirer fort, puis je finis par rouler sur le côté pour me hisser en position debout. Je la cherchai du regard, un peu instable sur mes jambes, mais il n'y avait personne. Je clignai des yeux. Rien. Puis je tombai lentement vers l'avant, me servant des pierres désormais muettes comme de béquilles.

Lorsque je parvins à la fin de ma rêverie, le soleil tapait furieusement sur les vitres, et même avec la climatisation, il faisait chaud. Frymire était toujours endormi sur sa chaise, son bras plâtré en écharpe. Son visage était blême depuis le front jusqu'en dessous de la mâchoire.

Si Virgil White Buffalo l'avait frappé un peu plus fort, cela l'aurait tué.

Le géant était maintenant debout à côté des barreaux. Il était si grand qu'il pouvait voir, à travers la fenêtre du hall, l'école primaire située de l'autre côté de la rue. L'été, il n'y avait pas d'école à proprement parler, mais le comté y proposait un centre de loisirs, et les petits citoyens s'agitaient bruyamment dans la cour comme une volée d'hirondelles. J'avais été un peu inquiet lorsqu'il avait commencé à les observer ainsi, mais depuis que j'avais lu son dossier, je comprenais. Chaque fois que les enfants sortaient pour la récréation, il restait là, à serrer les barreaux entre ses mains, et il les regardait. Quand la cloche sonnait et que les petits rentraient, il retournait s'asseoir et ses longs cheveux noirs tombaient à nouveau sur son visage.

Je pensai au fait que les prisonniers d'Alcatraz pouvaient entendre les sons des fêtes du Nouvel An leur parvenir depuis l'autre côté de la baie de San Francisco, que ceux de Folsom pouvaient écouter passer les trains, et je me demandai ce qu'ils entendaient, à Leavenworth.

Je lui avais parlé, comme tout le monde, mais il n'avait pas établi la communication. Il était prévu qu'il soit examiné par les médecins de garde plus tard dans la semaine, et j'essayais encore de mettre au point la stratégie qui nous permettrait de gérer cet épisode sans que nous y perdions une vie, un bras, une jambe, ou un adjoint tout entier.

— Il a bien déjeuné.

Je me tournai vers Chuck, qui était réveillé. Il parlait encore un peu bizarrement.

— On a partagé une grande boîte de poulet maison du Busy Bee. Enfin, j'en ai mangé trois morceaux, lui, treize, plus tout le coleslaw, les haricots blancs à la sauce tomate, six biscuits et quatre canettes de thé glacé.

Nous contemplâmes le géant qui ne quittait pas les enfants des yeux.

— Peut-être que c'est ça son plan : négocier sa sortie en épuisant nos réserves de nourriture.

Frymire se leva et s'étira, grimaçant un peu lorsque son bras droit glissa.

— Je vais filer aux toilettes, si je peux ?

Je levai un pouce, lui donnant mon feu vert, puis j'allai jusqu'à la fenêtre pour jeter un œil au monde de Virgil. À ses côtés, je regardai les enfants et pensai au garçon et à la fille dont la photo se trouvait dans le porte-carte en plastique, à la belle femme qui les chatouillait à l'arrêt de bus, et aux mots détestables qui étaient écrits sur l'ardoise.

Je pensai au dossier.

Mon Dieu.

La cloche sonna, et nous regardâmes les enfants accourir jusqu'aux portes ouvertes de l'école primaire, comme si quelqu'un avait retiré une bonde et qu'ils étaient emportés par le flot. Une fois que les portes furent refermées, je me tournai et levai les yeux vers Virgil.

— Ne t'inquiète pas, ils vont revenir.

Il ne répondit pas. Il s'allongea et cacha ses yeux sous son bras.

Je le contemplai un moment, jusqu'à ce que le téléphone se mette à grésiller. Je décrochai.

— La DEC sur la une.

J'appuyai sur le bouton.

— Longmire.

— Absence de drogues.

Je hochai la tête et m'appuyai contre le mur, avant de repousser mon chapeau sur ma nuque.

— Salut, T.J.

— Walt, cette jeune femme est très probablement une prostituée.

— Le shérif du comté de L.A. m'a sorti son dossier. Il a dit que c'était sa première interpellation.

— Oui, enfin, il se peut qu'elle n'ait été arrêtée qu'une fois, mais l'examen indique sans doute possible un certain nombre de particularités professionnelles.

Je sentis la familière impression glacée sur mon visage et la paralysie me gagner les doigts.

— C'est-à-dire ?

— Elle a été exploitée à l'excès ; abcès internes, ulcérations, et un épaississement de la paroi vaginale peu courant chez une femme aussi jeune. (Le silence s'installa entre nous.) Et elle a été modifiée.

— Quoi ?

— Je ne sais pas bien quand, mais elle a été recousue pour passer pour vierge et ses seins sont des implants. Un boulot médiocre.

Je pris une profonde inspiration et laissai s'échapper dans un souffle les volutes d'émotion ainsi que l'image obsédante de la Vietnamienne allongée au bord de l'autoroute.

Tan Son Nhut, Vietnam : 1968

Je regardai son corps avant que l'agent n'entre dans mon champ de vision. Elle aurait pu être endormie, il était difficile de savoir ce qu'il en était dans la pénombre du petit matin. Les gyrophares rouges de la jeep m'avaient sorti du cimetière. Un des agents de la patrouille de sécurité me lança :

— Hou là, grand chef. D'où vous venez, comme ça ?

Il ressemblait à un des gars de la Porte 055. Je pointai un index en direction du cimetière, regrettant instantanément

craig johnson

l'élancement qui remonta du milieu de mon dos pour aller me vriller la tête.

— De là-bas.

Il regarda par-dessus mon épaule.

— Le cimetière ?

Je fis un pas de côté et faillis tomber.

— Est-ce que c'est la jeune fille que je suivais ?

Il essaya à nouveau de me bloquer le passage, mais une voix dans son dos lui ordonna sur un ton autoritaire :

— Laisse-le passer, il est des nôtres.

J'avançai et mes yeux réussirent à distinguer Baranski qui leva la tête vers moi. Il était assis sur le pare-chocs d'une jeep et remplissait des formulaires, tandis que les lumières cramoisies balayaient nos visages toutes les deux secondes.

— Faut qu'j'te dise. C'est l'arme secrète de la première division.

J'étais planté là, titubant et essayant de comprendre un peu ce qui se passait.

— Mais qu'est-ce que vous faites dans le coin ?

Mendoza se leva et s'approcha de moi, très près, et sa voix monta – il arrivait à peu près à la hauteur du second bouton de mon uniforme.

— Pour être plus précis, qu'est-ce que tu fais là, toi ?

Je n'aimai pas le ton qu'il avait pris, alors je le poussai. Je dus mal évaluer ma force ; il tomba en arrière et rebondit sur la jeep avant de se retrouver à terre. Je sentis qu'un des gardes de sécurité m'attrapait par le bras, mais je lui flanquai un coup de coude et il battit en retraite. Un autre type m'attrapa par l'autre bras, et je lui enfonçai son casque sur la tête et le repoussai, lui aussi. Je restai là une seconde et regardai la femme allongée sur une rangée de sacs de sable dans les vestiges à moitié écroulés du vieux bunker.

Je la reconnus et tendis le bras malgré la douleur qui me broyait la tête. On aurait dit qu'elle était tombée, alors je me dis que la seule chose à faire était de l'aider à se relever.

Il y eut un énorme coup sur l'arrière de ma tête, et soudain mes yeux se brouillèrent. J'entendis des voix puissantes m'arriver

202

par vagues et le monde bascula vers la gauche. Je commençai à pencher lentement dans la même direction et j'essayai de corriger le déséquilibre en transférant mon poids de l'autre côté, et c'est alors que mes jambes cédèrent comme une chaise branlante.

J'entrai en contact avec le sol et je sentis des gens tomber sur moi. J'étais étendu là et je voyais le visage familier, l'immobilité de la main et du bras, et enfin, les yeux de Mai Kim qui ne bougeaient pas.

— C'est à toi de jouer, et c'est à toi de jouer depuis au moins trois putains de minutes.

Lucian avait décidé d'apporter l'échiquier à la prison.

Je regardai à nouveau le plateau et ne pus me rappeler la moindre tactique.

— Désolé.

Je jouais avec les noirs, et à en croire les apparences, les noirs étaient en mauvaise posture. Je tendis le bras et attrapai un cavalier pour lui prendre un de ses pions, ce qu'il contrecarra aussitôt en me piquant mon cavalier avec une tour qui rôdait, menaçante, depuis un moment.

— Zut…

Il secoua la tête, repoussa son chapeau et saisit son menton comme si c'était une balle de base-ball à laquelle il s'apprêtait à imprimer un grand mouvement arrondi.

— Putain, mais qu'est-ce que t'as aujourd'hui ? T'as des flash-back ou quoi ?

Je souris à moitié.

— Je crois que oui… du moins, je rêvasse.

— C'est à cause de cette fille viet-nam-ienne que vous avez trouvée à côté de l'autoroute ?

— Ouaip. (Je m'apprêtais à sortir ma reine quand, tout à coup, je me ravisai.) Son grand-père, le type dont je t'ai parlé…

Lucian regarda fixement la cellule où Virgil était assis, avachi sur sa couchette, le dos calé contre le mur. Son regard fixait un point dans le vide quelque part entre nous deux. Lucian fit un geste de la tête.

— Ce Van Heflin, là ?

Bon sang.

Les malaproprismes de Lucian étaient généralement réservés aux Indiens, mais voilà que les Vietnamiens lui ouvraient de toutes nouvelles perspectives.

— Tran Van Tuyen.

J'expliquai la situation et l'ambivalence de mes sentiments à l'égard de cet homme.

Lucian ne dit rien, mais il examina l'échiquier.

— Y devraient raser ce vieux bled fantôme, ou le démonter pour l'envoyer à Laramie, y coller un toboggan et un manège et faire payer l'entrée.

J'optai pour un pion, et aussitôt il me torpilla avec la même tour. Je pensai au vieux combattant, à sa participation au raid Doolittle et à son expérience au camp de prisonniers japonais.

— Ça t'arrive de penser à la guerre ?

— À la mienne ?

Je hochai la tête. Il inspira profondément et expira lentement :

— Pas autant qu'avant.

Nous fûmes un moment silencieux, assis sur les chaises pliantes et les yeux fixés sur le plateau de jeu posé en équilibre sur la corbeille à papiers entre nous. De temps en temps, une question reste coincée dans votre gorge, sur le point d'être posée à la plus mauvaise personne qui soit – je la posai malgré tout. Il rit aux éclats, luttant pour retrouver son souffle.

— Toi ?

Je hochai la tête.

Il eut un signe de dénégation.

— Tu pourrais facilement avoir un peu plus de préjugés.

Après tout, c'était la réponse que j'espérais. Je sortis ma reine.

Il regarda fixement l'échiquier tandis que je l'observais. Le sourire s'effaça lentement de son visage à mesure que ses oreilles se remplissaient du fracas des moteurs étoile Pratt & Whitney dont le grondement l'emportait à toute vitesse vers son passé. J'écoutai le tic-tac de la pendule sur le mur et attendis.

— On s'est crashés juste au large de la côte chinoise, et l'impact a catapulté mon copilote, Frank, à travers le pare-brise. On avait deux hommes si méchamment blessés qu'ils se sont noyés avant qu'on puisse atteindre la terre. Une patrouille civile nous a récupérés, Frank et moi, et ils nous ont carrément passés à tabac sur place, sur le bateau. J'imagine que ça, c'était un des épisodes effrayants ; ils étaient tellement nombreux que j'me disais qu'on n'en sortirait pas vivants. Ce que j'ai pu comprendre, dans mon état, c'est qu'un officier de la Kempeitai leur a dit de nous lâcher et que nous étions les prisonniers de Tojo. Après, ils nous ont envoyés à Shanghai, dans la Chine occupée.

— Ils en ont pris dix, c'est bien ça ?

Il serra la mâchoire, déplaça son autre fou, puis se laissa aller contre son dossier et croisa les bras. On aurait dit que les souvenirs de la guerre l'avaient ratatiné. Il avait roulé les manches de sa fine chemise sur ses bras, et je regardai sa pomme d'Adam monter au-dessus du premier bouton plusieurs fois avant qu'il ne reprenne son récit.

— Ils nous tabassaient à mort à intervalles réguliers avec leurs petites épées de kendo en bambou, les *shinai*... Ils ont fini par nous expédier à Tokyo, où ils nous ont encore passés à la question pendant quelques semaines.

Il se pencha et attrapa sa bouteille de Rainier, la tournant de manière que l'étiquette soit face à lui. Nous nous tûmes à nouveau, et je n'étais pas certain qu'il veuille poursuivre.

— On n'a pas besoin d'en parler, si tu ne veux pas.

— J'essaie de te dire quelque chose, alors, ferme-la et écoute.

Je lui souris et observai sa mâchoire qui se contractait à nouveau. Il but un peu de bière et posa la bouteille sur la prothèse de son genou.

— Ils voulaient qu'on signe des dépositions qui déclaraient qu'on avait commis des crimes contre des citoyens jap', genre bombarder des hôpitaux, mitrailler des écoliers, des horreurs comme ça. (Ses yeux couleur ébène se détachèrent de l'échiquier et se posèrent sur moi.) Et on a refusé.

Je déplaçai à nouveau ma reine.

— J'imagine qu'ils vous l'ont demandé avec toute la courtoisie requise ?

— Bien sûr, qu'est-ce que tu crois ? (Il se pencha à nouveau et examina le plateau.) Ils ont commencé plutôt doucement, tu vois, par nous empêcher de dormir pendant deux trois jours, sans manger, un tout petit peu d'eau… (Il prit une nouvelle gorgée de sa bière et s'essuya la bouche sur sa manche.) Histoire de te rendre docile, et fou, et après ils passent aux choses sérieuses.

Il prit une profonde inspiration et bloqua l'air dans ses poumons quelques instants avant de le laisser échapper avec les phrases suivantes :

— Ils faisaient ce truc, ils nous enroulaient un fil de fer autour de la tête et ils l'entortillaient avec une de leurs petites épées de kendo. Ils l'ont fait si longtemps à Frank que sa mâchoire s'est brisée.

J'observais la dureté dans les yeux du vieil homme qui réfléchissaient la lumière comme les minuscules gouttes d'une huile pressée à froid.

— T'as déjà entendu un type te dire qu'il cédera pas, quoi qu'on lui fasse subir? (Nous restâmes silencieux tous les deux jusqu'à ce que ses yeux noirs se mettent à cligner.) Ils nous ont renvoyés à Shanghai et ils ont décidé qu'ils allaient organiser un procès, pas un procès respectueux du moindre sens de la justice puisqu'ils avaient déjà décidé qu'on était coupables, mais il fallait qu'ils déterminent le genre de punition à appliquer. La mâchoire de Frank était infectée, et à ce moment-là, il était déjà très affaibli, alors ils nous avaient collés tous les deux ensemble. Nous étions dans ce cantonnement, condamnés à l'isolement, à la prison de Kiangwan, et ils venaient me chercher, et j'aidais Frank à monter les marches en béton jusqu'au petit bâtiment en bois merdique. Ils hurlaient dans tous les sens contre nous et à propos de nous pendant deux ou trois heures, et nous on comprenait pas un mot. Ensuite, ils nous ramenaient et nous jetaient dans nos cellules jusqu'au lendemain, où ils revenaient nous chercher et ils remettaient ça. (Une petite crispation apparut au coin de sa bouche.) Étant donné le handicap évident qui venait du fait que nous ne pouvions ni parler ni écrire le japonais, nous avons présenté une défense vraiment brillante, et tu sais que ces fils de putes nous ont quand même jugés coupables?

— Difficile à croire.

Il déplaça une tour, et sa main resta posée sur la petite pièce en bois.

— 15 octobre 1942. Ils nous donnent du papier et un crayon pour qu'on écrive une lettre d'adieu à notre famille, et j'ai écrit la mienne à ma mère. Je l'ai priée de demander gentiment à Franklin Delanoe Roosevelt de bombarder ces petits salopards de jaunes pour qu'ils retournent à l'âge de pierre, et en vitesse. (Il but un peu de bière.) Elle ne l'a jamais reçue, alors j'imagine qu'elle a été perdue par la poste…

L'esquisse de sourire disparut à nouveau.

— Que s'est-il passé ensuite?

Il fixa le plateau de jeu et retira sa main de la tour.

— Ils nous ont foutus dans ce bunker en béton avec d'étroites meurtrières et ils sont venus chercher les trois premiers. Ils les ont emmenés dehors, les ont obligés à se mettre à genoux, les ont attachés à ces petites croix courtes, ensuite, ils leur ont foutu une balle derrière la tête, l'un après l'autre.

Je déplaçai ma reine, l'air de rien.

— Ils t'ont laissé la vie sauve.

Il me regarda jouer avant de hocher la tête.

— J'imagine qu'ils ont estimé avoir dit ce qu'ils avaient à dire, alors, pour les autres, ç'a été perpétuité.

— Qu'est-il arrivé à Frank?

— Il est mort dans un camp, dans la Chine occupée. (Il tendit la main pour rectifier la position du plateau de bois sur la corbeille.) Alors, tu m'as demandé si je pensais beaucoup à la guerre – et je crois que la réponse honnête, ce serait, oui, j'y pense encore beaucoup. Tout au moins, je pense à Frank…

— Échec.

Mes yeux n'avaient pas quitté le visage de Lucian, mais je n'avais pas vu ses lèvres bouger. Je baissai la tête vers l'échiquier, et il était vrai que j'avais accidentellement placé ma reine parfaitement pour remporter une victoire imminente et incontestable sur le roi de Lucian. Je levai les yeux en même temps que lui. Sur son visage se peignait une expression interrogative, et il demanda :

— C'est toi qui viens de dire *échec* ?

Je secouai la tête.

— Non, je croyais que c'était toi.

Nous nous tournâmes tous les deux et regardâmes le grand Indien assis sur sa couchette ; il pointait un doigt aussi gros qu'une bratwurst vers l'échiquier. L'écho de la voix râpeuse de Virgil remonta en grinçant dans sa gorge abîmée et nous parvint, pareil à l'émission d'un gros et étrange pot d'échappement.

— *Échec.*

10

— PUTAIN de merde. (Elle but un peu de café et ajouta un autre sucre aux quatre qu'elle avait déjà lâchés dans sa tasse.) Il a rien dit d'autre?

Je continuai à parler bas, même si elle maintenait un volume considérable. Un essaim de touristes occupait l'autre bout du comptoir du Busy Bee et je ne voyais aucune raison de les informer des détails de la vie de Virgil White Buffalo.

— Non, mais Lucian et lui ont pratiquement joué jusqu'à 3 heures du matin. Les échecs qu'on joue en prison, plus rapides; vingt-sept parties, et Lucian n'en a gagné que cinq.

— C'est pour ça que le vieux pervers s'est endormi par terre. Il reprend des forces avant la prochaine attaque.

Je hochai la tête et bus une gorgée de mon café. Dorothy remplit ma tasse dès que celle-ci toucha le comptoir.

La propriétaire du café reposa la cafetière sur le brûleur et s'installa à portée d'oreille.

— Michael est bien arrivé?

Je hochai la tête.

— Ouaip. Cady est allée le chercher hier soir et je n'ai pas de nouvelles depuis.

Elle m'observa, puis Vic, puis changea de sujet.

— Pas de nouvelles de la réserve?

Dorothy savait généralement mieux que moi ce qui se passait dans le comté, alors j'imaginai que cela ne ferait de mal à personne qu'elle participe à cette partie de la conversation.

— Henry a laissé un message disant que Brandon White Buffalo et lui rentraient du Dakota du Sud ce matin, avec un invité surprise.

Elles me regardèrent toutes les deux, mais Vic fut la première à réagir.

— Un quoi ?

— Un invité surprise. (Je haussai les épaules.) C'est typique de Henry.

Vic coinça ses cheveux derrière une oreille et posa son menton dans sa paume – visiblement, c'était un bon jour côté cheveux.

— Et… ?

— Et quoi ?

Mon adjointe parla derrière sa main, le seul filtre dont elle disposait.

— Tu as dit que tu avais lu le rapport chez les vétérans à Sheridan. Alors, c'est quoi l'histoire du bon gros géant rouge ?

Je levai les yeux vers la femme orchestre, maîtresse des lieux.

— Comment ça se présente, le menu habituel ?

Elle jeta un coup d'œil à l'enveloppe en papier kraft posée sur le comptoir entre Vic et moi, puis elle scruta mon visage.

— Est-ce que cela signifie que tu te débarrasses de moi ?

Je soupirai.

— Je ne suis pas complètement certain que tu veuilles entendre tout ce qui va suivre.

Elle hocha la tête et sourit.

— Eh bien, le fait que tu préfères que je n'entende pas me suffit, comme bonne raison. (Elle attrapa les deux cafetières – normal et décaféiné – sur les brûleurs et s'en alla voir les touristes.) Comment ça va, les amis ?

J'inspirai à fond et me tournai vers ma sous-shérife.

— Tu veux le grand show en version longue ?

Je posai mes coudes sur le comptoir et regardai dans l'embrasure de la porte du côté de Clear Creek. Dorothy avait calé la porte en verre en position ouverte, et je savourai la fraîcheur dans mon dos avant que n'arrive la grosse chaleur de la journée.

— Les services sociaux du comté de Big Horn ont diagnostiqué à tort que Virgil était mentalement déficient alors qu'il n'avait qu'un défaut d'élocution, mais il a quand même réussi à finir Lodge Grass High School en 68 et s'est fait recruter dans le Projet 100 000.

— Qu'est-ce que c'était ?

— C'était censé être un programme favorisant la promotion sociale. Chaque année, un certain pourcentage des gens qui faisaient les scores les plus bas aux tests d'aptitude de l'armée étaient recrutés et envoyés ensuite au Vietnam. Tu parles d'une promotion.

J'interrompis mon geste, la tasse à la main, pas tout à fait contre mes lèvres. Je repensai au dossier et essayai de me rappeler les détails.

— Virgil a montré qu'il avait une certaine aptitude dans l'art de la guerre et il a été transféré dans la section de reconnaissance de la 101e division aéroportée. Ils étaient dans les plateaux du Centre, au nord de Dak To, et ils cherchaient des Vietcongs. Ils les ont trouvés… (Je bus un peu de café.) Environ deux régiments. (Je posai ma tasse et la regardai.) Un feu nourri à l'arme légère les a immobilisés pendant environ huit heures. Bilan : treize morts et vingt-trois blessés. Le soutien aérien est enfin arrivé et ils ont fait reculer les Nord-Vietnamiens suffisamment pour pouvoir effectuer un medevac des blessés. (Elle leva la main comme si elle était à l'école.) C'est un harnais muni d'un treuil qu'on descend d'un hélicoptère à une trentaine de mètres de hauteur.

Je me penchai en avant, contemplant la collection d'abeilles en porcelaine, plastique, verre et bois, qui étaient alignées sur l'étagère au-dessus de la hotte.

— Les Vietcongs ont vu que tout le monde était focalisé sur l'évacuation des blessés, alors ils ont monté une contre-offensive. Le reste de la section s'est retrouvé sur les genoux et a prié pour qu'il arrive des renforts. Tout à coup, voilà ce géant qui sort du fossé à côté de la route et qui parcourt la ligne en tirant avec son M16, un coup après l'autre, courant sur le flanc du talus, chaque balle éliminant un soldat ennemi. Il tirait à tous les coups avec un discernement parfait et sans jamais dire un mot.

— Putain de merde.

— Le rapport dit qu'il a vidé trois chargeurs. (Je pris une nouvelle inspiration pour continuer.) Il restait moins de vingt hommes dans la section, mais le chef de bataillon bien à l'abri dans un des hélicoptères leur a ordonné par radio d'attaquer à nouveau. Et crois-le si tu veux, ils ont obéi. Le lieutenant Shields a levé son bras armé comme s'il était dans un mauvais film d'Audie Murphy et s'est écrié : "Suivez-moi !" Toute la section, y compris Virgil, a obtempéré et a suivi le lieutenant droit dans une embuscade ; six secondes plus tard, on comptait douze morts de plus, trois étaient dans un état critique, et il ne restait plus que trois hommes debout…

— L'un d'entre eux étant Virgil White Buffalo.

Je secouai la tête, les yeux rivés sur la surface marbrée du comptoir en formica.

— Les blessés étaient coincés dans ce goulet, et Virgil a fait trois voyages pour les ramener un à un jusqu'à la zone d'atterrissage du départ, y compris le lieutenant, qui a appelé les renforts et a demandé à être évacué, mais le colonel dans l'hélicoptère lui a répondu qu'il fallait attaquer ce nid de mitrailleuses à leur droite.

Elle passa ses doigts dans ses cheveux et me regarda, incrédule.

— Putain, j'y crois pas.

— Voilà que le lieutenant essaie de se mettre debout.

— Putain, pas possible…

— Et Virgil lui met un coup sur le côté de la tête avec la crosse de son M16 et l'assomme pour de bon. (Je la regardai se mordre la lèvre pour réprimer un rire.) Ensuite, juste pour faire bonne mesure, Virgil roule sur le dos et balance quelques rafales dans l'hélicoptère du chef de bataillon.

Elle rit et les touristes se tournèrent vers nous.

— Le colonel a juste le temps de dire : "J'essuie des tirs… J'essuie des tirs…" et le voilà parti.

Je tripotai l'anse de ma tasse et remarquai le demi-cercle dessiné sur le comptoir.

— Les voilà donc, sans soutien aérien ni moyen d'évacuation, et le lieutenant Tim Shields – celui qui a écrit le rapport – revient à lui et se tourne vers Virgil, et il lui dit : "On va mourir." Virgil lui répond qu'ils peuvent se glisser dans l'eau de la rivière, qu'elle ne leur arrive qu'aux genoux et que les berges ne font qu'un peu plus d'un mètre de haut et qu'elles pourraient leur permettre de battre en retraite. Le lieutenant dit à Virgil que c'est une bonne idée. Il lui laisse le M-60 et lui ordonne de les couvrir tandis que lui et les autres descendent un peu dans la rivière, où ils l'attendront.

Vic émit un grognement.

— Ils le laissent. Il reste donc là, tout seul, avec une mitrailleuse M-60 à moitié vide et la quasi-totalité d'un régiment nord-vietnamien qui lui arrive droit dessus. Les tirs commencent et il riposte, il commence à reculer lentement vers la rivière. Pendant les trois heures suivantes, il se bat alternativement contre les moustiques, les sangsues et les Nord-Vietnamiens. Il arrive à une digue qui mène à une piste ; il balance son M-60 vide dans la rivière, sort son arme de poing et commence à courir à petites foulées dans la nuit. Trois chargeurs plus tard, il tombe sur une patrouille, sur la route.

— À nous ?

Je hochai la tête.

— Oui.

— Dieu soit loué.

— Ils appellent l'évacuation aérienne, et une heure plus tard, Virgil se tient au garde-à-vous devant le lieutenant en question et le chef de bataillon, qui hurlent contre lui parce qu'il s'est perdu et qu'il a égaré un M-60. Virgil, après avoir enduré seize heures de close-combat, pour l'essentiel d'une main, leur dit de cesser de hurler contre lui et leur annonce qu'il va faire une petite sieste. Le lieutenant attrape Virgil par le bras, Virgil se retourne et lui met son poing dans la figure, ce qui lui casse le nez et lui envoie des éclats d'os dans le cerveau. Mort sur le coup.

Elle ne broncha pas.

— Meurtre, au pire.

Je regardai par la fenêtre et contemplai les feuilles qui frémissaient, me montrant alternativement leur face claire et leur face sombre.

— Pas dans l'armée de cet homme-là. Le colonel enfonce le clou et obtient une accusation de meurtre avec préméditation fondée sur le fait que Virgil a frappé son officier supérieur alors qu'ils se trouvaient sur le terrain et en plein combat. Personne n'a le cran de dire quoi que ce soit et

Virgil se retrouve condamné pour meurtre au second degré. Vingt-deux ans de travaux forcés à Leavenworth.

Vic se pencha vers moi.

— Vingt-deux ans ?

— Avec la bonne conduite, il est sorti au bout de dix-sept. (Je tapotai l'enveloppe en papier kraft que j'avais posée sur le comptoir.) J'ai demandé à Ruby d'aller voir dans la base de données et elle a découvert le reste.

J'ouvris l'enveloppe et lus les lignes en petits caractères sur les documents faxés.

— Alors qu'il rentre chez lui à pied…

— De Leavenworth, dans le Kansas ?

J'approuvai d'un signe de tête.

— Il est ramassé par la patrouille de l'autoroute, qui lui dit qu'il ne peut pas faire du stop sur l'interstate. Ils le déposent juste à la sortie d'Abilene où il est pris en stop par un type du nom de Peter Moore et une jeune fille, Betty Coleman, qui dit qu'ils viennent de East St. Louis, dans l'Illinois, et qu'ils peuvent l'emmener jusqu'à Rapid City. Ils sont presque arrivés à North Platte, dans le Nebraska, ce soir-là. Moore dit qu'il est fatigué. Virgil propose de conduire, mais le gars répond qu'ils vont dormir dans la voiture, les deux, devant, et Virgil, à l'arrière. Le matin suivant, Peter Moore est trouvé mort, le crâne défoncé, et Betty Coleman est ramassée par le département de la police de North Platte et jure que c'est Virgil le coupable.

— Drogue ?

Je hochai la tête.

— On a trouvé de la cocaïne sur Betty et dans le sang de Peter Moore. Virgil a été arrêté par la patrouille de l'autoroute du Nebraska, et il avait un vilain traumatisme infligé par un objet contondant et une fracture du crâne.

— Ça explique la cicatrice.

— Virgil a déclaré que Moore l'avait attaqué au milieu de la nuit avec un pied-de-biche et qu'il s'était battu pour se débarrasser du gars, mais que Moore était bien vivant lorsqu'il l'avait laissé avec Betty Coleman.

— Ils ont testé Virgil ?

— Non. Mais avec un témoin oculaire et le casier de Virgil…

— Des empreintes sur le pied-de-biche ?

Je bus une gorgée de café.

— Jamais retrouvé.

— C'est elle, la coupable. Elle a fini le boulot après que Virgil s'est défendu, puis elle a pris la came.

— Ouaip, mais c'était une jolie petite blondinette et Virgil, un Indien de deux mètres dix, réformé sans les honneurs, et un meurtrier condamné. (Je posai ma tasse vide sur le comptoir.) Entre dix et douze.

Dorothy se rapprocha, armée du pot de café caféiné – elle savait que le département du shérif du comté d'Absaroka fonctionnait aux carburants lourds.

— Est-ce que je peux vous interrompre assez longtemps pour vous resservir ?

Nous poussâmes tous les deux notre tasse vers elle et je souris.

— Comment ça avance, le menu habituel ?

Son regard s'attarda sur moi encore un moment, puis alla se poser sur le grill.

Je baissai les yeux vers le dossier et, une fois de plus, repris à voix basse.

— Le psychologue de la prison, un certain Jim McKee, au pénitencier d'État du Nebraska, a demandé à la Ligue de défense des Amérindiens d'aller vérifier les antécédents de

Virgil, et ni lui, ni les autres ne pensaient qu'il était coupable. Alors, ils ont lancé une enquête. Il s'est avéré que Peter Moore avait un casier long comme le bras, et ils ont trouvé un mandat déposé à la suite d'un homicide qui avait eu lieu à East St. Louis six semaines auparavant.

Elle se pencha vers moi, et je vis les taches de rousseur à peine visibles à la naissance de sa gorge.

— Ne me gâche pas le plaisir. Un autre clown s'était fait massacrer avec un marteau ?

Je déglutis, cette fois avec une gorgée de café.

— Dans le mille. La Ligue s'est battue bec et ongles, mais Betty Coleman a maintenu son histoire même après avoir été condamnée à quatorze mois pour possession d'alcool ; après quoi, elle s'est suicidée. (Je refermai le dossier.) Virgil a fait dix ans, avec bonne conduite, puis il est allé au centre d'accueil des vétérans à sa sortie. (Je soupirai.) Et là, il a tout simplement disparu. Pas d'identité fiscale, pas d'immatriculation de véhicule, rien. J'ai interrogé Quincy ; il dit que cela arrive souvent avec les Indiens – ils disparaissent dans la réserve et on n'entend plus jamais parler d'eux.

— Dix-sept et dix… (Elle croisa les bras et tourna son tabouret vers moi.) Tu crois qu'il vit sous l'autoroute depuis neuf ans ?

— Je ne sais pas.

Dorothy revint et posa deux omelettes aux champignons devant nous. Je regardai fixement mon assiette.

— C'est ça, le menu habituel ?

Elle prépara la note pour une table de touristes et s'éloigna sans me regarder.

— Habituellement, oui.

Je suis grand, mais au milieu des présents, je me sentais un peu nain. Je fais peut-être trois centimètres de plus que Henry, mais les deux autres hommes qui se trouvaient dans le hall de mon département faillirent se cogner la tête contre la moulure du porche en arrivant au sommet des marches.

Le premier géant se pencha pour me serrer contre lui dans une embrassade à un bras, dont je lui fus reconnaissant, car j'avais déjà vu Brandon White Buffalo soulever Henry Standing Bear à deux mains et le tenir en l'air jusqu'à ce que le visage de l'Ours vire au cramoisi.

— Officier, comment vas-tu ?

— Toujours en tête à tête avec moi-même.

L'autre géant, l'invité surprise de Henry, avait peut-être une quarantaine d'années et il me paraissait étrangement familier. Je souris et tendis la main.

— Walt Longmire. Nous sommes-nous déjà rencontrés ?

— Eli… Eli White Buffalo. (Il me serra la main puis recula d'un pas. Ses mains étaient grandes et douces, mais on les sentait habiles.) Non, nous ne nous connaissons pas.

Il était peut-être un tout petit peu plus petit que Brandon, mais à peine, et il portait une chemise blanche habillée fraîchement amidonnée, un jean avec le pli du cow-boy, une ceinture faite main avec une grande boucle ornée d'une turquoise de belle taille, et des bottes noires en alligator. Ses cheveux d'un noir de jais étaient attachés en une queue-de-cheval serrée dans un ornement en argent et en turquoises délicatement ouvragé.

Un artiste. Forcément.

Eli semblait un peu nerveux. Il glissa ses mains dans les poches arrière de son jean et lança un coup d'œil vers Ruby, qui contemplait, silencieuse, les deux géants depuis son poste d'observation derrière le comptoir. Le chien se trouvait avec elle – il nous regardait fixement, décidément en retrait. Vic observait les deux hommes depuis son perchoir, sur le bureau de Ruby.

Brandon posa une main sur mon épaule, la recouvrant complètement.

— Tu penses que tu détiens quelqu'un de ma famille, officier ?

— C'est bien possible.

Il me gratifia de son sourire immense et inclina la tête.

— Allons voir.

Ils en étaient à la neuvième partie de la matinée et à en croire l'expression du visage de Lucian, il n'avait toujours pas battu le colosse. Je m'approchai du plateau de jeu.

— T'en as gagné une ?

Il marmonna dans sa barbe et retira sa pipe éteinte de sa bouche.

— Non, et on dirait bien que je vais encore me prendre une tôle.

Il regarda son roi, qui était au bord de l'échiquier, complètement cerné par des pièces et victime d'un mat à l'étouffée. Il maintint son doigt posé sur le souverain noir et finit par le faire tomber.

Le vieux shérif se tourna et contempla la foule assemblée, y compris les gigantesques Indiens.

— Putain de merde, exactement ce dont il avait besoin – des renforts.

Je ramassai l'échiquier et le posai sur le comptoir de la kitchenette. Je remarquai qu'Eli restait près de la porte, à l'écart avec Vic. Lucian était sur le côté, mais sa chaise faisait face aux cellules. Brandon l'ignora et se planta devant les barreaux. Il regarda Virgil, qui était toujours assis sur sa couchette.

— *Na-ho e-ho ohtse.*

Le géant dans la cellule resta coi et baissa la main qui retenait ses cheveux en arrière. Une fois de plus, ils vinrent lui recouvrir le visage et ses mains étaient posées, inertes, sur ses genoux.

Brandon se pencha et regarda entre les barreaux. Il parlait cheyenne.

— *Ne-tsehese-nestse-he?*

Virgil prit une profonde inspiration et expira dans un soupir, toujours sans rien dire.

Brandon s'approcha encore et posa une main sur les barreaux, avant de passer doucement du cheyenne au lakota.

— *Nituwe hwo?*

La tête du géant se leva pour regarder Brandon, mais il ne dit toujours rien.

— *Tokiya yaunhan hwo?*

Toujours rien.

— *Taku enicyapi hwo?*

La voix s'éleva, rauque après un si long silence, et il énonça d'une profonde voix de basse.

— *Tatankaska...*

Brandon se toucha la poitrine et sourit.

— *Lila Tatankaska.*

La tête de Virgil s'inclina et il se pencha en avant, très légèrement.

— *Niyate kin tanyan icage... Canhanp hanska etan maku wo-ptecela onzoge?*

Brandon étouffa un rire et finit par se tourner vers nous.

— Voici mon oncle, celui qui m'appelait le Mendiant de Bonbons en Culottes Courtes.

Ses yeux s'éloignèrent de Henry et moi et se posèrent sur Eli, lui faisant signe d'approcher pour qu'il puisse faire les présentations. Il se tourna pour parler à nouveau à Virgil, mais cette fois, en crow :

— *Hená de dalockbajak, Eli ?*

Tandis qu'Eli tournait le coin, Virgil se leva lentement et domina les autres de presque une tête. Eli s'approcha des barreaux, regarda le géant dans les yeux et, à notre plus grande surprise, cracha.

On m'a déjà craché à la figure – cela fait partie du métier et on ne s'y habitue jamais, mais il est très rare que cela soit complètement inattendu. Là, c'était le cas, et ce n'était pas un petit crachouillis.

Je fis un pas en avant et posai une main sur son épaule.

— Hé, il n'est pas nécessaire de…

D'un mouvement d'épaule, il se débarrassa de ma main et se jeta contre les barreaux. Il saisit les cheveux de Virgil et tira jusqu'à écraser son visage contre les barres métalliques. Virgil n'opposa pas la moindre résistance, mais Brandon attrapa l'autre bras d'Eli et s'y agrippa, tandis que le jeune homme tirait à nouveau brutalement la tête de Virgil contre les barreaux. Il lui cria à la figure :

— *Vasica ! Tuktetanhan yau hwo ?! Tokel oniglakin kta hwo ?! Taku ehe kin, ecel ecanu sni !*

Avec l'aide de Henry et de Lucian, nous éloignâmes Eli, mais l'effort nous déséquilibra et nous nous retrouvâmes tous par terre dans une posture typique de Twister, l'agitation en plus. Eli fut le premier à se relever, et il cracha à nouveau au visage de Virgil, dont la lèvre fendue saignait abondamment.

Eli s'interrompit au moment où nous parvenions tous péniblement à nous relever, et il eut un geste dédaigneux.

— *Le tuwa ta sunka hwo ?!*

223

Il écrasa ses deux poings contre les barreaux, puis il tourna les talons et sortit de la pièce à grands pas. En passant, il repoussa Vic. Je fus le premier du tas à atteindre la porte, et je partis à grandes enjambées, sur les pas de Vic qui talonnait Eli.

Nous le trouvâmes sur le sol aux pieds des escaliers; il était plaqué face contre terre, le bras retourné vers l'arrière et le genou de Tran Van Tuyen enfoncé au creux de ses reins. Le chien aboyait depuis le bureau de Ruby, qui était tétanisée, la main sur la bouche.

Je regardai l'homme en blouson de cuir noir et pantalon noir, qui avait l'air particulièrement petit comparé à Eli White Buffalo. Il m'adressa un sourire sans expression.

— Est-ce l'homme qui a tué ma petite-fille?

Je secouai la tête.

— Non.

Le sourire blême disparut et ses yeux se posèrent sur le grand homme qu'il avait immobilisé.

— Alors, peut-être devrais-je le laisser partir?

Tan Son Nhut, Vietnam : 1968

Baranski et Mendoza se tenaient à bonne distance des barreaux et m'observaient, impassibles.

— Pourquoi tu ne nous dis pas ce que tu faisais là-bas, près du vieux fort, avec une fille morte?

Je sentis un air froid me passer sur le visage et mes mains maîtrisèrent leur tremblement. Les agents de la sécurité m'avaient administré un nombre important de coups sur la tête et il était évident que quelqu'un m'avait piétiné la main lorsqu'ils m'avaient menotté, parce que l'essentiel de la peau de mes doigts était parti. Il y avait un bureau métallique à côté de la porte qui menait à la cellule où j'étais détenu.

enfants de poussière

— Faites-moi sortir d'ici.

Mendoza s'assit sur le bord du bureau et lissa du bout du pouce le pli de son pantalon d'uniforme.

— Pour autant qu'on sache, tu as quitté le bar peu de temps après Mai Kim, et les plantons à la Porte 055 disent que tu es passé par là.

— Ouvrez. Cette. Putain. De. Porte.

Je ne cessai de les fixer tandis qu'ils échangeaient un regard.

— Ils disent que tu n'étais pas seul, mec.

— Maintenant.

Mendoza soupira, se pencha en arrière et ramassa mon arme rangée dans le holster Sam Browne. Il tendit un gros trousseau de clés à Baranski.

— Le colonel est en train de s'occuper de tes papiers. On dirait que tu rentres au bercail, pronto.

Je ne répondis pas ; je restai immobile, à les regarder sans desserrer mes poings durs comme de l'acier. Baranski secoua la tête et avança. Il déverrouilla les grilles et eut la prudence de reculer et de s'écarter tandis que je poussai la porte. Ils me suivirent jusqu'à l'extérieur, dans le hall, et je franchis les portes du quartier général de la sécurité pour me retrouver dans les rues ensoleillées de la minuscule agglomération de Tan Son Nhut. Mendoza resta à la traîne, mais il tendit mon Colt dans son étui à Baranski, qui accéléra le pas pour se trouver à ma hauteur.

— Le commandement dit qu'ils t'auraient bien expédié aujourd'hui, mais avec la sécurité renforcée et le congé, ils ne sont pas arrivés à organiser ton trajet jusqu'au QG.

Le type du renseignement tendit le bras et m'attrapa par l'épaule, mais je l'écartai d'un grand geste et réduisis ses efforts à néant. Je l'attrapai par le devant de sa chemise, le soulevai de terre et le balançai dans un mur de tôle rouillée. Mendoza me saisit le bras, mais je lui flanquai un coup de coude et l'écartai de mon chemin.

Je me tournai à nouveau vers Baranski, et sans que j'aie eu le temps de m'en apercevoir, il avait enfoncé le bout du canon de mon Colt sous mon menton. Il le maintint là. Il sourit et j'entendis le bruit inimitable du .45 qu'on arme.

Aucun de nous ne cilla.

— Tu ferais mieux d'appuyer sur la détente, parce que c'est la seule manière que tu as de m'arrêter.

Je vis ses yeux bouger et nous entendîmes tous deux le bruit de la sécurité qu'on défait sur plusieurs M16, derrière moi et sur la droite. Une voix que je ne connaissais pas s'éleva, ferme et sonore.

— On a un problème, lieutenant?

Les yeux de Baranski se posèrent sur moi et s'écarquillèrent un tout petit peu. Je le lâchai, lentement. Je vis quatre hommes de la sécurité du 377e, tous avec leur arme automatique pointée sur mon œil droit.

Baranski parla rapidement.

— Écoutez, tout va bien.

Un des membres de la patrouille de sécurité, un capitaine, fit pivoter le canon de son fusil vers l'officier de la DCR.

— Vous voulez bien sécuriser cette arme, monsieur?

Baranski baissa le .45 imperceptiblement, puis tranquillement, à deux mains, il pointa le canon vers le sol et désarma le chien. Il glissa le Colt dans mon holster, qu'il avait enroulé autour de sa main.

— À vos ordres.

Les patrouilleurs descendirent leur M16 jusqu'à leur hanche, le gardant toujours plus ou moins pointé dans notre direction. Le capitaine avait une drôle de dégaine, avec ses sourcils et son sourire qui descendaient sur les côtés.

— Pas très malin, une bagarre juste devant le quartier général de la sécurité, monsieur.

Mendoza était resté assis par terre, mais Baranski ajusta son col, lissa le devant de son uniforme et coinça mon .45 sous son aisselle.

— Pas une bagarre, capitaine – juste un petit problème de communication entre services.

Le capitaine continua à m'observer sous la visière de son casque, et on aurait dit une voix qui sortait d'une grotte. J'eus l'impression que l'essentiel de son cerveau était dans son cou, et il devait se dire la même chose à mon sujet.

— C'est vous, le marine qui a cassé le nez d'un de mes hommes, hier soir?

Mon haleine obstruait mon œsophage, mais je réussis à parler.

— Tout à fait par hasard.

Ma voix paraissait empreinte de sarcasme, peut-être même plus que je ne l'aurais voulu.

Il me regarda et hocha la tête.

— Eh bien, pourquoi ne ramenons-nous pas tout ce petit monde à l'intérieur?

— Cela ne sera pas nécessaire, capitaine. (Baranski fit un pas en avant et dégaina sa carte.) Nous faisons aussi partie de la sécurité.

Le capitaine étudia la carte et le badge du représentant de la DCR, regarda Baranski, puis se tourna vers moi. Il fit un pas en arrière et abaissa complètement son arme. Tous les autres l'imitèrent.

— Très bien, monsieur.

Baranski sourit, dévoilant les écarts entre ses dents de devant, et rangea son portefeuille dans la poche de son pantalon.

— Merci cap'. Je vous revaudrai ça.

La patrouille s'éloigna et poursuivit son chemin le long de la rue. Baranski parla d'une voix douce, amicale, sans cesser de sourire, tandis que le capitaine nous lançait un dernier regard.

— C'est parfait, allez-y, continuez, pauvres enculés de crétins.

Un dernier signe de la main, et il se retourna vers moi.

Je croisai son regard et repensai à son calme lorsqu'il tenait mon pistolet sous mon menton.

— Je ne partirai pas avant de savoir qui l'a tuée.

Il secoua la tête et fit sortir une Camel du paquet qui était rangé dans sa poche de chemise. Il coinça la cigarette entre ses dents et me tendit le paquet.

— Je ne fume pas.

D'un mouvement du poignet, il ouvrit son Zippo et alluma sa cigarette, inhalant profondément, les volutes de fumée qui continuait à monter dans ses narines tandis qu'il retirait la cigarette de sa bouche.

— Peut-être que tu devrais – ça pourrait te calmer un peu.

— J'espérais que vous pourriez m'aider à organiser le transport du corps de ma petite-fille, une fois qu'il me serait rendu.

Tuyen était assis sur la chaise en face de mon bureau et il tenait la tasse de café que Ruby lui avait donnée.

— Certainement.

Tran Van Tuyen parlait la tête penchée sur la tasse et il n'avait pas encore levé les yeux.

— Vous allez peut-être trouver cela étrange, mais j'ai pensé à une crémation, à la suite de laquelle je disperserais ses cendres près de l'endroit où elle est morte.

Je fus un peu surpris.

— Vous ne voulez pas la ramener en Californie ?

Il hocha la tête légèrement.

— Je ne crois pas que son esprit ait jamais été heureux là-bas, et j'ai pensé qu'elle trouverait peut-être la paix ici.

J'acquiesçai et effleurai le bord de mon chapeau, que j'avais retourné et posé sur mon bureau. Je le regardai pivoter doucement vers la gauche.

— Eh bien, dans une telle situation, il se peut qu'il faille attendre un moment avant qu'ils ne vous rendent Ho Thi, alors vous avez un peu de temps pour réfléchir à tout cela. (Il n'y eut pas de réaction immédiate, et j'espérais qu'il commençait à accepter la disparition.) C'est la procédure habituelle à la suite d'une enquête pour homicide. Nous ne voulons rien manquer qui pourrait nous amener à appréhender la personne responsable.

— Oui, je comprends.

Il n'ajouta pas un mot, alors j'attendis. J'avais sacrifié mon déjeuner avec Vic, qui s'était jointe à Cady et Michael. La Nation Cheyenne et le contingent crow étaient en train de calmer le jeu sur le banc à côté du chemin piétonnier qui menait au tribunal. Je leur avais dit d'attendre, que je les rejoindrais dès que j'en aurais terminé avec Tuyen.

J'avais dégoté un torchon pour Virgil, je l'avais passé sous l'eau chaude et le lui avais donné. Nous avions encore un examen médical à affronter, et je voulais étudier de plus près le visage du grand Indien, mais cela allait devoir attendre que j'en aie fini avec le grand-père de la défunte.

Tuyen m'avait suivi jusqu'à mon bureau.

— Rondement menée, votre petite démonstration. (Il releva la tête, et il me regarda sans comprendre.) Avec Eli.

Son expression changea à l'instant où il percuta, et il laissa échapper un bref éclat de rire.

— Ce n'est pas facile d'oublier, une fois qu'on a été entraîné comme il se doit.

— Ouaip.

Au bout d'un moment, il se remit à parler.

— Pensez-vous beaucoup à la guerre, shérif?

Je touchai le bord de mon chapeau du bout de mon index, tentant de le redresser. Que quelqu'un d'autre pose la question me soulageait.

— Beaucoup plus, ces derniers temps, on dirait.

— À cause de ma petite-fille?

Je levai les yeux vers lui.

— Ouaip, je crois bien.

Il se leva et posa la tasse de café intacte sur le coin de mon bureau, et je songeai que la prochaine fois nous devrions lui offrir du thé.

— Serait-il possible que je voie les affaires personnelles de ma petite-fille ?

C'était la troisième fois qu'il posait la question. La DEC avait renvoyé certains objets, alors je lui fis une réponse positive et lui signifiai de me suivre jusqu'au sous-sol, où se trouvaient les casiers des effets personnels.

Une fois là, j'ouvris le grand tiroir et posai le petit assortiment d'objets sur le comptoir – le sac à main, la monnaie, le roman en français, le foulard et les clés. La photographie de Mai Kim et de moi était encore une pièce à conviction, ainsi que ses vêtements, et son corps.

— Que comptez-vous faire de la voiture ?

Il regarda les objets.

— Pardonnez-moi ?

— La voiture qu'elle conduisait. Je me demandais quelles dispositions vous souhaitiez prendre.

— Je voudrais bien y jeter un coup d'œil.

Je me demandai pourquoi.

— Je peux faire en sorte qu'elle soit ramenée ici depuis Cheyenne, si vous voulez.

— Oui, je vous remercie.

J'attendis tandis qu'il continuait à examiner les objets posés sur le comptoir.

— Et l'ordinateur ?

— Pardon ?

Il s'éclaircit la voix.

— Ho Thi avait un ordinateur qui m'appartenait. Il n'était pas avec elle ?

— Non.

Je l'observai alors qu'il poursuivait son examen des objets.

— Y a-t-il quelque chose qui ne va pas ?

Il prit une grande inspiration.

— Ce n'est pas beaucoup… pour une vie entière, n'est-ce pas ?

J'ouvris la porte et allai rejoindre le conseil de guerre.

— Comment ça va ?

Eli était assis tout au bout du banc, les coudes posés sur les genoux, et on pouvait croire qu'il tentait de mémoriser les fissures du trottoir. Brandon était debout, les pouces accrochés aux poches arrière de son jean, et Henry contemplait le profil d'Eli. La Nation Cheyenne se tourna pour me regarder.

— Il se peut que cela prenne du temps.

Je battis en retraite et retournai lentement jusqu'à mon bureau. Ruby me tendit son téléphone.

— Saizarbitoria.

J'entrai et m'assis sur son bureau, pris le combiné et tendis la main pour caresser le chien.

— Quoi de neuf, Sancho ?

— Jim Crafts veut savoir si vous avez une idée du nombre de cartes de crédit que le Flying J voit passer en vingt-quatre heures.

J'ébouriffai l'oreille du chien et il prit ma main entre ses grandes dents.

— Dis-lui que je lui paierai un déjeuner la prochaine fois que je passerai à Casper. (J'essuyai la bave sur mon pantalon.) Qu'est-ce que tu as ?

— Le gérant dit qu'une carte a été laissée sur le comptoir, qu'ils ont contacté l'entreprise, qui à son tour a pris contact avec Tuyen.

— Bon, ça valait la peine d'essayer.

— Chef, il y a autre chose…

Son ton me figea sur place.

— Quoi ?

— Le gérant dit qu'il se souvient de l'incident parce qu'il faisait un inventaire ce soir-là et qu'il a aperçu la voiture lorsqu'elle s'est éloignée.

— Ouaip ?

— La carte s'est révélée bloquée et elle était déclarée volée, alors la femme qui tenait la caisse a appelé le bureau du shérif et ils lui ont répondu de la confisquer. Ce qu'elle a fait. Elle a appelé le gérant au moment où la fille sortait en courant du magasin avec deux bouteilles d'eau et un grand paquet de chips. Le gérant a vu la suspecte sauter dans la voiture et reculer dans une butée en béton avant d'écraser l'accélérateur et de prendre en trombe l'I-25 vers le nord.

Le silence s'installa sur la ligne et je remarquai que je ne respirais pas.

— Walt… Il a dit qu'il y avait deux filles dans la voiture.

11

HENRY avait décidé de m'accompagner. Nous roulions vers le sud en direction de Powder Junction avec le projet d'intercepter la Land Rover de Tuyen, mais jusque-là nous ne l'avions pas vue. Il s'absorba dans la contemplation d'une portion très quelconque de la route qui longeait l'I-25.

— Qui est mort ici ?

La plupart des gens n'aimaient pas monter avec moi en voiture, et plusieurs des membres de ma famille et de mes amis avaient appris à ne pas poser de questions lorsque mon regard se perdait sur une étendue de prairie désolée ou sur une portion de route déserte.

— Trois jeunes qui se sont retournés dans leur Camaro en rentrant du rodéo de Powder Junction, en 1998.

— T'ai-je déjà dit à quel point il était déprimant de parcourir ce comté avec toi ?

J'allumai les gyrophares et poussai le Bullet jusqu'à ce que nous dépassions les 135 km/h.

— En fait, on ne voit jamais le paysage de la même manière.

Il hocha la tête.

— Où est Vic ?

Je fis la grimace.

— Quel est le rapport, tu peux me dire ?

Il ne répondit pas, et je jetai un coup d'œil à l'heure affichée sur mon autoradio.

— Avec Cady et Michael, en train de déjeuner.

Il ajusta sa casquette marquée Fort Smith Big Lip Carp Tournament et passa délicatement sa queue-de-cheval par-dessus la bande ajustable.

— Au risque de me faire arracher la tête, je vais poser la question à nouveau. Comment ça va, de ce côté-là?

Je gardai les yeux rivés sur la route puis bougeai un peu sur mon siège et calai mon bras sur l'accoudoir.

— Je ne sais pas.

J'étais l'expression même de l'agacement et de l'incertitude.

L'Ours rit.

— Tu ne sais pas?

Je soupirai.

— Nous… quand on… quand on était à Philadelphie…

— Oui?

— On s'est vraiment beaucoup rapprochés.

— Oui.

— Mais le contexte n'était pas le même, et maintenant, on est rentrés et c'est différent.

— Oui.

Je m'apprêtai à parler, puis je me ravisai, attendis encore un peu, et me décidai enfin.

— Ce qui s'est passé, là-bas, entre nous – je ne suis pas certain que ça aurait dû arriver. Enfin, ce n'est pas tant moi qu'elle.

Je remontai la tirette de la climatisation, car il me semblait qu'il faisait de plus en plus chaud dans l'habitacle. Bientôt, je n'aurais plus de boutons ni de molettes à tripoter; peut-être que c'était un truc de famille.

— Je pense juste qu'elle l'a peut-être fait par charité.

Il contempla mon profil.

— Il y a une multitude de raisons pour lesquelles elle a pu décider de faire évoluer votre relation vers plus… d'intimité. Une perception de sa mortalité liée à l'accident de Cady, deux étrangers perdus en pays étranger…

— Elle est née à Philadelphie.

Il tendit une main pour me faire taire.

— Laisse-moi finir.

— Pardon.

— Peut-être une réaction, une rivalité par rapport à sa mère, mais la raison que je croirais volontiers le plus spontanément, c'est que tu comptes pour elle, beaucoup. Ce n'est pas seulement que tu es important pour elle, elle est attachée à toi. (Il se tourna vers le pare-brise.) Soit c'est ça, soit c'était juste de la baise par charité.

Je me tournai vers lui et le regardai. Il haussa les épaules.

— Juste pour utiliser sa terminologie.

L'Ours pianota de ses longs doigts sur le tableau de bord et changea de sujet.

— Alors, tu penses que Tuyen sait quelque chose ?

Je gardai les yeux fixés sur la route.

— Je ne te parle plus.

— Je plaisantais.

— Ce n'était pas drôle.

Son regard se perdit dans la prairie qui défilait.

— C'était un peu drôle.

Nous nous retranchâmes tous les deux dans notre silence respectif et regardâmes les ondoiements des herbes d'un brun doré caressées par la brise chaude. Nous avions besoin de pluie, et bientôt, sinon l'ensemble du comté d'Absaroka se transformerait en poudrière.

Je savais parfaitement bien que je ne le battrais pas à ce jeu, alors je me remis à parler, pressé de lancer un autre sujet de conversation.

— Je me dis que Tuyen pourrait bien savoir si Ho Thi avait des amis, ou si quelqu'un d'autre est porté disparu. (Nous dépassâmes un convoi exceptionnel transportant les deux moitiés d'une maison en kit et revînmes sur la voie de droite.) J'ai contacté les départements du shérif à Los Angeles et dans le comté d'Orange pour savoir s'ils peuvent me trouver quelque chose, mais nous avons Tuyen sous la main, et il pourrait nous être utile.

Henry regardait la route.

— Est-ce que le patron du Flying J a dit que la fille était asiatique ?

— Jim a dit qu'il n'était pas certain, mais que les deux personnes étaient de sexe féminin et qu'elles avaient de longs cheveux noirs.

Il haussa les épaules.

— Elle pourrait être amérindienne…

— Ce ne serait pas la première fois qu'une Indienne ferait du stop sur l'I-25, mais je ne parierais pas là-dessus.

— Et pourquoi voudrais-tu que cette jeune femme – si elle existe – soit vietnamienne ?

Je lui lançai un coup d'œil.

— Cela voudrait dire qu'il resterait quelqu'un en vie qui saurait ce qui se passe. (Mes yeux se reportèrent sur la route.) Pourquoi poses-tu cette question ?

Il ne me quitta pas des yeux.

— Je me demande parfois si tu n'es pas en train d'essayer de résoudre du même coup deux mystères qui se sont produits à presque quarante ans d'intervalle.

Je continuai à conduire et contemplai un autre endroit de l'autoroute où d'autres vies avaient trouvé une fin brutale. Je me rappelai les victimes, leur nom, leur famille, leurs amis. Ce n'étaient pas ces morts-là qui m'inquiétaient – des gens se souviendraient d'eux. C'étaient ceux qui étaient morts vraiment seuls qui me préoccupaient le plus. Si personne ne se souvenait d'eux, ce serait comme s'ils n'étaient jamais venus par ici. Je pris une grande inspiration et m'obligeai à me concentrer à nouveau sur la route.

— Ruby dit que je me préoccupe plus des morts que des vivants.

Henry ne dit rien.

Tan Son Nhut, Vietnam : 1968

Il n'était pas question que je le laisse partir et il n'y avait personne d'autre que nous dans le Boy-Howdy Beau-Coups Good Times Lounge qui puisse le sauver.

Tout le monde s'était enfui.

Ma main lui enserrait parfaitement la gorge, et j'étais surpris de constater à quel point il me coûtait peu d'efforts de tenir Le Khang contre le mur à une bonne cinquantaine de centimètres du sol.

— Je n'aime pas ces réponses…

Il couina, ce que je pris pour une sorte de réponse. Je le fis descendre jusqu'à ce que ses pieds soient en contact avec le plancher. Il essaya de se dégager, mais je le tenais bien fermement.

— Elle pas dit !

Je le soulevai à nouveau, mais il secoua la tête, alors je le reposai par terre.

— Elle partie avec un client !

— Qui ?

— Elle pas dit…

Je resserrai mon étreinte, mais il me tapa sur le bras et je donnai du mou.

— Air Force… un pilote.

— Donne-moi un nom.

— Pas de nom.

Je haussai les épaules et le soulevai de terre à nouveau.

— Thunderchief, F-105 ! Lui vole sur F-105 appelé Jumpin'
Jolene !

Je le libérai puis pointai un index menaçant sous son nez.

— Y a intérêt à ce que ce soit la vérité vraie, parce que si c'est
pas le cas… je reviendrai, et j'te l'jure, t'as pas envie que ça arrive.

Mendoza et Baranski s'écartèrent pour le laisser passer,
puis ils m'emboîtèrent le pas tandis que je me dirigeais vers
la Porte 055.

J'entendais la voix de Baranski derrière moi.

— Écoute, c'est juste une question de temps avant que tu
te retrouves à la prison militaire de Long Binh si tu continues à…

Il me rattrapa, me poussa un peu sur le côté d'un coup
d'épaule ; je m'arrêtai et me tournai vers lui, prêt à mordre.

— Ho, ho… Il est pas question que tu recommences un
truc comme ça. (Il tendit ses deux paumes face à moi.) Si tu
voulais bien t'arrêter une seconde… (J'attendis.) C'est une
chose que tu veuilles bouffer du jaune ou te faire les valets de
chiottes, mais si tu franchis la ligne de vol et si tu commences
à t'en prendre au personnel de l'Air Force, ils vont te renvoyer
à Chu Lai, même si c'est dans un pousse-pousse.

Je restai planté au milieu du chemin de terre et sentis les
vagues de chaleur déferler dans mes poumons. J'étais fatigué,
j'avais la gueule de bois et j'étais en colère, mais même avec
ma courte expérience dans l'exercice des fonctions de représentant de la loi, je savais qu'il avait raison.

Baranski m'adressa un sourire méchant parfaitement
blanc et Mendoza vint se planter à côté de lui. Je remarquai
cependant qu'ils se tenaient tous les deux à une distance
respectable de mon poing.

— Tu nous suis, mais tu ne fais rien et tu ne dis rien, compris ?

Je les suivis jusqu'aux quartiers généraux de la sécurité,
où nous réquisitionnâmes une des jeeps. Nous partîmes, eux
devant, moi derrière.

Nous contournâmes l'aire de trafic sur le tarmac, les touffes d'herbes à paillote égratignèrent le bas de caisse et la boue des flaques vint consteller les flancs de la jeep. Nous passâmes à côté des morceaux de fuselage et autres débris d'un avion qui s'était abîmé. Nous contournâmes de grands hangars en tôle qui me rappelèrent ceux que les ranchers ajoutaient sur leurs terres, chez nous, dans le Wyoming. J'en eus le mal du pays et je me mis à penser à de jolies blondes, mais je sentais d'autres passions m'animer et mes mains se figèrent.

Arrivé aux baraquements, j'eus une vision plus claire de la manière dont vivait l'autre moitié de la population. Sur une base aérienne, les pilotes sont des princes et les pilotes de chasse sont des rois.

— Il quitte la base constamment.

Le sergent en faction ne savait pas où Brian Teaberry se trouvait et il ne leva même pas les yeux lorsque nous entrâmes.

— Il n'a aucun vol prévu avant demain matin à 0800.

Baranski s'appuya sur le comptoir et contempla le sommet de la tête du sergent. C'était un vétéran meurtri par la guerre de Corée et il était peu probable qu'il se laisse impressionner par notre enquête sur un meurtre.

— Il s'agit d'une enquête sur un meurtre.

L'homme débordé de travail finit par abandonner les formulaires qu'il était en train d'agrafer et leva la tête.

— Et alors?

Je m'approchai et mis un coude sur le coin du comptoir pendant qu'il posait son agrafeuse.

— Écoute, le colosse, je ne sais pas où il se trouve.

Je lui agrafai le lobe de l'oreille droite sur le cou.

— Putain!

Je lui agrafai le lobe de l'oreille gauche sur le cou.

— Putain, mais…! Attendez une minute, bon Dieu! Mais débarrassez-moi de ce type!

Le sergent dit que Teaberry était à l'accueil passagers; il était censé attendre l'arrivée de sa nouvelle fiancée, qui était adjointe administrative et venait de Saigon en visite, et il était probablement en train de jouer aux cartes.

craig johnson

Des bus bleu marine étaient alignés devant le bâtiment, destinés aux nouveaux arrivants, et un grand nombre de membres de l'Air Force, assis par terre, attendaient aussi bien des vols au départ que des vols à l'arrivée. Je lus le panneau en deux langues à l'entrée : SÉCURISEZ ARMES AVANT D'ENTRER.

— Reste dans la jeep, mec.

Je levai les yeux et Mendoza m'adressa un signe comme on le ferait à un chien. Assis.

Ils restèrent à l'intérieur quelques minutes seulement avant de revenir, de redémarrer la jeep et de nous faire passer derrière, de l'autre côté d'une clôture en bois et grillage où se trouvait une zone d'attente réservée aux officiers. Ils sortirent de la jeep et le Texicain me fit à nouveau signe de ne pas bouger.

Ce que je fis, tandis qu'ils franchissaient un portail sur notre droite et traversaient une cour où trois capitaines et un premier lieutenant étaient en train de jouer aux cartes sous un auvent de fortune. Quelques C-123 chauffaient sur le tarmac à quelques dizaines de mètres de là seulement, et le vacarme provoqué par leurs moteurs ébranlait le sol.

Baranski et Mendoza avancèrent sans se presser jusqu'aux joueurs. Je les observai dans le fracas pendant qu'ils se présentaient et bavardaient un peu avec les officiers assis. Un type d'une taille considérable, avec des cheveux clairs et une moustache rousse, dit quelque chose à Mendoza.

Teaberry.

Mendoza lui répondit. Teaberry dit quelque chose à Mendoza et à Baranski. Baranski dit quelque chose à Teaberry, qui dit à nouveau quelque chose qui déclencha l'hilarité des autres hommes assis autour de la table. Mendoza hocha la tête, dit quelque chose, puis fit un geste dans ma direction. Viens.

Je me levai.

Teaberry me jeta un coup d'œil, puis il dit encore quelque chose aux autres joueurs de cartes qui éclatèrent de rire. Mendoza sourit et gesticula à nouveau. Vas-y, attaque !

Je sortis de la jeep.

Teaberry s'apprêta à se lever, mais Mendoza le repoussa pour qu'il reste assis sur sa chaise pliante en métal.

J'arrachai le portail en passant.

Les deux autres capitaines et le premier lieutenant jetèrent leurs cartes et disparurent à l'intérieur du bâtiment. Teaberry se dégagea de l'emprise de Mendoza et s'enfuit à l'autre bout de la cour.

J'attrapai Teaberry au niveau de la clôture.

Il dit qu'il ne savait rien de Mai Kim. Mendoza et Baranski se précipitèrent sur moi, mais je restai cramponné à Teaberry et le traitai de menteur et s'il ne me disait pas tout ce que je voulais savoir, j'allais l'étrangler avec ses propres intestins. Teaberry dit quelque chose, mais ce n'était pas tout à fait ce que je voulais entendre, alors je le jetai contre la clôture.

Mendoza passa ses bras autour de ma tête et Baranski m'attrapa par les genoux, mais je réussis malgré tout à saisir Teaberry qui essayait de s'enfuir. Je tombai sur lui et la clôture s'écroula.

Teaberry dit que Hollywood Hoang lui avait arrangé le coup et que pour une somme symbolique de dix dollars Mai Kim l'avait emmené dans un bunker en sacs de sable entre la Porte 055 et l'Hotel California, où ils avaient baisé – ce qui l'avait requinqué, même si cela n'avait pas duré très longtemps. Ensuite, il l'avait ramenée jusqu'à la Porte 055, où leurs chemins s'étaient séparés. Teaberry dit qu'elle s'était dirigée vers le Boy-Howdy Beau-Coups Good Times Lounge à environ 1 heure du matin et que c'était la dernière fois qu'il l'avait vue. Le planton en faction devant la Porte 055 pouvait témoigner de la véracité de son histoire.

Je le lâchai, et Mendoza et Baranski me lâchèrent.

— C'est quoi, l'histoire, avec Eli ?

Il soupira et décolla la ceinture de sécurité qui lui serrait la poitrine en la tirant avec son pouce.

— La médecine a été souillée…

Il relâcha la ceinture et tourna la tête sans pour autant quitter la route des yeux.

craig johnson

J'avais une vague connaissance de la plupart des objets sacrés cheyennes.

— Les Flèches sacrées ?

Il prit une grande inspiration.

— Il y en a trois.

— Des flèches ?

— Des objets sacrés. Les Flèches sacrées, la Coiffe médecine sacrée et le Compte d'automne sont tous cheyennes. Je ne suis pas certain de ce qu'ont les Crow.

— Le Compte d'automne. C'est ce dont tu m'as parlé à Philadelphie ?

— Oui. Le *Tonoeva Wowapi* est le seul que j'aie jamais vu. C'est une peau sacrée couverte de symboles qui racontent l'histoire de notre peuple et qui, s'ils sont lus correctement, peuvent prédire l'avenir. On dit que c'est le plus petit de ses pouvoirs.

Il s'agissait de choses que Henry Standing Bear ne prenait pas à la légère. Je continuai donc à conduire en silence, attendant la fin de l'explication. Les muscles de sa mâchoire se serrèrent, mais il ne dit rien. Ses yeux noirs reflétaient les rayons du soleil qui tapaient sur le pare-brise.

— Mon demi-frère, Lee, l'a vu…

J'étais dévoré de curiosité, non seulement à l'idée d'en savoir plus sur l'objet en question mais aussi concernant Lee, dont il parlait rarement. Je savais qu'il l'avait vu sur le chemin du retour de Philadelphie, mais j'hésitais toujours quand il s'agissait de choses personnelles, conscient de la frontière entre blanc et rouge, où il n'y avait pas de zone rose.

— Et la Coiffe sacrée ?

Il parut content d'abandonner le sujet de Lee et du Compte d'automne.

— Matriarcale par nature, la *Issiwun* symbolise le bison et la moisson.

— Et les Flèches ?

Il baissa les yeux et regarda dans le vide, sur le sol entre nous.

— Il s'agit de quatre flèches à tête de pierre enveloppées d'une peau de coyote. J'étais un petit enfant, et c'est mon père qui m'a emmené dans un tipi où elles m'ont été dévoilées. Je me rappelle que ma mère a attendu dehors, elle n'avait pas le droit de poser les yeux sur elles. Régulièrement, elles sont restaurées avec des tendons neufs et des nouvelles plumes. Elles sont conservées – comme les autres objets – par une personne qui en a la responsabilité jusqu'à la fin de sa vie, ou jusqu'au moment où elle décide elle-même d'y renoncer.

— Alors, laisse-moi deviner. Les White Buffalo étaient les gardiens des Flèches ?

— Non, le gardien des Flèches doit être un sang pur, et à ma connaissance, les Flèches se trouvent chez les Cheyennes du Sud, dans l'Oklahoma.

— Et la Coiffe médecine ?

Il laissa échapper un petit rire.

— La Coiffe est ornée d'un scalp crow. Il est peu probable qu'elle soit confiée à un guerrier crow.

Son visage se durcit et je savais qu'il pensait à son frère Lee.

— On ne sait pas où se trouve le Compte d'automne, donc la médecine dont a parlé Eli devait être le sac médecine qu'on a trouvé sur Virgil.

— Celui qu'il portait autour du cou ?

— Oui. (Il se redressa.) Apparemment, Eli aurait le sentiment que les actes commis par son père ont entaché sa fonction de gardien d'un objet sacré.

— D'où *la médecine souillée* ?

Son visage était indéchiffrable.

— Eli n'a aucun doute sur le fait que son père a commis ces actes.

Je soupirai.

— C'est bien malheureux.

— Oui.

Je repensai à la photographie du petit garçon.

— Donc, Eli est le fils de Virgil ?

— Oui.

Je revis le porte-carte rose.

— Et le reste de la famille, la femme et la petite fille ?

— Sandra et Mara, mortes toutes les deux.

— Comment ?

Les épreuves traversées par son peuple pesaient lourd sur ses larges épaules, mais il répondit sans la moindre émotion.

— Collision de face avec un camion. Elles sont décédées en janvier 1971.

— Et Eli a survécu ?

— D'après ce que j'ai compris, à l'époque, il avait déjà des soucis de comportement et on l'avait envoyé dans un foyer. Aujourd'hui, il a sa propre galerie à Hot Springs, dans le Dakota du Sud. De l'art amérindien abstrait, mais c'est loin d'être facile.

Je hochai la tête, et au bout d'un moment, il se tourna pour me regarder.

— Quoi ?

Je pris une grande inspiration et calai le régulateur de vitesse sur 140.

— Donc, souiller la médecine, c'est comme une malédiction ?

La Nation Cheyenne fronça les sourcils.

— Oui, j'imagine.

Je sentis mon visage se contracter.

— Eh bien, on dirait qu'elle a la vie dure.

Je remarquai qu'un agent de la patrouille de l'autoroute avait arrêté un véhicule vert au loin, au sommet d'une colline, et j'appuyai sur le frein. Je ralentis et garai mon camion juste derrière le Dodge tandis que la sculpturale blonde avec ses lunettes miroir calait une main sur sa hanche, juste à côté du Glock et que, plantée devant la porte du conducteur de la Land Rover de Tran Van Tuyen, elle se tournait pour nous regarder.

Rosey portait des petits gants avec des fermoirs en nacre qu'elle avait laissés ouverts et qui dévoilaient sa peau au niveau des poignets, très claire comparée à ses bras bronzés. Elle ajusta son chapeau et s'approcha de mon pick-up. Elle avait dans la main le permis de conduire, les papiers du véhicule et l'attestation d'assurance de Tuyen.

J'aimais sa façon de marcher et son sourire.

— Comment ça va, M'dame l'agent ?

Elle descendit ses lunettes de soleil sur son nez et me regarda.

— On dirait qu'on est au milieu d'une espèce de courant migratoire vietnamien, non ?

— C'est le grand-père.

Elle changea immédiatement d'attitude.

— Oh.

Je levai les yeux vers Tuyen, qui était toujours calmement assis dans sa voiture, mais il ajustait son rétroviseur pour pouvoir nous observer.

Elle appuya un coude sur le rebord de ma portière et lui lança un rapide coup d'œil.

— Limite… 132 km/heure.

— Et si tu le lâchais ? Ces derniers jours n'ont pas été faciles pour lui.

Ses yeux revinrent se poser sur moi, et le parchemin délicat de la peau tendue sur ses hautes pommettes me rappela une autre personne qui avait été très belle.

Elle hocha la tête et baissa les yeux pour les remonter aussitôt, très lentement.

— Tu m'en dois une.

Elle me tendit les papiers avec un sourire en coin. J'avais un peu chaud, et je ne crois pas que cela était dû à la température extérieure.

Elle retourna à son Dodge noir en roulant des hanches et, juste avant de remonter en voiture, nous lança un dernier regard. Je me tournai vers Henry.

— C'est toi, n'est-ce pas ? Je veux dire… ce n'est pas moi.

Il fronça les sourcils.

— Non, c'est toi. Certaines femmes ont des goûts très particuliers.

Je sortis du pick-up et m'approchai de la Land Rover de Tuyen tandis que Rosey se glissait à nouveau sur l'autoroute comme une panthère ondoyante à la recherche d'une proie, et disparaissait après le col. Tuyen se tourna vers moi lorsque je m'appuyai sur sa portière. Je remarquai que la valisette rigide que j'avais vue dans la ville fantôme était désormais posée sur le sol devant le siège passager. Je lui tendis ses papiers, puis j'observai l'autoroute, dans un sens puis dans l'autre.

— Vous rentrez à votre motel ?

Il rangea son permis de conduire dans son portefeuille et glissa les autres documents dans le compartiment de rangement central.

— Oui.

— Monsieur Tuyen, sauriez-vous par hasard si Ho Thi voyageait accompagnée ?

Il me regarda, le visage toujours aussi impassible.

— Quoi ?

— Selon certaines informations que je viens d'avoir, votre petite-fille ne voyageait peut-être pas seule, et je me demandais si vous auriez une idée de l'identité de la personne qui aurait pu se trouver dans la voiture avec elle.

Je le regardai poser son regard sur le volant.

— Je... Je n'en ai pas la moindre idée.

Je me penchai et calai mes deux bras sur le bord de sa portière.

— Pourriez-vous prendre contact avec votre organisation, là-bas, en Californie, et demander si quelqu'un a disparu ?

— Certainement.

Il tendit la main vers son téléphone portable, qui était branché sur le tableau de bord.

— Ne vous pressez pas. Vous n'aurez pas de réseau tant que vous ne serez pas arrivé à Powder Junction.

Il essaya de sourire, mais son expression resta sombre.

— Devant le cabinet du vétérinaire ?

— Ouaip.

Il prit une profonde inspiration.

— Vous pensez qu'il se peut que Ho Thi ait voyagé avec quelqu'un ?

— C'est possible.

D'une chiquenaude, je basculai mon chapeau en arrière.

Il hocha la tête.

— Je vais contacter Enfants de poussière et voir si quelqu'un d'autre a disparu.

Il me lança un bref coup d'œil avant de laisser son regard se perdre dans les collines infinies qui semblaient s'éloigner, un paysage si vaste qu'on en avait mal aux yeux.

— Cela est tout à fait bouleversant.

— Oui. (Je me redressai et fis un signe en direction de Henry.) Mon ami et moi allons descendre à Powder Junction et poser encore quelques questions. Serez-vous dans votre chambre d'hôtel ?

— Oui.

— Nous pourrions déjeuner aux alentours de 13 heures ?

Il leva des yeux interrogateurs, et je lançai par-dessus mon épaule :

— Il n'y a qu'un restaurant à Powder Junction. Celui qui est attenant au bar.

Henry observa mon profil tandis que je manœuvrais pour contourner la voiture de Tuyen avant d'accélérer jusqu'à 140. Je lançai un coup d'œil à mon meilleur ami au monde tout en reprenant les éléments que nous avions et en regardant Tran Van Tuyen sortir derrière nous et nous suivre, à une vitesse inférieure.

— Est-ce que tu crois que j'ai des préjugés ? Vraiment ?

— Oui.

Je me tournai vers lui. Son sourire était triste.

— Nous en avons tous, jusqu'à un certain point – et c'est malheureux, n'est-ce pas ?

Sous son regard, je vis la Land Rover verte rapetisser dans mon rétroviseur. Nous restâmes tous les deux silencieux jusqu'à notre arrivée à Powder Junction.

Les frères Dunnigan furent faciles à trouver – ils fauchaient maintenant l'autre côté de l'autoroute, et les faucheuses géantes arpentaient comme des insectes préhistoriques les pentes douces du talus. Je mis en route la signalisation d'urgence sur le toit de mon pick-up, ralentis et me rangeai devant les gros engins.

Den ralentit et s'arrêta à quelques centimètres seulement de mon pare-chocs arrière. Je sortis et levai les yeux vers lui, mais il ne bougea pas et resta enfermé dans la cabine de verre de la machine dont les moteurs tournaient toujours. James était déjà sorti de la sienne, il avait descendu l'échelle et accourait vers moi. Il leva une main, son bras mince émergeant de la manche de sa chemise comme un marteau dans une cloche. Je lançai un regard vers Den à nouveau. Il enfonça sa casquette sur sa tête et nous ignora. James eut un sourire nerveux.

— Salut, Walt.

Me disant que cela allait le perturber, je m'appuyai sur les lames avant de la machine de Den.

— Bonjour, James. J'ai encore quelques questions à vous poser, à toi et à ton frère, si ça ne vous dérange pas.

Je le regardai ôter son chapeau de paille trempé de sueur – les traces d'argile rouge mêlée à la sueur sur son front étaient aussi sombres que des taches de sang. James gesticula à l'intention de Den, qui, de mauvaise grâce, coupa le moteur de la faucheuse, poussa la porte en verre et descendit jusqu'à nous en passant devant l'engin. Je laissai les Dunnigan se rejoindre avant de poser mes questions.

Den nous regarda de haut. Il avait sorti une petite glacière de la cabine. Il s'assit et se mit à manger son déjeuner.

— On n'a pas trouvé d'autr' corps, si c'est pour ça que t'es venu.

Je l'ignorai.

— James, lorsque tu as rencontré Ho Thi Paquet, la jeune femme dans la…

— C'était ça, son nom ?

Je l'observai pendant quelques instants.

— Je suis désolé, James. Oui, c'était ça. (Il hocha la tête et regarda ses godillots, enroulés dans deux épaisseurs de gros scotch.) Lorsque tu as rencontré Ho Thi au bar, était-elle seule ?

Ils me regardèrent tous les deux, mais la seule émotion que je pus déchiffrer, ce fut la confusion.

Den sortit un sandwich de son emballage et ouvrit une bouteille de Busch, serrant la capsule entre ses doigts avant de la jeter dans l'herbe haute. Il finit par parler.

— Dans le bar ?

Je hochai la tête.

— Oui.

— Ben, ouais. Enfin, le barman était là.

— Personne d'autre ?

Ils échangèrent un regard, puis James répondit d'une voix éteinte.

— Non.

— Lorsque vous êtes sortis, y avait-il quelqu'un d'autre dans sa voiture ?

Den fit la grimace sous l'effet du soleil et se mit à mâcher une bouchée de son sandwich.

— Non.

Je hochai la tête.

— Les gars, ma prochaine question va être un peu personnelle. Où est-ce que vous avez couché avec elle ?

James parut un peu inquiet et il lança un coup d'œil en direction de Henry, qui était sorti du Bullet et montrait un intérêt pour les engins agricoles que je ne lui avais jamais vu.

— Dans le camion.

— Ton camion ?

— Ouaip.

J'approuvai d'un signe de tête.

— Garé où ?
— Vers Bailey.
— Elle est montée avec vous ?
— Ouaip.
— Et ensuite ?

Le cou de James était en train de virer au rouge vif. Il jeta un coup d'œil à l'Ours.

— Ben… j'suis passé en premier…
— Non, je veux dire, après. (Il leva les yeux vers moi.) Après que toi et Den vous avez couché avec elle, est-ce que vous l'avez ramenée à sa voiture ?

Ils répondirent d'une seule voix.

— Oui.
— Et vous n'avez vu personne dans la voiture avec elle ?

De la même voix à nouveau :

— Non.
— Quelle heure était-il lorsque vous l'avez quittée ?

Les deux frères échangèrent un regard, et James se mit à parler avant d'être interrompu par Den, qui jeta le reste de son sandwich dans la glacière et la referma d'un coup sec.

— Mais, putain, comment tu veux qu'on sache quelle heure…

James lui fit signe de se taire d'une main, tandis que l'autre se cramponnait au bord de son chapeau alors qu'il réfléchissait.

— On a arrêté de couper à environ 15 heures, on a passé deux bonnes heures avec elle au bar, puis un peu plus d'une heure avec elle à Bailey, et ensuite on l'a ramenée.

— Ça fait 18 heures, 18 h 30.

— Ouais.

Je hochai la tête.

— D'accord. Si vous voyez ou entendez quelque chose, les gars…

James se mit à se dandiner d'un pied sur l'autre et je cessai de parler. Ses yeux se mouillèrent.

— Walt, y a autre chose.

La voix de Den retentit tandis qu'il se glissait entre nous, toujours assis sur l'avant de la faucheuse, balançant la bouteille de bière entre ses doigts.

— James, putain, il veut pas entendre ces conneries !

Je me tournai à nouveau vers James, qui s'éclaircit la voix.

— Il m'arrive des drôles de trucs, ces derniers temps, enfin, j'vois des trucs.

Den se rapprocha.

— James...

Le vieux rancher se mit à tirailler le coin de sa bouche avec son index.

— Après qu'on l'a trouvée sur le bord de l'autoroute...

Den arracha sa casquette d'un geste violent.

— Bon Dieu, James !

James se pencha un peu et je perçus une vague odeur de brandy à la myrtille.

— Après que tu nous as parlé la première fois...

Je hochai la tête.

— Oui ?

— Et on savait tous qu'elle était morte...

J'attendis sans rien dire. Quelques voitures passèrent sur l'autoroute, mais les yeux de James ne quittèrent pas les miens.

— Walt... est-ce que tu crois aux fantômes ?

Parmi toutes les révélations que j'aurais pu imaginer de la part de James Dunnigan, une foi inébranlable dans le paranormal devait être en dernière position sur la liste. J'ignorai Henry, qui reporta son regard de James à moi.

— Je ne suis pas sûr de comprendre.

James s'interrompit, et la tension dans sa voix était perceptible.

— C'est une question assez simple – est-ce que tu crois que les morts reviennent ?

Je repensai à des événements récents et une sensation de malaise grandit dans ma poitrine serrée. Je repensai à la fois où, dans les Bighorn Mountains, pendant un blizzard, j'avais vu des Indiens dont le conseil était que parfois il valait mieux dormir que se réveiller. Je repensai à une cabane en ruines sur la rive de la Powder River, à des écharpes flottant au vent et à des écailles de peinture qui se détachaient en spirale de copeaux de bois comme des notes de musique. Je pensai à des casques des Eagles et à des cérémonies et à des nuages en forme de chevaux.

— James… (Ma voix resta coincée dans ma gorge comme un bouchon de vapeur et me parut étrange, même à moi.) Pour être honnête, non, je ne pense pas que les morts reviennent. (Ma voix se mit à chevroter et sa tête se pencha, à peine.) Parce que je ne suis pas certain qu'ils partent jamais.

Il leva les yeux.

— Je l'ai vue.

— Qui ?

— Je jure que j'l'ai vue.

Den interrompit son frère à nouveau.

— Putain de bon Dieu, James ! Y vont t'enfermer, si tu continues !

— Ho Thi, je l'ai vue.

Je posai une main sur l'épaule osseuse du vieux rancher.

— Où ça, James ?

— À Bailey. (Il regarda vers la gauche et un peu vers le nord, comme si quelqu'un pouvait être en train d'écouter.) Dans la ville fantôme.

12

Je lâchai à nouveau le bouton du micro, mais je n'entendais toujours rien. La Nation Cheyenne fit quelques pas sur les planches pour se mettre à l'ombre et baissa la visière de sa casquette sur ses yeux.

— Quelque chose?

Je raccrochai le micro sur le tableau de bord et refermai la portière.

— Non. Ça doit être les parois rocheuses.

Il s'appuya contre l'un des poteaux de soutènement et contempla les vieilles ornières de la rue principale de Bailey, puis les falaises suspendues au-dessus de nous comme des vagues de pourpre. Le soleil était haut, aucune ombre n'était discernable, et il semblait qu'il faisait encore plus chaud ici.

— Un certain nombre de traces de pas – en plus des nôtres – sont visibles là-haut, près du cimetière.

J'avais sillonné la ville pendant que Henry s'était dirigé vers le surplomb rocheux près de la salle municipale. Je hochai la tête et rangeai mes Ray-Ban dans la poche de mon uniforme pour soulager l'arête de mon nez.

— C'est là que j'ai trouvé Tuyen, dans le cimetière.

— Il y a des serpents à sonnettes, là-bas.

— C'est bien ce que je me disais.

Une poutre transversale était fixée entre deux poteaux. Je m'approchai et m'assis côté rue tout en continuant à examiner la ville déserte et sous l'emprise de la sécheresse et de la poussière.

— James a dit qu'il l'a vue près de la route.

— James dit que sa mère morte lui prépare le café le matin.

Je parvins à le regarder entre mes paupières mi-closes et regrettai immédiatement d'avoir retiré mes lunettes de soleil.

— Il y a ça… mais juste au cas où cette mystérieuse fille existerait vraiment, il dit qu'il l'a vue à côté de la route. Maintenant, dans quel autre endroit pourrait-elle se trouver ?

— En train de faire du café ? (Je le regardai avec plus d'insistance.) D'accord. Si on suppose qu'elle existe vraiment, on suppose aussi qu'elle ne souhaite pas qu'on la trouve, OK ?

Je regardai en direction de l'est, puis du nord, vers la salle municipale et les pins et les peupliers de Virginie éparpillés sur la rive de Beaver Creek. Il n'était pas difficile d'imaginer la petite ville animée qu'elle avait dû être avant la catastrophe. On pouvait presque voir les chevaux attachés aux barrières, les carrioles et la locomotive à vapeur s'arrêter en crachotant et en fumant sur ses voies étroites, au bout de la rue.

— Ouaip. En supposant qu'elle existe, elle s'est enfuie après que son amie a été tuée et balancée au bord de l'autoroute.

Il vint me rejoindre et s'assit à l'autre bout de la barrière.

— Elle n'a pas été tuée en ville.

— Non. Trop de risques de se faire repérer.

— Et plutôt loin de l'autoroute.

— Ouaip.

Il hocha la tête, son profil aux lignes acérées de statue en bois sculpté tourné vers le cimetière.

— Est-ce que tu penses qu'elle a assisté au meurtre ?

— Cela pourrait être une explication au fait qu'elle se cache.

Je contemplai une buse à queue rousse qui était pourchassée par deux oiseaux plus petits et me demandai comment allaient Vic, Cady et Michael.

L'Ours se tourna et regarda mon profil tandis que se levait une légère brise, plus chaude que l'air immobile.

— Tu sais, il y a quelque chose d'étrange dans cette ville…

— Tu veux dire, en plus du fait qu'il n'y a personne ?

Moi aussi, je pouvais manier le sarcasme.

— Oui, en plus de ça.

— Quoi ?

— Il n'y a pas d'église. (Il examina la rue, dans un sens, puis dans l'autre, s'attendant peut-être à ce qu'un édifice religieux apparaisse tout à coup.) S'il y en avait une, elle serait près du cimetière, mais il n'y a pas la moindre fondation, rien.

Je me levai, descendis la marche et avançai sur la rue, me tournant pour apercevoir l'ancienne mine.

— Est-ce que tu as inspecté la salle municipale lorsque tu es monté ?

— Non.

— Pourquoi ?

Henry allongea ses jambes sur la poutre transversale et s'adossa contre le poteau. Il sortit sa queue-de-cheval de la bande arrière de sa casquette, qu'il posa sur son visage.

— Je t'ai dit, il y a des serpents à sonnettes là-haut.

Je contemplai le poisson brodé sur son couvre-chef.

— Depuis quand as-tu peur des serpents à sonnettes ?

— Je n'en ai pas peur, mais ils m'ont dit que personne ne s'était rendu là-bas depuis que vous y êtes allés, Tuyen et toi.

— Oui, bien sûr. (Je remis mes lunettes de soleil. Je remarquai qu'il ne bougeait pas.) Qu'est-ce que tu fais ? La sieste ?

— Oui. Il me semble que c'est la seule chose intelligente à faire pendant que tu vas inspecter la salle municipale.

Je regardai en haut de la rue, la pente couverte de hautes herbes acérées comme des lames et qui montait jusqu'au bâtiment isolé au sommet de la colline, au-delà de la pyramide sombre du chevalement de la mine – un terrain piégé idéal pour les crotales.

— Qu'est-ce qui te fait penser que je vais faire ça ?

Sa casquette ne bougea pas et sa voix me parvint, étouffée.

— Je savais que tu ne me croirais pas, au sujet des serpents.

Les serpents à sonnettes muent en août. Leurs yeux se voilent et ils éprouvent de l'inconfort, ils sont contrariés et s'attaquent à tout ce qui passe ; et contrairement à la croyance populaire, ils ne "sonnent" pas forcément avant de mordre.

Une partie du chemin qui montait le long du cimetière était encore visible sur la gauche des falaises, et il restait quelques marches de pierre qui marquaient les virages où des hommes courageux descendaient sous terre pour remonter la houille. Je marquai une pause sur une marche pour voir si la Nation Cheyenne avait bougé ; elle n'avait pas bronché.

La plus grande partie du public américain, mystifié par le réalisateur John Ford dans les années 1940 et 1950, croyait que tout l'Ouest ressemblait à Monument Valley, l'endroit où il a tourné la plupart de ses films. C'était un paysage qui était devenu emblématique, et je devais admettre que le panorama que j'avais sous les yeux – avec le Hole in the Wall, ses reliefs rouges vertigineux et la profondeur brumeuse du paysage horizontal – ressemblait fort à Monument Valley.

Les seules traces étaient bien celles que Tuyen et moi avions laissées, mais elles s'arrêtaient au cimetière – au-delà, pas la moindre empreinte, pas d'herbe couchée, rien qui indiquât que quelqu'un y était monté depuis des années. Je repris mon souffle. Il était encore tôt et la température n'avait pas encore dépassé le seuil fatidique – pour nous – des 40 °C. Je ne voulais pas être à cet endroit dans deux heures, lorsque le soleil serait à son zénith et que Bailey serait une fournaise comparable au cinquième cercle de l'enfer.

La salle municipale était plus haut sur ma droite, isolée comme un phare battu par les vents au milieu des vestiges d'une tempête de rochers.

Je m'appuyai sur la grille en fer forgé qui entourait le cimetière et regrettai instantanément mon geste ; le métal noir était aussi brûlant qu'à la sortie du creuset. Je me rappelai Saizarbitoria sur l'aire de jeux, à Powder Junction, et je souris. Peut-être le Basque apprenait-il vite, ou bien c'était moi qui apprenais plus lentement.

Je me surpris à lire les inscriptions sur les pierres tombales, la date identique sur dix-sept d'entre elles, et pensai aux survivants qui avaient arpenté le petit chemin le long du cimetière. Je me demandai s'ils voyaient ces mineurs décédés qui avaient été piégés dans les ténèbres des tunnels sous mes pieds.

Je pensai aux deux bouteilles d'eau dans mon sac de sport, que j'avais laissé dans mon pick-up, et tournai le coin. Je n'avais fait qu'une douzaine de pas dans les hautes herbes lorsque j'entendis le bruit de crécelle, celui qui immobilise instantanément les gens de l'Ouest, qui se demandent pourquoi ils n'ont pas enfilé leurs jambières ce matin-là.

Comme dirait Lonnie Little Bird, c'était une belle bête, hmm… oui, c'est bien vrai. Au moins douze anneaux et il n'était qu'à environ trois mètres de moi. À nouveau, contrairement aux idées reçues, on ne peut pas juger un crotale d'après ses anneaux puisqu'il mue trois à quatre fois par an et qu'à chaque fois s'ajoute un nouvel anneau au bruiteur. Peu importait, il était grand et ni lui ni moi n'étions d'humeur à compter.

Il dessina un grand S et se mit à reculer. L'essentiel de son corps était aussi gros que mon avant-bras. Il s'était plaqué contre la contremarche dans un virage et il n'avait aucun repli possible. Il resserra ses anneaux et me tira une langue noire tandis que sa queue vibrait à côté de sa tête en forme de losange.

— Salut.

Je me dis que c'était un moment comme un autre pour tester la théorie de Henry. Le serpent ne réagit pas et resta dans sa position ramassée, ses yeux sombres brillant comme des perles noires.

— Tu n'as vu personne passer récemment, dis-moi ?

Il baissa un peu la tête tandis que je levais la main, très très lentement.

— C'est bien ce que je me disais.

J'aurais pu saisir mon arme, mais lorsque je pensai à ce que pourrait provoquer la balle de .45 quand elle toucherait la pierre, j'interrompis mon geste. Je continuai donc à monter ma main jusqu'à ce qu'elle parvienne au bord de mon chapeau.

Le reptile retentissant baissa encore un peu la tête et je m'immobilisai.

C'était ma faute, franchement – le déranger alors qu'il prenait un bain de soleil après un brunch de mulots ou de lézards. J'aurais pu me présenter comme le shérif et lui parler de l'affaire importante sur laquelle je travaillais, mais il ne paraissait pas intéressé et je commençais à avoir des doutes sérieux sur les théories de Henry concernant la communication interespèce.

D'un mouvement nerveux, je lançai mon chapeau qui suivit une grande courbe basse; le reptile le mordit à l'endroit le plus tendre, puis il disparut entre les rochers qui s'étageaient en saillie sur ma droite.

Je fis les deux pas nécessaires pour récupérer mon chapeau tandis que quelques pierres se détachaient et allaient rejoindre le tas d'éboulis en bas. Il n'était probablement pas le seul de son espèce.

— Hé, il y a un Indien endormi devant l'ancien magasin, pourquoi tu vas pas le mordre, lui?

Je contemplai le fond de mon chapeau – j'y vis une éraflure et une tache à l'endroit où le crotale l'avait mordu. J'avais presque besoin d'un nouveau chapeau, de toute manière. J'enfonçai le vieux couvre-chef en feuille de palme sur ma tête et continuai à monter les marches, le regard plus affûté.

La salle municipale était une œuvre imposante typique de l'architecture du début du XXᵉ siècle, avec des corniches crénelées et un seul étage bordé d'un balcon. La structure avait mieux résisté au temps que celles qui se trouvaient plus bas, parce que peu de gens étaient prêts à poursuivre leur promenade par une montée jusqu'au sommet de la colline – sans compter les serpents à sonnettes. Il y avait encore des vitres aux fenêtres, et bien que le meneau au-dessus de la porte soit fendu, il avait encore la brillance du vieux plomb. Une chaîne avait été passée dans les poignées des portes, mais elle s'était défaite à une extrémité et elle pendait sur le côté. Les dégâts ne dataient pas d'hier, et il n'y avait pas la moindre trace dans la poussière qui recouvrait tout.

La porte à panneaux reposait lourdement sur la barre de seuil, mais je la soulevai tout en la poussant et elle s'ouvrit dans le grincement sonore des vieilles charnières. Devant moi, un hall d'entrée qui menait aux bureaux, dans le fond, et un escalier sur la droite. Rien ne paraissait avoir été dérangé pour autant que la poussière s'en souvenait. Je parcourus les bureaux vides et écoutai les discrets couinements du plancher à larges lames.

Sur un côté, un comptoir, et un tas de chaises cassées entassées dans un coin – c'était à peu près tout. Les escaliers qui menaient à l'étage partaient à environ un quart de la longueur du bâtiment et débouchaient au milieu de la salle de bal. D'un côté, une porte s'ouvrait sur un balcon qui donnait sur la ville et les falaises ; de l'autre trônait une estrade, ainsi qu'un passage vers les coulisses.

Je contournai la balustrade de l'escalier et m'arrêtai dans la lumière aveuglante que laissaient passer les quatre fenêtres. Les rayons qui passaient par la vitre de la porte du balcon étaient piquetés de grains de poussière en suspension dans l'air immobile. L'atmosphère était étouffante à l'étage, et je sentis la sueur dégouliner entre mes omoplates. J'ôtai mon chapeau, l'accrochai sur la crosse de mon Colt et me passai la main dans les cheveux. Je fis trois pas et atteignis l'estrade.

Un vieux piano droit était repoussé contre le mur du fond, son banc rangé sous le clavier. J'ouvris le couvercle recouvert de poussière et effleurai un *fa* dont l'ivoire était écaillé. Il était un peu bémol, mais il résonna dans le silence et éveilla l'image de pas de danse aériens à un endroit où il n'y avait plus de danseurs depuis presque un siècle.

Je repensai à l'histoire que Lucian m'avait racontée et qu'il tenait de Red Angus, le shérif qui l'avait précédé, qui l'avait lui-même entendue de la bouche du shérif le précédant. Le double meurtre avait eu lieu le 31 décembre 1900 – à la Saint-Sylvestre, quelques secondes avant minuit, pour être précis. Pour fêter la nouvelle année, un grand bal avait été organisé et Max Holinshed n'avait pas dû trouver à son goût la femme qui embrassait son père pour lui souhaiter une bonne année 1901, alors il avait sorti son arme au beau milieu de la salle de bal et les avait tués tous les deux. Il avait été pendu dans la rue en dessous quinze jours plus tard. Lucian disait qu'il avait encore le journal du jeune Max contant le récit de ces deux semaines, et il m'avait promis de me le montrer un jour, histoire de me faire dresser les cheveux sur la tête.

Je sortis le banc, posai mon chapeau sur le piano et m'assis devant les touches blanches jaunies et les touches noires d'un gris passé. D'un doigt, je tentai de jouer une version édulcorée de la vieille chanson populaire *The Girl I Left Behind Me*.

Ce fut horrible, et si des fantômes habitaient les lieux, je les chassais certainement. La plus grande partie des touches étaient muettes, celles qui ne l'étaient pas étaient complètement désaccordées, et j'avais l'impression que des souris nichaient dans la caisse du vieil instrument abandonné.

Je pouvais toujours aller quérir mon ami le serpent à sonnettes et le mettre à contribution.

Je continuai à pianoter à la recherche de la partie sonore du clavier en pensant à Ho Thi Paquet, à son corps abandonné si lâchement à côté du tunnel de l'autoroute, à Tran Van Tuyen et à l'expression de son visage lorsque je l'avais interrogé au cimetière, et enfin à Mai Kim. Je repensai à la photo cachée dans la doublure du sac à main, à la personne que j'étais au Vietnam, à la manière dont Virgil White Buffalo regardait les enfants dans la cour, de l'autre côté de la rue.

Même dans la chaleur de midi, je sentais les fantômes se rassembler autour de moi, poser leurs mains sur mes épaules, battant une mesure improbable du bout des pieds. Je sentis une vague glacée me parcourir le dos, elle me fit frissonner alors qu'il faisait près de 40 °C, et je cessai de jouer. L'impression palpable que je n'étais pas seul était aussi oppressante que la chaleur et je sus que quelqu'un était en train de m'observer.

Je posai une main sur le banc du piano et me retournai.

Rien.

À travers les vitres opaques, le généreux soleil perçait et ses lueurs diffuses filtrées par la poussière animaient le sol décoloré comme des présences venues d'un autre temps. Je restai immobile et tendis l'oreille.

Rien.

Je regardai et attendis que les grains de poussière tournoient en rythme avec les vieux fantômes de Maxfield Holinshed, de son père Horace et de la femme mystérieuse qui avait imprimé à leurs vies un tournant désespéré ; ils ne le firent pas. La poussière resta suspendue, presque immobile. Du coin de l'œil, je croyais voir un mouvement, mais chaque fois que je tournais la tête, je ne trouvais rien. Je ris de moi-même et me demandai si le serpent à sonnettes m'avait rendu nerveux ou si je devenais craintif avec l'âge. Je me levai et refermai le couvercle du piano, rangeai le banc sous le clavier et pensai à Cady dans la salle de bal du centre d'accueil des vétérans, où il n'y avait pas de musique mais où il y en avait quand même.

J'allai jusqu'au bord de l'estrade, réfléchis à l'effet que produirait ma carcasse de cent-et-désormais-huit kilos sur le plancher centenaire de cet étage, puis sur celui du rez-de-chaussée lorsque j'aurais traversé celui-ci, et je redescendis les marches.

Sur le trajet du retour en ville, Henry me dit que le pick-up Ford des frères Dunnigan s'était avancé jusqu'à l'embranchement de la route menant à Bailey, puis qu'il avait fait marche arrière et poursuivi sur la route principale.

— Probablement partis tenter leur chance à nouveau.

Je lui lançai un regard par-dessus les verres de mes lunettes de soleil tout en demandant par radio à Saizarbitoria d'aller voir ce que devenait Tuyen. Il ne parut que modérément contrarié d'avoir passé la dernière heure et demie à surveiller la Land Rover verte garée devant le Hole in the Wall Motel.

Parasites.

— Il est probablement en train de faire une sieste. J'adorerais en faire autant.

Je branchai le micro.

— On est en route, et il est censé déjeuner avec nous.

Parasites.

— Vous voulez que j'aille le chercher ?

— Non. Retrouve-nous au bar.

Parasites.

— Bien reçu. Terminé.

Je regardai Henry à nouveau tandis que nous empruntions la route sinueuse qui nous ramenait à Powder Junction.

— J'ai l'impression que mon personnel n'est pas vraiment content de moi.

Il haussa les épaules. Je branchai à nouveau le micro.

— Allô la Base, ici Unité Un.

Je n'attendis pas la réponse et je me mis à chanter

— *I gotta gal and Ruby is her name. Ruby, Ruby, Ruby baby/She don't love me but I love her just the same...*

Parasites.

— Je t'ai demandé d'arrêter ça.

— Mais je ne suis pas encore arrivé au bout de toutes mes chansons sur Ruby...

Parasites.

— Oh si, tu es au bout.

Je remis le micro.

— Des nouvelles des jeunes de Philadelphie ?

Parasites.

— Ils viennent de finir de déjeuner.

— Est-ce que je vais avoir des ennuis ?

Parasites.

— Pas si tu es rentré pour dîner.

— Comment va le géant endormi ?

Parasites.

— Il n'est pas endormi. Double Tough est venu prendre la relève de Frymire, mais Lucian est à nouveau là pour jouer aux échecs, alors, il est reparti. (Il y eut une pause.) S'il te plaît, ne chante plus jamais ; je ne suis pas sûre que mes oreilles pourraient le supporter.

Tan Son Nhut, Vietnam : 1968

Il avait réussi à débarrasser ses lobes des agrafes, mais le sergent n'était pas particulièrement content de nous revoir. Par contre, il fut bien plus serviable cette fois, et beaucoup plus sensible à la gravité d'une enquête sur un meurtre. Hollywood Hoang était parti à Saigon pour une permission de trois jours.

Mendoza demanda s'il pouvait être un peu plus précis sur l'endroit exact où se trouvait Hoang, et je saisis l'agrafeuse.

Il répondit qu'il était notoire que Hoang fréquentait un endroit dans le quartier chaud, sur Tu-Do Street. Je posai l'agrafeuse.

Nous restâmes plantés tous les trois dans la moiteur de la nuit asiatique. Je regardai fixement Baranski qui essayait de se décider.

— C'est une mauvaise idée. Nous n'avons aucune juridiction là-bas et nous sommes en alerte maximale depuis 0945 ce matin, tous les indicateurs de sécurité au rouge depuis 1730, et nous avons pratiquement autant de chances de nous faire descendre par les gentils que par les méchants.

Mendoza hocha la tête.

— Ouais, mais…

Baranski fourra ses mains dans ses poches et coinça sa moustache avec sa lèvre inférieure.

— Autant chercher une petite bite dans une botte de foin vietnamienne.

Au bout d'un moment, le Texan parla à nouveau :

— Ouais, mais…

Baranski sortit une cigarette sans en offrir à quiconque et l'alluma.

— Putain, pourquoi est-ce que tout ça est tout à coup devenu si important pour toi ?

Mendoza me désigna d'un geste.

— Eh ben, notre marine va s'en aller à bord d'un jet demain matin…

Baranski l'interrompit, passa sa cigarette dans son autre main et pointa un index qu'il tapota contre la poitrine de Mendoza.

— Non, je parlais de toi. Pourquoi ce merdier est-il soudain si important pour toi ?

Le petit homme leva ses yeux noirs vers lui sans ciller.

— Je sais pas, mec.

— Tu ne sais pas ?

Je regardai la mâchoire du Texicain bouger.

— Hé, peut-être qu'on y est, mec. Peut-être que c'est LA chose dont on pourra se souvenir dans ce grand merdier de merde et dont on pourra être fier. (Il se tourna vers moi.)

Le cow-boy a pas beaucoup de temps, il va bientôt retourner dans la vraie vie – après le foin qu'il a fait ces dernières heures, il va certainement pas faire carrière en dehors des marines.

Ses yeux restèrent posés sur Baranski tandis qu'il fourrageait sous le siège avant de la jeep avant de me tendre mon arme dans son holster. Il finit par me regarder.

— Si on t'emmène pas, tu serais capable d'y aller à pied, c'est ça ?

Je confirmai.

— Ouaip.

Il soupira et se tourna à nouveau vers Baranski.

— Je croyais que les niacs faisaient une trêve ?

Le rouquin hocha la tête tout en continuant à fumer.

— C'est le cas, mais il y a eu pas mal d'attaques salopes vers le nord.

Mendoza resta là une minute, puis il monta dans la jeep ; sa décision était prise.

— J'ai du mal à suivre toutes ces putains de fêtes. Celle-ci, c'est quoi ?

Baranski balança ce qui restait de sa cigarette par terre et s'installa à la place du conducteur. Je repris ma place à l'arrière.

— Le Nouvel An lunaire.

Le Texicain contempla la porte principale et la guérite du gardien, qui aurait été plus à sa place dans une école publique en Californie du Sud, et la circulation dense sur la route de sept kilomètres qui menait à Saigon.

— Ouais, mais comment les jaunes l'appellent, déjà ?

Baranski mit la jeep en route.

— Têt.

Phillip Maynard était porté disparu.

Nous étions assis dans la partie café du Wild Bunch Bar, attendant l'arrivée de Tuyen en sirotant du thé glacé et en étudiant la carte.

— Il n'est pas venu travailler ?

— Non, et c'est que son sixième jour, alors il se pourrait très bien que je le vire, ce clown.

Plus mince que le crotale que j'avais croisé un peu plus tôt et à peu près aussi tolérante, Roberta Porter avait acheté le bar en 1998 et avait du mal, depuis le début, à garder son personnel.

— Pas de coup de fil, rien. Je suis allée voir chez lui et j'ai pas vu sa moto, mais j'ai entendu brailler la télé. J'ai tambouriné sur la porte, mais il n'a pas ouvert.

Je regardai Henry tandis qu'il parcourait la carte, et j'écoutai les subtiles modulations de sa voix qui s'éleva derrière la feuille plastifiée.

— Est-ce qu'il a travaillé hier soir ?

— Si on peut appeler ça travailler.

Elle sortit un crayon de la masse enchevêtrée de ses cheveux d'un blond douteux vu ses soixante-deux ans, et dégaina un bloc de la poche arrière de son jean. Je m'aventurai à faire une suggestion.

— Peut-être qu'il a la gueule de bois ?

— Ces derniers jours, il a goûté une quantité impressionnante de mes marchandises.

— On va aller y faire un tour et voir comment il va.

Je lui tendis la carte et imitai la Nation Cheyenne, qui avait demandé un Butch Cassidy Burger Deluxe avec fromage, bacon, oignons grillés et frites.

Elle gribouilla sur son bloc-notes, jetant un coup d'œil à Henry, puis à moi.

— J'ai entendu dire que vous aviez arrêté le grand Indien.

Je levai les yeux vers elle.

— Virgil White Buffalo.

— C'est comme ça qu'il s'appelle ? (Je hochai la tête.) Il est là depuis que j'ai acheté le café. Il regardait les gamins jouer dans la cour de Bailey School. Ça rendait certaines personnes nerveuses.

Elle coinça les cartes sous son bras.

— Vous croyez qu'il a tué cette fille ?

— Roberta, vous auriez du Tabasco, quelque part ?

Elle disparut dans sa cuisine, pas très satisfaite de se retrouver seul maître à bord. Je me tournai vers Henry.

— Cette histoire avec Maynard te paraît louche ?

Il s'installa confortablement sur sa chaise en bois courbé et en métal, qui protesta en gémissant.

— Pas assez pour sauter le déjeuner.

Je vis la voiture de patrouille de Saizarbitoria se garer. Le beau Basque sortit et tapota son jean couvert de poussière avec son chapeau pour essayer de se rendre plus présentable – le fait de rouler les fenêtres ouvertes entraînait quelques désavantages. Il ouvrit la porte en verre et s'approcha de notre table, son pouce gauche accroché dans son ceinturon.

— Alors, Sancho ?

— J'ai attendu jusqu'à 13 heures, puis je suis monté et j'ai frappé à la porte de Tuyen au motel, mais il n'a pas ouvert.

— Pourquoi as-tu fait ça ?

— J'ai pensé que je pourrais l'emmener dans ma voiture.

Je levai les yeux vers le jeune dandy qui me servait d'adjoint.

— Ce n'est franchement pas loin. (Il haussa les épaules et croisa les bras.) Tu n'essaierais pas, par hasard, de rattraper le fait que je l'ai un peu bousculé ?

Il ne répondit pas ; je me levai et lui fis signe de s'asseoir.

— Quand Roberta reviendra, commande un burger supplémentaire et, en attendant, prends le mien.

— Où allez-vous ?

— Je vais voir ce que fabrique Tuyen.

— Je vais avec vous.

Je pris une dernière gorgée de thé glacé.

— Non, tu manges, et je vais le chercher. Il y a des chances qu'il soit endormi, ou sous la douche.

Santiago ne s'assit pas pour autant et il me regarda tandis que je rangeais ma chaise sous la table. Mon regard s'attarda sur lui et je luttai contre une irrépressible envie de rire.

— Je te promets que je ne le molesterai pas.

Il me fixa jusqu'à ce que Henry lui tire une chaise.

Il faisait encore plus chaud, mais je décidai de marcher jusqu'au motel. C'était plus simple. Je chaussai mes antiques lunettes de soleil et commençai à marcher sur les planches. La rue principale était pavée, mais les rues adjacentes et les ruelles étaient d'une terre rougeâtre très sèche, recouvertes d'une poudre fine comme du talc.

Il nous fallait de la pluie.

Le temps d'arriver au motel, le dos de ma chemise d'uniforme était presque entièrement collé à ma peau et j'avais enlevé deux fois mon chapeau en feuilles de palme pour essuyer la sueur qui continuait à ruisseler sur mon front jusque derrière mes lunettes. Je regrettais amèrement ma décision d'y aller à pied.

La Land Rover était garée devant le motel. En parcourant le chemin de terre et le parking de graviers entre les chambres et la rue, je remarquai des traces laissées par une moto, la marque de la béquille à l'endroit où elle avait été garée et les traces révélant sa manœuvre, puis son départ.

Je pensai à Phillip Maynard et frappai à la porte.

— Monsieur Tuyen?

Rien.

Je frappai à nouveau, mais je n'entendis pas le moindre bruit dans la chambre.

— Monsieur Tuyen, c'est le shérif Longmire.

Un coup de pied aurait suffi, mais je me dis que la direction préférerait peut-être une approche plus subtile. En passant devant la Land Rover, je remarquai que les portières étaient verrouillées, mais que la mallette n'était plus à l'avant.

— Vous avez une clé de la chambre n° 5 ?

Une jeune femme que je ne connaissais pas – portant une oreillette reliée à un petit objet rangé dans sa poche de chemise, l'autre pendouillant sur sa poitrine – me tendit le passe qu'elle prit sur un crochet derrière le comptoir.

— Est-ce qu'il y a quelque chose, shérif ?

— Non, je viens juste vérifier que tous les matelas ont bien leur étiquette.

Elle ne me quitta pas des yeux ; j'entendais sortir de l'écouteur pendouillant ce qui pour elle devait être de la musique.

— Je plaisante.

Elle eut l'air étonnée.

— Oh.

Je refermai mes doigts sur la clé et restai là un moment, profitant de la climatisation.

— Avez-vous vu M. Tuyen ce matin ?

Elle hocha la tête.

— Oui, il est parti assez tôt, et ensuite il est revenu, il y a deux ou trois heures. Est-ce qu'il a des ennuis ?

Je lançai la clé en l'air et la rattrapai avant d'ouvrir la porte, marquant le pas devant le mur de chaleur qui s'élevait devant moi.

— Seulement s'il a enlevé les étiquettes.

Je la plantai là, la laissant se demander si, cette fois, j'étais sérieux.

Je frappai à nouveau et j'attendis en pensant à la mallette absente.

— Monsieur Tuyen, c'est le shérif Longmire. J'ai la clé que j'ai demandée à la réception, je vais ouvrir la porte.

Je la glissai dans la serrure et ouvris le battant. Je vis un petit couloir menant à la salle de bain sur la gauche et un placard ouvert dans lequel étaient suspendus un certain nombre de costumes très chers et des chemises fraîchement repassées, encore dans leur housse en plastique.

Je fis un pas de côté et laissai mes yeux s'accommoder à la pénombre. Le nécessaire de toilette de Tuyen et ses affaires personnelles étaient rangés dans la salle de bain, avec une serviette qui était gorgée de sang ; elle était posée sur le bord du lavabo et dégouttait sur le sol carrelé.

Je défis la lanière de mon Colt et le sortis de son holster. J'ôtai le cran de sécurité, regardai les taches sombres sur la moquette et fis un pas vers l'intérieur.

Je levai mon arme et entendis un bruit sur ma gauche. Il y avait deux grands lits et une flaque de sang en forme de haricot au pied de l'un d'entre eux, et encore du sang à l'autre bout de la pièce.

Malgré le cliquetis de l'antique climatiseur, je parvins à localiser le bruit ; il venait d'une autre pièce, à l'autre extrémité. On aurait dit quelqu'un qui marchait, peut-être en traînant quelque chose. Je brandis mon gros semi-automatique.

Des vêtements, ainsi qu'une paire de chaussures, jonchaient le lit qui n'avait pas été défait, mais ce qui retint mon attention, ce fut le fil du téléphone qui était tendu à l'extrême à un mètre du sol, entre la table de nuit et la porte de communication entre les deux pièces.

Je fis encore un pas, maudissant en silence le plancher qui grinçait sous mes pieds. Le bruit en provenance de l'autre pièce cessa, et le fil du téléphone se détendit et tomba sur la moquette.

Je tins mon .45 tourné vers la porte ouverte et pris une grande inspiration silencieuse avant de faire un pas de plus. Puis un autre. J'entendis un léger craquement et aperçus un vague mouvement. Je pivotai mon Colt, visant dans la direction du bruit. Tran Van Tuyen tenait dans une main un antique téléphone à touches beige, et dans l'autre une serviette imbibée de sang, collée contre sa tête.

Même de l'endroit où je me trouvais, j'entendais la voix de Ruby dans le combiné du téléphone.

— Monsieur Tuyen ? Monsieur Tuyen... vous êtes toujours là ?

Le sang de sa blessure à la tête avait coulé le long de ses joues et entachait son sourire qui éclaira la moitié de la pièce.

— Shérif ?

Son sourire se figea tandis que ses yeux se révulsaient, et il dégringola le long du chambranle, laissant une traînée de sang de la largeur d'une main sur la porte, avant de s'écrouler, sans connaissance, sur la moquette.

13

— Saizarbitoria croit que c'est toi qui l'as fait.

J'écoutai le crissement sous le capot lorsque nous prîmes le virage et me dis que le détachement de Powder Junction du département du shérif du comté d'Absaroka allait avoir besoin d'une nouvelle voiture de patrouille avec direction assistée, et cela sans tarder.

— Vraiment?

— Non, mais nous avons eu une longue discussion sur les relations entre les communautés.

Je pilotai le Suburban d'un rouge passé jusqu'à l'adresse que Phillip Maynard nous avait donnée, tandis que l'Ours bricolait les aérations en panne, avant de se décider finalement à baisser sa vitre, qui resta coincée à mi-chemin.

— Santiago est un jeune homme très intelligent.

J'avais donné mon camion à Sancho après avoir stabilisé Tuyen, et je lui avais intimé l'ordre de rentrer à toute allure à l'hôpital de Durant; je m'étais dit qu'un aller simple avec le Bullet serait plus rapide qu'un aller-retour de l'ambulance des secouristes. Même après avoir perdu tout ce sang, Tuyen était revenu à lui et nous avait dit qu'il n'avait pas la moindre idée de ce qui s'était passé, si ce n'était qu'il était entré dans la chambre du motel et qu'il avait été frappé par-derrière.

— Donc, nous fondons nos soupçons uniquement sur une série de traces de pneus laissées par une moto devant le motel ?

— À peu près, oui.

— Comment ça, à peu près ?

Je haussai les épaules.

— Exclusivement.

Il soupira.

— Pourquoi Phillip Maynard aurait-il tué Ho Thi Paquet et ensuite essayé de tuer Tuyen ?

— Je ne sais pas, mais il semble être notre suspect le plus plausible.

Henry tira sur sa ceinture de sécurité, qui se détendit, lâche, sur sa poitrine.

— Conduis prudemment. Je doute que cette ceinture puisse m'empêcher de me fracasser le nez sur ce tableau de bord si nous avions un accident.

Nous étions en route vers le sud de la ville, près des terrains de rodéo.

— Il est notre seul suspect. (Il réfléchit encore un peu.) Parfois, le fait de vivre dans le Wyoming présente des avantages inattendus.

— Vic dit que la plupart des avantages qu'il y a à vivre dans le Wyoming sont inattendus.

— C'est une femme moderne et elle a de grandes attentes.

Je sentis son regard peser sur moi un moment, avant qu'il ne se tourne vers la route, le sourire aux lèvres.

La maison de Phillip Maynard n'était pas vraiment une maison ; c'était plutôt un poulailler vaguement aménagé, ce qui voulait dire que, comparée aux autres cabanes qui se trouvaient un peu plus loin sur les rives du bras médian de la Powder River, elle semblait encore moins habitable.

Henry cala ses poings sur ses hanches et se planta à la grille.

— Où penses-tu que se trouve la porte ?

— Si j'en crois mes années d'enfance passées dans un ranch, je dirais qu'elle est sur le côté.

Je le suivis tandis qu'il contournait le coin de la construction délabrée pour trouver une porte à l'âme creuse sur laquelle avait été cloué un panneau DÉFENSE D'ENTRER.

Un téléviseur piaillait à l'intérieur – des publicités – et je frappai à la porte. Nous attendîmes et tendîmes l'oreille. Rien d'autre que la télévision. Voilà qui commençait à me rappeler la chambre d'hôtel de Tran Van Tuyen.

— Phillip Maynard, c'est le shérif Longmire. Pourriez-vous ouvrir la porte, s'il vous plaît ?

Rien.

Nous écoutâmes encore et apprîmes à quel point nos dents seraient blanches et notre haleine fraîche, si seulement nous utilisions telle marque de dentifrice, mais rien de Phillip Maynard. J'essayai de tourner la poignée ; la porte était fermée à clé. Je lançai un coup d'œil à Henry.

— J'espère qu'on n'est pas devant un motif récurrent.

— Est-ce que tu veux que je la force ou tu préfères le faire toi-même ?

J'examinai la surface écaillée et creuse de la porte intérieure, qui avait passé au moins un hiver exposée aux intempéries des Hautes Plaines à l'extérieur.

— Je crois que si nous soufflons dessus, elle s'écroulera.

Histoire de tester la validité de ma théorie, je saisis la poignée et tournai. La porte s'ouvrit d'un coup, emportant avec elle un morceau du chambranle.

Nous échangeâmes un haussement d'épaules. Le téléviseur était un minuscule écran de treize pouces posé sur un
pouf, et le sol recouvert d'un linoléum jaune sale était jonché
de vêtements qui débordaient d'un sac à dos énorme posé
sur un lit encastré. Contrairement à la chambre de Tuyen,
on n'avait pas l'impression que quelqu'un avait été tué ici –
personne d'autre que la fée du logis, en tout cas.

L'Ours me contourna et regarda Suzanne Rico annoncer
les nouvelles depuis le studio de Channel 13 à Casper, puis
il éteignit la télévision. Sur le lit se trouvaient un sac en
papier ouvert, un vêtement qui ressemblait à une vieille veste
de moto en cuir de cheval et un certain nombre de bouteilles de Budweiser vides, un cendrier qui débordait, rempli
de mégots de cigarettes et de joints. Une autre collection
de bouteilles était visible à côté de l'unique chaise présente
dans la pièce.

Henry revint et retourna le livre posé sur le lit.

— *Traité du zen et de l'entretien des motocyclettes.*

— C'est pour le moins approprié.

Il me montra la couverture pour me prouver qu'il n'avait
pas menti, puis il désigna les bouteilles posées à côté de la
chaise.

— On dirait que Phillip recevait hier soir.

Je m'accroupis et détaillai les bouteilles vides, tirai un
stylo de ma poche de chemise et en inclinai une suffisamment
pour pouvoir la soulever par le goulot. Quelque chose faisait
du bruit au fond – c'était la capsule qui avait été pliée en
deux. Je reposai la bouteille et levai les yeux vers la Nation
Cheyenne.

— Je crois que je vais aller voir la propriétaire.

Gladys Dietz avait loué son épatant petit poulailler à Phillip Maynard pour la somme imposante de cent dollars par mois, charges comprises, mais elle commençait à avoir des doutes sur sa décision. Et moi, je commençais à avoir des doutes en la regardant fumer avec le tube à oxygène qui passait juste sous son nez, m'attendant à ce qu'une explosion me projette à quelques centaines de mètres.

— La télé marche tout le temps, et cette sacrée moto, elle fait un de ces potins !

Elle s'appuya sur son déambulateur d'une main et retint la porte à moustiquaire de l'autre.

Je connaissais Gladys. Elle et son mari avaient été les propriétaires d'un lac ouvert à la pêche que mon père et moi avions fréquenté, et elle se faisait à l'époque un plaisir de raconter à tout le monde qu'elle avait l'intention de mourir bientôt.

J'avais passé le cap de la cinquantaine et j'étais à la tête de la police du coin, mais elle s'adressait toujours à moi comme si j'avais huit ans. Je tenais mon chapeau entre mes mains.

— Madame Dietz…

— Ta chemise aurait besoin d'être repassée, Walter.

Gêné, je lissai les poches de mon uniforme et essayai désespérément de me souvenir du nom de son mari.

— Oui, madame. Comment va George ?

— Il est mort.

Voilà ce qu'on gagne à demander des nouvelles de personnes âgées.

— Je suis désolé de l'apprendre.

Elle secoua sa chevelure argentée et je contemplai mes bottes en manque de cirage.

— Pas moi. Il devenait grincheux, sur la fin.

Je décidai d'essayer de revenir au sujet.

— Madame Dietz, avez-vous vu Phillip Maynard aujourd'hui ?

Elle jeta un coup d'œil du côté de la cabane. Henry se tenait debout près de la grille.

— Qu'est-ce que cet Indien fait là-bas, tout près de mon poulailler ?

— Il est avec moi.

Elle me regarda à travers ses verres aussi épais que le pare-brise de mon camion.

— J'ai entendu dire que ta femme était morte ?

— Oui, madame, il y a un certain nombre d'années.

— Est-ce qu'elle était grincheuse ?

— Non, madame.

Elle hocha la tête.

— Ils deviennent comme ça, tu sais.

— Oui, madame, c'est ce que j'ai entendu dire. Et si on revenait à Phillip Maynard ?

— Est-ce qu'il a des ennuis ?

— Nous devons juste lui parler. Est-ce que vous l'avez vu ?

Elle ne quittait pas Henry des yeux.

— Généralement, je ne loue pas à ces types à moto.

Je soupirai, accrochai mon chapeau à la crosse de mon Colt et lui tins la porte à moustiquaire.

— C'est assez important.

— Qu'est-ce qui est important ?

— Phillip Maynard.

— Quoi, Phillip Maynard ?

Je retins cette précieuse seconde qui m'empêche générale-ment d'étrangler mon administré – c'est toujours important une année d'élection.

— Est-ce que vous l'avez vu ?

— Non.

Je jetai un coup d'œil du côté de Henry.

— En tout cas, sa moto n'est pas là.

— Il la range dans la grange.

Je me tournai et la regardai.

— Je vous demande pardon ?

— Cette super belle moto, celle sur laquelle il veut pas qu'il pleuve.

Elle regarda par-dessus mon épaule, leva les yeux vers le ciel immaculé, la cigarette allumée toujours dangereusement proche de l'embout du tuyau à oxygène, sous son nez.

— De toute manière, ça ne risque pas d'arriver tout de suite.

Elle nous regarda tourner le coin, passer à côté du corral et approcher de la grange avec son toit de style néerlandais aux extrémités inclinées.

— Elle pense que tu vas lui voler ses poulets.

— Il n'y a pas de poulets.

— Tu vois.

C'était une structure classique dont le toit était soutenu par un certain nombre de poutres rustiques, et les murs avaient été recouverts de planches devenues grises depuis longtemps. La porte comportait une poignée métallique avec un loquet en bois. Je l'ouvris et nous reculâmes d'un pas tandis que le grand vantail pivotait vers nous. Sous le toit, des hirondelles s'enfuirent dans un bruissement d'ailes – on aurait dit des ailes d'anges. La Harley était calée sur sa béquille latérale, recouverte de la même bâche que celle que j'avais vue devant le bar. Henry souleva le suaire en vinyle et émit un sifflement.

— Quoi ?

— Harley FLHRS Road King, customisée.

Je me rappelai vaguement que Henry avait une moto, mais il l'utilisait rarement.

— Qu'est-ce que ça veut dire?

— Ça vaut cher. Pas loin de vingt mille dollars.

Je pensai au poulailler.

— Eh bien, il ne met pas son argent dans son logement. (Je me baissai et touchai le moteur chromé, qui n'était que légèrement chaud.) Et il ne s'en est pas servi récemment.

Je fis un pas de plus dans la grange et laissai mes yeux s'habituer à la pénombre. Une odeur flottait, une odeur qui m'était familière.

Je défis la lanière de mon .45, sortis le Colt de mon holster et lançai un coup d'œil à Henry par-dessus mon épaule. L'allée principale au milieu de la grange était déserte, mais il y avait deux passages entre les stalles des animaux. Je fis signe à l'Ours de prendre à droite, tandis que j'inspecterais le côté gauche.

Les stalles n'avaient pas été utilisées selon leur destination première depuis un certain temps; elles servaient à entreposer des vieilles poutres, du matériel cassé et du bois de chauffage antique. Je me frayai un chemin entre les quatre stalles et retrouvai Henry au bout de l'allée centrale.

— Bon, il n'est pas caché dans le râtelier à maïs.

Il y eut encore un bruit d'ailes et je remarquai la cicatrice sous le menton de Henry lorsqu'il scruta les poutres du toit.

— Non, pas dans le râtelier à maïs. (Il pivota pour se trouver face à la porte par laquelle nous étions entrés.) On dirait qu'il a choisi de prendre de la hauteur.

Je me tournai et suivis son regard vers les chevrons. Au bout d'un morceau de corde de chanvre se balançait le corps de Phillip Maynard.

⤝⤞

— Combien de temps ?

T.J. Sherwin avait répondu à un autre appel provenant de Otto, alors nous nous trouvions avec Bill McDermott, qui était le médecin légiste de Billings, dans le Montana. Je ne l'avais pas vu depuis que Mari Baroja et lui étaient allés à Guernica ensemble, mais j'étais bien content de le retrouver.

— Difficile à dire avec la chaleur, mais étant donné la rigidité et la température approximative du corps, je dirais que la mort remonte à ce matin tôt ou à hier soir très tard.

— Suicide ?

— Je n'aime pas jouer aux devinettes, mais si j'étais joueur…

Il regarda le corps de Maynard. La pression de la base du cou de Phillip et de la zone où était attachée sa langue avait forcé la mâchoire inférieure à s'abaisser, et sa langue passait entre ses dents dans une parodie de grimace enfantine.

— Je constate des contusions additionnelles le long du muscle trapézoïdal, mais cela pourrait s'expliquer par la violence de la chute.

Je levai à nouveau les yeux vers le toit, qui était au moins à cinq mètres.

— Il a dû faire un sacré plongeon ?

— Il en faut étonnamment peu ; on n'a même pas besoin d'être suspendu.

— Que soupçonnez-vous ?

Bill ressemblait à un enfant de chœur, ce qui était aux antipodes de son métier. Il leva les yeux et calcula.

— Depuis le grenier, je dirais une chute d'environ deux mètres, un peu plus.

Il écarta les bords du sac mortuaire pour découvrir une abrasion sur le cou et un pli en forme de V derrière la tête, qui avaient été causés par la corde au moment où elle était remontée au-dessus du cartilage thyroïdien.

— Cercle incomplet à l'endroit où la corde s'est écartée du sujet. (Il regarda le cadavre plus attentivement.) Il n'a pas changé d'avis après son geste.

— Comment le savez-vous ?

— Pas de trace d'ongle au niveau du cou. J'ai vu beaucoup de cas où les doigts sont coincés dans la corde, mais ce type-là est tombé exactement sur la bonne distance, ce qui a eu pour conséquence une fracture du cou, et nous allons probablement trouver la fracture entre la troisième et la quatrième vertèbre cervicale. (Bill leva les yeux vers moi.) C'était un méchant ?

Je pris une inspiration et me sentis oppressé dans cette grange. La lumière qui filtrait entre les planches dessinait des raies comme si le soleil brillait derrière des barreaux. Je regardai les yeux vides de Phillip Maynard et l'endroit où un vaisseau sanguin avait éclaté, provoquant un obscurcissement et une déformation de la pupille, dont le bord était irrégulier, contrairement à ce à quoi on se serait attendu.

— Je ne suis pas encore certain.

Saigon, Vietnam : 1968

Je regardai tous ces gens qui s'entassaient dans les minuscules constructions autour de Tu-Do Street et pensai à tous les bars que nous avions déjà inspectés, y compris le Flower Brothel, Chez Rose, les divers bains de vapeur, salons de massage, boudoirs à boom boom, et un simple Dairy Queen. Même à cette heure matinale, la rue était animée comme en plein midi, et je soupçonnais qu'il en était ainsi pendant les vingt-quatre heures de la journée. Ce serait bientôt le matin. Je pris une grande inspiration et j'eus l'impression de laisser échapper autant de temps que d'air.

Mendoza rit :

— Allez, c'est pas si mal.

Baranski avait garé la jeep à cheval sur le trottoir, mais personne n'avait semblé s'en apercevoir, pas même les deux soldats de l'ARVN que nous avions failli renverser. Avec leur immense casque en plastique blanc, les agents de la police militaire vietnamienne ressemblaient à ces poupées à grosse tête à l'effigie des grands sportifs. L'un d'entre eux essaya de soutirer une cigarette à Mendoza, qui secoua la tête et répondit :

— *Toi khong hut thuoc lo.*

Baranski s'assit sur le capot de la jeep et tendit des cigarettes aux deux miliciens. Il en alluma une pour lui avant d'allumer les leurs. Il marqua une pause puis fit un geste :

— *Quels sont vos noms*[*] ?

Les deux agents se présentèrent sous les noms de Bui Tin et Van Bo.

Baranski me désigna du doigt.

— *Je suis venu avec quelqu'un d'important, il s'appelle Sammy Davis Jr.*

Les deux plantons levèrent les yeux. Je souris et brandis le poing.

— Black power.

Baranski poursuivit.

— *Il veut passer un bon moment. Tu vois ce que je veux dire ?*

Bui Tin montra la rue grouillante.

— *Choisissez une des portes.*

Baranski hocha la tête et fit un geste d'impuissance.

— *Ouais, mais il aime les cow-boys et il voudrait quelque chose qui fasse un peu western.*

Tin, qui semblait être le chef, montra une ruelle adjacente.

[*] En français dans le texte, comme le reste du dialogue en italiques.

285

— *Il y a un club qui s'appelle Western Town un peu plus bas sur ce trottoir.*

Au moment où nous les dépassâmes, Van Bo me prit la main et la serra.

— *Je suis tellement heureux de vous rencontrer, Monsieur Davis. J'ai tous vos disques.*

J'emboîtai le pas à Baranski et Mendoza et hochai la tête, finissant la conversation avec deux des douze mots que je connaissais en français.

— *Merci beaucoup.*

Je les rattrapai à l'instant où ils tournaient le coin de la rue.

— Qu'est-ce qu'il a dit?

Baranski s'arrêta pour regarder de l'autre côté de la rue, où une jambe de cow-girl en néon montait et descendait d'une manière plus que provocante, et il désigna l'enseigne de l'établissement peinte à la main qui disait WESTERN TOWN.

— Il a dit qu'il avait tous tes albums.

Parasites.

— Aucune information dans les registres du département de la police de Chicago, rien d'autre que ce que nous savons déjà.

— Pas de parent proche?

Parasites.

— Il y avait une mère à Evanston, mais la ligne téléphonique a été résiliée.

Je soupirai et contemplai le micro que je tenais dans ma main.

— D'accord, en attendant d'autres informations que nous transmettrait le Grand État de l'Illinois, on va envoyer Phillip Maynard avec les garçons à Billings. Si quelqu'un vient le réclamer, on les enverra dans cet autre Grand État qu'est le Montana.

Parasites.

— Et nous, ici, qu'est-ce qu'on est ?

J'appuyai sur le bouton du micro.

— Quelque part entre les deux. Quelles nouvelles de Tran Van Tuyen ?

Parasites.

— Il a perdu beaucoup de sang, mais on dirait qu'il va s'en sortir. Isaac Bloomfield dit que c'est un traumatisme par objet contondant infligé par un instrument pas très contondant.

— Ce qui veut dire ?

Parasites.

— Il a dit quelque chose comme une barre de fer.

— Ou un accessoire de moto ?

Parasites.

— Peut-être, mais pourquoi n'a-t-il pas tué Tuyen ?

— Le remords.

Parasites.

— Ce qui expliquerait les deux meurtres.

— Bien reçu.

Je m'apprêtai à raccrocher le micro.

Parasites.

— Walt ?

J'appuyai à nouveau sur le micro.

— Ouaip ?

Parasites.

— Tu n'as pas de message à transmettre à Cady ?

— Où sont-ils ?

Parasites.

— Ils envisageaient d'aller te rejoindre.

— Dis-leur de ne pas le faire. Je serai bientôt de retour à Durant. Il faut que je parle à Tuyen, mais je dois faire encore un arrêt avant de rentrer.

Parasites.

— Bien reçu… Hé, tu n'as pas chanté.

Je regardai les gars charger le corps de Maynard dans le fourgon.

— Je crois que je n'ai pas le cœur à ça.

Bill s'approcha au moment où je sortais de la fourgonnette ; je posai mes bras sur la fenêtre et regardai Henry, qui venait de rouler les manches de sa chemise en coton bleu délavé. Il paraissait encore frais et dispos, malgré la chaleur.

— Bon, est-ce qu'on considère que c'est une affaire classée ?

Je repoussai mon chapeau sur ma nuque et calai mon menton sur mes avant-bras. Je ne paraissais plus frais et dispos depuis longtemps, et effectivement, je ne l'étais plus.

— Pour ce qui concerne Phillip, c'est le cas.

Je contemplai l'éclat brillant du filtre à air chromé de la Harley, me demandant où un type comme Maynard avait trouvé l'argent pour s'offrir une moto à vingt mille dollars, puis je formulai à haute voix ce qui me préoccupait vraiment.

— Je me demande pourquoi il aurait voulu tuer Ho Thi Paquet, sans parler de Tuyen.

Henry croisa ses bras sur sa poitrine, et je regardai ses muscles gonfler sous sa peau basanée – ils me rappelèrent le crotale enroulé dans la ville fantôme.

— Peut-être est-elle retournée dans le bar, et la situation s'est quelque peu compliquée.

— Il y a les accusations à Chicago, mais je ne suis pas certain que… (Je m'arrêtai soudain et pensai à la femme mentionnée sur le fax.) Bon sang.

Je me penchai à l'intérieur du véhicule et décrochai le micro.

— Ruby, t'es là ?

Parasites.

— T'as peaufiné ta prochaine reprise ?

— Trouve le nom de la femme qui a obtenu l'ordonnance restrictive pour Maynard, et vois si tu peux m'obtenir un numéro de téléphone.

Parasites.

— Bien reçu.

Je me redressai et je vis la Nation Cheyenne à côté de la porte, avec McDermott.

— Quels étaient les chefs d'accusation ?

— Des violences conjugales, une plainte pour agression et une ordonnance restrictive concernant une femme à Chicago – une certaine Karol Griffith, si je me souviens bien.

Le regard de McDermott se posa entre nous deux.

— Alors ce Maynard avait un casier ?

— Ouaip, mais il y a quand même quelque chose qui cloche, et je voudrais parler à une personne qui l'a connu avant de lui coller à titre posthume un meurtre au premier degré et une tentative d'homicide.

Parasites.

— Walt ?

— Je suis là.

Parasites.

— C'est un numéro professionnel. (Je le notai.) Tattoo You.

— Merci.

Je lançai le micro sur le siège tandis que l'Ours se penchait et sortait son téléphone portable d'un chouette petit étui en cuir accroché à sa ceinture.

— Alors, tu veux passer un coup de fil ?

Je confirmai d'un signe de tête.

— Ouaip, ensuite on ira chercher la Land Rover de Tuyen. J'imagine qu'il appréciera qu'on récupère ses affaires et qu'on lui apporte sa voiture.

Henry sourit.

— Il y a ça, et cela te donnera aussi une chance supplémentaire d'inspecter sa chambre et son véhicule.

— Aussi…

Il hocha la tête.

— Je conduirai la Land Rover.

Nous nous garâmes devant le cabinet du vétérinaire et Henry composa le numéro avant de me tendre le téléphone. Mme Griffith décrocha à la seconde sonnerie – elle me parut agréable et précise. Je lui annonçai la raison de mon appel, et elle devint moins agréable sans pour autant perdre de sa précision.

— Il a fracassé ma voiture.

La réception, même dans cet endroit clé de Powder Junction, était au mieux hachée.

— Il a quoi ?

— Il a fracassé ma Dodge avec une batte de base-ball, mais il a payé les réparations dès le lendemain. (Il y eut un silence. Mes années d'expérience m'avaient appris à ne jamais interrompre le flot.) Je suis désolée d'apprendre qu'il est mort. À cause de cette merde de moto ?

— La nouvelle ?

— Nouvelle ? Je ne dirais pas ça, il arrivait à peine à faire rouler cette vieille carcasse.

— Ah… (Je décidai de ne pas m'étendre sur les détails.) Madame Griffith, diriez-vous que M. Maynard était sujet à commettre des actes de violence de manière spontanée et récurrente ?

— Non, pas vraiment.

Je réfléchis.

— Mais vous dites qu'il a fracassé votre voiture ?

J'écoutai le silence qui s'installa.

— Enfin, c'était un peu ma faute.

— Pourquoi donc ?

— J'avais fracassé sa moto.

Il y eut à nouveau un silence sur la ligne, et j'écoutai – ou j'imaginai – les milliers de relais téléphoniques, de commutateurs et d'impulsions électriques dans le réseau cellulaire.

— Il n'était pas particulièrement impliqué dans notre relation. Il était branché par les filles asiatiques.

À Powder Junction, on n'avait jamais plus d'un bloc à parcourir pour aller d'un endroit à un autre alors, plutôt que de souffrir dans le four ambulant qu'était le Suburban, nous le garâmes sur le parking du bureau et nous nous rendîmes à pied jusqu'au Hole in the Wall Motel.

— Alors, elle a dit qu'il avait un approvisionnement constant en femmes asiatiques qui entraient par le Canada ?

— Suspect, compte tenu des circonstances.

— Oui.

Nous passâmes devant Ethan et Devin, les deux garçons qui avaient identifié la Land Rover de Tuyen. Ils portaient d'autres T-shirts dans la veine automobile. J'agitai la main et ils me rendirent mon salut.

— Et où en est-on avec Virgil White Buffalo ? Avec les tout derniers développements de l'affaire, tu ne peux plus sérieusement considérer qu'il est suspect.

Je pris une profonde inspiration et sentis l'air brûlant de l'après-midi embraser mes poumons.

— Je ne sais pas ce que je vais faire de Virgil.

Henry se posta devant moi.

— Laisse-le partir.

Je m'arrêtai et contemplai la rue couverte de terre.

— Je ne peux pas faire ça, et tu le sais.

Ses yeux ne flanchèrent pas.

— Pourquoi pas ?

— Il est potentiellement témoin d'un homicide et je ne crois pas qu'il puisse être libéré sur sa seule caution personnelle.

Je pris une autre inspiration mais trouvai malgré tout difficile de soutenir son regard.

— Henry, il a mis KO deux patrouilleurs de l'autoroute et deux de mes adjoints.

— En essayant de ne pas être mis en prison pour un crime qu'il n'a pas commis.

Je soupirai.

— Écoute, on ne peut pas être sûr…

— Il a passé assez de temps derrière les barreaux pour toute sa vie.

Je finis par le regarder, parce que je commençais à ressentir un peu de colère.

— S'il représente un danger pour lui-même ou pour quelqu'un d'autre, alors il est sous ma responsabilité.

Il détourna le regard. Ses yeux brillaient comme des éclats d'obsidienne.

— Et où s'arrête cette responsabilité ?

— Nulle part.

Nous restâmes là, l'écho de ma voix revenant vers nous, renvoyé par la rue déserte, plus fort que je ne l'avais voulu.

— Elle ne s'arrête jamais. Jamais. (Je parlai plus doucement.) Tant qu'il est dans mon comté, il est sous ma responsabilité, et cela me met en phase avec beaucoup d'autres gens qui pourraient considérer que laisser un Indien de deux mètres dix vivre dans une conduite sous l'autoroute relève d'une sérieuse négligence.

— Alors, tu vas le garder en prison pour le bien commun ?

— Jusqu'à ce que je trouve un endroit où il puisse aller, oui.

Je m'apprêtai à le contourner avant de m'interrompre.

— Henry, je ne peux pas le laisser vivre sous l'autoroute. Ce n'est pas tenable humainement.

— Le garder en cage comme un animal ne l'est pas non plus.

Je pris une nouvelle inspiration qui fut encore plus chaude que les précédentes, et je retins mon souffle un moment.

— Je m'en rends compte.

Je fis quelques pas de plus avant de me retourner pour le regarder.

— Quoi ?

Il resta là un instant et m'observa.

— Je te connais.

— Et qu'est-ce que tu entends par là ?

Il ne bougea pas.

— Quoi ?

— Je sais que la vraie raison pour laquelle tu détiens Virgil, c'est que tu essaies d'arranger sa vie, et ça, ça dépasse tes capacités. Tu le regardes et tu vois des expériences et des trajectoires comparables aux tiennes, mais mal négociées. (Il s'avança vers moi.) Tu ne peux pas modifier la voie qu'il a choisie ; c'est la sienne. La seule chose que tu peux faire, c'est ne pas le punir pour quelque chose qu'il n'a pas fait.

— Je ne cherche pas à le punir, Henry, mais il doit y avoir quelque chose de mieux pour cet homme que de vivre sous la I-25.

Son visage resta impassible tandis qu'il répondait.

— Peut-être, mais c'est quelque chose que lui doit découvrir, pas quelque chose que tu peux lui donner.

Nous poursuivîmes notre chemin.

— Eh bien, peut-être que je peux l'y aider.

L'Ours sourit.

— Je sais. Ce n'est pas la première paire de mocassins dans lesquels tu marches.

14

L'Ours, qui s'était accroupi pour examiner les traces laissées par la moto, se remit debout.

— Ce sont les mêmes.

Je pris la clé que j'avais récupérée à la réception, ouvris la porte de la chambre n° 5 et me courbai pour passer sous le ruban marqué BUREAU DU SHÉRIF – PASSAGE INTERDIT que nous avions installé en travers de la porte. J'avais demandé à la fille qui avait un écouteur dans l'oreille si elle avait entendu des motos ce matin, mais elle avait répondu non.

Je lui avais demandé si elle portait les deux écouteurs lorsqu'elle faisait le ménage.

Elle avait répondu oui.

Je lui avais demandé si elle avait fait la chambre de Tuyen ce matin.

Elle avait dit qu'elle l'aurait volontiers faite, mais qu'elle n'avait pas vu Tuyen depuis la veille et que, sans la permission expresse de son occupant, il était interdit d'entrer dans une chambre.

Je lui avais demandé si elle plaisantait.

Elle avait dit non.

Je lui avais posé des questions sur la nuit précédente, mais elle avait répondu qu'on fermait aux environs de 21 heures et que les propriétaires laissaient toujours un numéro où les

joindre en cas de problème ; ils n'habitaient qu'à un kilomètre
de là.

Je lui avais alors dit qu'elle pouvait remettre le second
écouteur dans son oreille.

J'avais renvoyé Bill McDermott et ses hommes. J'estimais
que la scène de crime la plus importante était la grange des
Dietz et que Henry et moi pouvions aller voir la chambre de
Tuyen en éclaireurs avant d'appeler la cavalerie.

L'endroit était tel que je l'avais laissé quelques heures
auparavant. Il y avait une grande tache de sang au pied du lit,
une plus petite un peu plus loin et une traînée intermittente
qui allait jusqu'à la chambre voisine et à la salle de bain.

Je me tournai et regardai Henry, qui était toujours debout
sur le pas de la porte.

— Si quelqu'un t'attendait pour te frapper au moment
où tu franchissais le seuil, où se tiendrait-il ?

Il parcourut l'entrée du regard et se tourna vers la droite.

— Derrière la porte.

— OK, maintenant, entre et ferme la porte.

Il obéit et ensuite me rejoignit. Nous évaluâmes ensemble
la distance entre la porte et la première tache de sang.

— Qu'est-ce qu'il a fait ? Il a sauté lorsqu'il a été frappé ?

— Peut-être l'assaillant a-t-il attendu qu'il ait fait quelques
pas à l'intérieur ?

Je secouai la tête.

— Cela n'a pas de sens. Si tu avais l'intention de cogner
quelqu'un, est-ce que tu attendrais qu'il ferme la porte et
fasse trois ou quatre pas avant de le frapper ? En particulier
quelqu'un d'aussi physiquement entraîné que Tuyen ?

— Alors tu crois vraiment qu'ils se connaissaient ?

Je m'approchai du lit et m'accroupis à côté des deux taches.

— Je n'ai pas réussi à tirer grand-chose de lui, mais il a dit qu'il avait été attaqué par-derrière, qu'il était tombé, qu'il avait tenté de se relever, n'avait pas réussi et était retombé sur le sol.

Henry resta à côté de la commode.

— Cela expliquerait la première flaque de sang, et ensuite, il essaie de se lever et retombe à l'endroit où se trouve la seconde. Est-ce qu'il a dit qu'il avait perdu connaissance avant ton arrivée ?

— Il a eu des moments d'inconscience.

Il s'accroupit à côté de moi.

— Où se trouvait la blessure ?

— Sur le côté droit de la tête et vers l'arrière, juste au-dessus de la nuque.

— Juste une ?

— Je ne suis pas certain.

Henry se retourna vers la porte.

— Est-il possible qu'il ait été frappé une fois, puis lorsqu'il a essayé de se lever, une deuxième fois ? Cela expliquerait les deux taches.

— C'est possible.

J'examinai le couvre-lit qui avait été replié, découvrant le coin du cadre métallique et celui du matelas taché de sang.

Henry s'approcha du lit.

— Alors, il a reçu un coup et il est ensuite tombé sur le coin du lit ?

— Peut-être.

La Nation Cheyenne m'observa de près.

— À quoi penses-tu ?

— Je pense que je veux parler à Tuyen. (Je me redressai et remarquai que la mallette métallique qui se trouvait dans la voiture de Tuyen était posée sur la commode.) Dans le plus strict respect de la loi, je ne suis pas vraiment censé examiner ses affaires personnelles.

— Effectivement.

J'allai jusqu'au meuble et repliai l'anse gainée de cuir.

— Il n'a rien dit à propos de son portefeuille qui aurait disparu, et rien d'autre dans la pièce ne semble avoir été touché, ce qui m'amène à penser que ce n'était pas une tentative de cambriolage. (Je tapotai la mallette du bout du doigt.) C'est lourd; c'est peut-être un ordinateur. Si je devais voler quelque chose dans cette pièce, je pense que je commencerais par là.

— Oui.

— Ce qui rend cet objet suspect.

— Oui.

— Et en tant que représentant de la loi élu en bonne et due forme, il serait de ma responsabilité de l'ouvrir.

— Oui.

— Mais il y a un problème.

— Lequel?

— Elle est verrouillée.

Avec un soupir exaspéré, Henry fit glisser la mallette vers lui, la redressa sur la tranche et contempla la serrure à quatre chiffres. Il réfléchit un moment, puis fit tourner les molettes jusqu'à faire apparaître 1975.

— La chute de Saigon.

Clic.

Saigon, Vietnam: 1968

J'entendis sauter le cran de sécurité, mais je ne sus pas exactement où. Le videur était toujours devant nous; il était grand, trop grand pour être vietnamien – probablement un Samoan. Quinze centimètres environ séparaient nos deux nez. Je mesurais quelques centimètres de plus que lui, mais il devait me battre d'au moins vingt kilos. Ce qui était vraiment déconcertant, c'était qu'il portait un chapeau de cow-boy.

Baranski tendit son badge par-dessus mon épaule pour le mettre sous le nez du géant.

— Écoute, Babu, on est envoyés par le détachement d'enquêtes criminelles. On enquête sur un meurtre.

Jusque-là, tout était vrai.

— On travaille avec votre département du renseignement de l'ARVN.

Pas particulièrement vrai.

— ... et si vous ne nous laissez pas passer, je vais dire à notre spécialiste des marines Longmire ici présent de vous traîner jusqu'à Lang Bin et de se spécialiser dans l'enfoncement de votre cage thoracique jusqu'à ce que tous vos viscères soient en bouillie.

Vrai, avec un peu de chance.

Il ne bougea pas, mais au bout de quelques secondes, il se tourna vers un petit type à l'air roublard qui se tenait en retrait et qui disparut derrière le géant avant de réapparaître. Il approuva d'un signe de tête et le videur s'écarta sur la gauche. Je fis un pas en avant sans détourner mon visage du sien tandis que Baranski et Mendoza entraient sur mes talons.

— Je t'emmerde, fils de pute.

Je souris lentement, de mon plus beau sourire Powder River, celui qui aurait rendu Owen Wister très fier.

— Souris lorsque tu me parles comme ça.

Le thème du Western Town était bien l'Ouest, mais l'ouest de quoi, c'était moins clair. Les danseuses omniprésentes portaient des bottes de gogo-cow-girls et un chapeau de cow-boy en plastique ou une coiffe de plumes multicolores, du genre de celles que vendait Woolworth's chez nous. Dans la lumière tamisée, je vis que les murs étaient tendus de vieux posters de westerns sur lesquels avaient été ajoutés des caractères en vietnamien ou en japonais, écrits à la main. Je pouvais à peine bouger, vu le monde qui peuplait l'endroit ; presque tous étaient du coin, mais les quelques soldats qui se mêlaient à la masse des civils étaient pour l'essentiel des enrôlés. Apparemment, nous étions les seuls gradés, pour le meilleur et probablement pour le pire. Mendoza et Baranski étaient déjà en train d'inspecter la foule, mais à voir leur façon de tendre le cou, il était assez clair qu'ils n'avaient pas encore repéré Hollywood Hoang.

Mendoza se pencha et parla fort pour couvrir la musique.

— Tu restes ici, mec. Nous, on va traverser la salle et voir si on peut le chasser vers la porte.

— Et l'arrière ?

Il secoua la tête.

— Tu serais un novice dans ce genre de lieu ? Y a pas de porte à l'arrière.

Je les regardai s'enfoncer dans la foule. Devant moi, une piste de danse où *Pop a Top* de Jim Ed Brown gargouillait en remplissant l'étroite salle et me donnait le mal du pays. Je me plantai à côté d'un poteau au sommet de l'escalier qui descendait au sous-sol. J'étais fatigué et tout ce que je voulais, c'était dormir, alors je fermai les yeux, une seconde à peine. Lorsque je les rouvris, une minuscule Vietnamienne portant une coiffe de plumes de couleurs vives se tenait debout sur la pointe des pieds pour attirer mon attention.

— Vous, aime danser ?

— Non, merci.

— Je fais prix spécial.

— Non, merci beaucoup.

Il était facile de voir par-dessus sa tête ; seules les extrémités des plumes entraient dans mon champ de vision. Le flux constant de gens qui entraient et sortaient ne me rendait pas la tâche aisée, mais je me disais que si Hoang portait sa combinaison bleu clair et son foulard en soie blanche si caractéristiques, j'arriverais bien à le repérer dans la foule.

Elle s'approcha et posa ses mains sur mon uniforme.

— Danse privée spéciale ?

Je soufflai sur les plumes pour les écarter de mon visage.

— Non, vraiment…

— Chercher un ami, toi?

— Non…

Je la regardai. Ses yeux exprimaient une intensité beaucoup plus fiévreuse qu'ils n'auraient dû.

— Quoi?

Elle baissa la voix, mais j'y entendis la même insistance.

— Chercher un ami?

Je tendis le cou par-dessus sa tête à la recherche de Baranski ou de Mendoza, mais ils demeuraient invisibles, l'un comme l'autre.

— Non, vraiment. Je suis moine.

Elle me regarda fixement pendant quelques instants, se retourna vers la piste de la danse, puis baissa les yeux vers les escaliers menant au sous-sol.

— Seûlment toi.

Je restais à contempler le lustre de la nuit asiatique sur sa peau, et je pensais à Mai Kim. J'étais agressé par la musique gnangnan, et les pièces du puzzle se mirent à s'emboîter.

— Tu connais Hoang? Hollywood Hoang?

Son regard retourna se poser derrière elle, puis vers l'escalier.

— Seûlment toi.

— Est-ce qu'Hoang est là, en bas?

Son visage resta imperturbable.

— Je ne vais pas lui faire de mal, mais je ne peux pas bouger de cet endroit à moins qu'il ne soit en bas.

Les plumes bougèrent imperceptiblement au moment où elle hocha la tête. Mon hochement de tête fut tout aussi discret. Je contournai la balustrade, commençai à descendre les marches et pensai à Hoang – comment il m'avait remercié de lui avoir sauvé la vie à Khe Sanh, et comment, s'il avait vraiment voulu me tuer, il l'aurait probablement déjà fait. Pour le coup, il avait eu un paquet d'occasions.

Mais on ne pouvait jamais savoir.

Je défis la lanière de mon .45 et armai le chien. Il n'y avait pas de porte, juste un rideau de perles, et il faisait sombre. Avec l'éclairage dans le dos, j'étais une cible parfaite. Je poussai le rideau sur le côté et avançai.

Le sous-sol, où régnait une lumière faiblarde, était encore plus étroit que le bar. Je passai devant une étagère crasseuse sur laquelle étaient alignés plusieurs minuscules compresseurs qui ressemblaient plus à des roues à hamster qu'à des ventilateurs et qui tentaient vaillamment… eh bien, de ventiler l'étage au dessus. Sur ma gauche, des cartons empilés recouvraient le mur aussi loin qu'il m'était donné de voir avec le peu de lumière qui régnait. Au-dessus de ma tête, Jim Ed Brown avait fait place à Buck Owens and the Buckaroos, et j'élevai un peu la voix, décidant de joindre le Colt à la parole.

— Hoang ?

Je crus discerner un bruit de mouvement derrière moi et sur la droite. Je me tournai lentement et me trouvai nez à nez avec le canon large comme une canette d'un Type 64 – un pistolet chinois complètement silencieux.

Il avait les yeux écarquillés et la sueur avait assombri la couleur bleu clair de la combinaison en un bleu nettement plus marine. Je levai les mains sans attendre qu'il me le demande.

— Comment vas-tu, Hoang ?

Il ne dit rien et inspecta les alentours pour vérifier que personne ne m'avait suivi.

— Je suis seul.

Ses yeux ne cessaient de bouger en tous sens et je voyais le canon du pistolet trembler entre ses mains.

— Mai Kim…

— Elle est morte.

Ses yeux se mouillèrent et il déglutit péniblement, comme si quelque chose était resté en travers de sa gorge et refusait de descendre. Il regarda par terre, entre nous, mais le pistolet ne bougea pas. Au bout de quelques secondes, il énonça d'une voix mal assurée :

— Tu sais qui tuer elle ?

Je baissai un peu les mains et il ne parut pas s'en inquiéter, alors je les descendis complètement et rangeai lentement le .45 dans mon holster, mais sans remettre la sécurité ni le rabat.

— Tu sais, c'est drôle. On a eu une petite discussion sur le sujet, et il a été question de toi.

Il secoua la tête vigoureusement.

— Pas moi tuer Mai Kim.

J'étais en train de développer au Vietnam un exceptionnel talent de détection des mensonges. Il était convaincant, et j'attendis quelques instants avant de relancer la conversation.

— Bon… alors, qui est-ce?

— Pas moi tuer Mai Kim!

Le gros canon trembla un moment puis se rapprocha de mon visage; je lui montrai mes paumes et fis un demi-pas en arrière, baissant ma main droite et gesticulant avec l'autre.

— D'accord, d'accord.

Il passa son arme dans l'autre main.

— Si tu ne l'as pas tuée, alors, pourquoi me menaces-tu avec ce pistolet?

Il serra les lèvres et déglutit une nouvelle fois. Le canon resta parfaitement immobile.

— T'es homme d'horreur?

— Quoi?

— T'es homme d'horreur?

Je penchai la tête.

— Tu veux dire un homme d'honneur?

Il opina.

— D'honneur.

Je pris une inspiration et soupirai.

— Ouaip, je suis un homme d'honneur, sinon, pourquoi serais-je dans le sous-sol d'un bar derrière Tu-Do Street avec mon arme rangée dans son holster?

Il marqua une pause et prit une profonde inspiration. Un frisson le parcourut de haut en bas, puis il baissa son arme. Je fis un second petit pas vers l'arrière pour lui montrer que j'avais parlé sérieusement, m'appuyai contre l'étagère et écoutai le bruit des compresseurs se mêler aux voix de Buck and the Buckaroos.

— Hoang, si j'avais préféré que tu sois mort, je t'aurais laissé dans la boue à Khe Sanh.

Son regard était désormais plus posé, malgré la sueur qui coulait sur son visage.

— Pas mortier.

— Quoi ?

— Pas mortier.

Il le répéta en insistant bien sur chaque mot.

— Qu'est-ce que ça veut dire ?

— À Khe Sanh, pas mortier.

J'avais froid, et cela n'avait rien à voir avec la température.

— Tu veux dire que ce qui a touché l'hélicoptère…

Il agita le canon de son arme, qui se redressa vers mon côté gauche.

— Pas mortier. Le retardateur…

La détonation provoqua une véritable déflagration dans l'espace exigu, et la giclée de sang m'atteignit en plein visage et me fit cligner des yeux. Je n'avais pas la sensation d'avoir été touché, mais quelque chose était en train de s'effondrer contre moi. Je l'attrapai. C'était Hoang, qui s'étouffait avec son propre sang ; il avait une plaie béante et des bruits sinistres provenaient de sa poitrine. Il était déjà couvert de sang, et ses yeux se tournèrent vers moi, implorants. Je l'allongeai sur le sol en terre battue au moment où Baranski et Mendoza approchaient, l'arme au poing.

Je défis la fermeture Éclair de sa combinaison et regardai la blessure, par laquelle s'échappait de l'air à chacune de ses respirations ; les bulles dansaient sur le sang qui coulait le long de son flanc. Je défis doucement le foulard en soie qu'il portait autour du cou et le soulevai un peu pour passer le tissu autour de sa poitrine et sous son épaule, et colmater les perforations du mieux possible, devant et derrière.

Je levai les yeux vers le gars des forces de sécurité et l'agent de la DCR.

— Bon sang, mais pourquoi avez-vous tiré ?

Baranski afficha une expression incrédule.

— Hé, le bleu, je viens de sauver ta putain de vie.

— Il n'allait pas tirer.

Il regarda Mendoza puis revint à moi.

— Il avait ce bazooka pointé sur ta tête, et pourquoi tu crois qu'il avait un silencieux, crétin? T'étais sur le point de te retrouver au champ d'honneur.

Je l'ignorai et commençai à hisser Hoang sur mon épaule.

— Qu'est-ce que tu fais?

Je tins le petit homme contre moi en prenant garde à ne pas toucher à ses blessures.

— Je l'emmène à l'hôpital.

Baranski ricana. Le Texan ne dit pas un mot.

— Il est mort.

— Il n'est pas mort.

Je baissai la tête pour examiner les yeux du petit homme et le regardai cligner, mais il ne paraissait pas capable de fixer son regard sur mon visage.

— Tu n'es pas mort, tu m'entends? Tu es blessé assez sérieusement, mais on va t'emmener à l'hôpital et ils vont t'arranger ça. Tu m'entends?

Ses yeux se plissèrent comme s'ils absorbaient mes paroles, et je sus qu'il comprenait. Je fis un pas en avant, faisant reculer les deux autres.

— Et soit vous m'aidez, soit vous vous écartez de mon chemin.

C'est ahurissant comme on parvient à s'ouvrir une voie dans un club bondé avec des armes à feu et un homme mortellement blessé. Je grimpai à l'arrière de la jeep et installai délicatement Hoang sur mes genoux. Ses pupilles étaient un peu contractées, et je commençai à me dire que le pilote/dealer avait peut-être goûté un peu de sa marchandise et que c'était la seule chose qui le maintenait en vie.

Baranski fit reculer la jeep dans la rue bondée, il lui fit faire un dérapage en demi-cercle et prit à gauche à la rue suivante. Je savais que l'hôpital le plus proche était dans la direction opposée. Je criai pour couvrir le vacarme du moteur tandis que la jeep se frayait un passage dans la circulation et fonçait vers le nord sur Highway 1.

— Et tu crois que tu vas où, là?

Il se tourna à demi vers moi pour me lancer:

— J'emmène pas cette petite bite dans un hôpital civil ici, à Saigon, où il pourrait facilement disparaître. Je le ramène à Tan Son Nhut.

Je regardai Mendoza, qui gardait les yeux fixés sur la route droit devant, un bras calé contre le tableau de bord.

Je regardai Hoang.

— Il va mourir.

— Nous avons les meilleurs soins médicaux de tout le Sud-Est asiatique à cinq minutes d'ici, alors, cramponne-toi et ferme-la.

Baranski passa la troisième et la jeep quitta la circulation pour suivre la trajectoire ouverte par ses propres phares dans les premières lueurs de l'aube, à la sortie de la ville meurtrie par la guerre.

— Comment vous sentez-vous?

Il sourit et haussa les épaules.

— Assez idiot, en fait. Et j'ai mal à la tête.

— Ça ne m'étonne pas.

Je m'assis dans le fauteuil violet que le Durant Memorial offrait aux visiteurs et ôtai mon chapeau, le posant sur la mallette à mes pieds. Santiago Saizarbitoria resta sur le seuil, faisant de son mieux pour demeurer invisible et écouter discrètement tout à son aise.

— J'espère que vous vous sentez assez bien pour répondre à quelques questions.

— Oh oui.

Il se servit de la télécommande électrique pour se redresser sur le lit et cala un coussin un peu plus bas.

— Ils me gardent cette nuit en observation, mais en dehors du mal de tête, je me sens bien.

— Vous vous êtes quand même pris un bon coup.

— J'ai déjà vu pire. (Il baissa les yeux.) Est-ce ma mallette?

— Oui. Je me suis dit que vous voudriez peut-être l'avoir avec vous.

— Oui, je vous remercie.

Nous étions tous deux conscients que je ne faisais aucun mouvement pour la lui donner.

— Monsieur Tuyen, êtes-vous certain de ne pas avoir la moindre idée de l'identité de votre agresseur?

Il leva la tête.

— Non, pas la moindre.

— Avez-vous reçu de la visite aujourd'hui? Je veux dire, avant de vous faire agresser?

Sans la moindre hésitation, il répondit:

— Non.

— Vous êtes sûr?

Il attendit un moment, évaluant peut-être la véracité du vieil adage selon lequel, lorsque la police vous pose des questions, elle connaît généralement les réponses. Il regarda ses mains.

— Quelqu'un est venu me voir tôt ce matin.

— Et qui était-ce?

Il se tourna vers moi.

— Le barman.

— Phillip Maynard?

— Oui.

Je me penchai en avant, les coudes posés sur les genoux, et fis tourner mon chapeau avec nonchalance.

— Cela vous ennuierait-il de me dire pourquoi vous m'avez menti, juste avant?

— Il voulait plus d'argent, et je ne voulais pas qu'il ait des ennuis. Ce n'est pas bien, ce que j'ai fait – le payer pour qu'il ne dise rien – et je ne souhaite pas commettre la même erreur à l'avenir.

— Monsieur Tuyen, cela fait deux fois que vous me dissimulez quelque chose lorsque je vous pose une question directe. Je vais vous conseiller dans les termes les plus fermes de ne pas recommencer, quelles que soient les circonstances.

Il hocha la tête.

— Je suis désolé, je…

— Qu'a-t-il dit?

Il parut surpris par ma brusquerie.

— Il… Il a dit qu'il s'arrangerait pour me rendre la vie très difficile si je ne lui donnais pas plus d'argent.

— Difficile de quelle manière?

— La conversation ne s'est pas prolongée. Je lui ai dit que s'il me menaçait à nouveau, je prendrais contact avec vous.

Je plongeai mon regard à l'intérieur de mon chapeau, sachant pertinemment qu'aucune réponse à mes questions ne s'y trouvait.

— Mais vous ne l'avez pas fait. Vous ne m'avez pas parlé de la visite de Maynard, de ses tentatives d'extorsion, ni de rien.

Il y eut un silence, et nous écoutâmes tous le bourdonnement de la climatisation.

— Vous est-il jamais venu à l'esprit que c'était peut-être Phillip Maynard qui avait tué votre petite-fille et que le fait de ne pas nous faire part de ce genre d'éléments pouvait être considéré comme une obstruction à la justice?

— Je suis très désolé.

Je contemplai l'étiquette usée à l'intérieur de mon chapeau, puis revins à Tuyen.

— Ensuite Maynard est parti?

— Oui.

— Comment?

Son regard devint interrogateur à nouveau.

— Je crains de ne pas…

— Lorsqu'il est parti, il est parti comment, sur une échasse à ressort ?

— Sur sa moto. (Je continuai à le regarder et ne vis que de tout petits éclats de colère aux coins de sa bouche.) Il est venu et reparti sur sa moto.

Je hochai la tête.

— Monsieur Tuyen, avez-vous été frappé une ou deux fois dans votre chambre d'hôtel ?

— Je crois que ce n'était qu'une fois, mais je peux me tromper.

— Monsieur Tuyen, je commence à être fatigué de vos imprécisions.

Il se pinça l'arête du nez entre le pouce et l'index.

— Shérif, ma petite-fille est morte…

— Monsieur Tuyen, il vous reste à me fournir un document prouvant qu'elle était bien votre petite-fille.

Il prit une profonde inspiration, mais sans ouvrir les yeux.

— Vous ne croyez pas que…

— Je ne suis pas certain de ce que je crois, mais vous ne me rendez pas la tâche facile. (Je me levai, remis mon chapeau et ramassai la mallette.) Je vais devoir vous demander un document attestant votre identité, américain ou vietnamien.

Il tenta de m'interrompre.

— Shérif, j'imagine que vous savez toutes les tracasseries administratives que cela implique.

— Tout document, certificat de baptême, bulletins scolaires, quelque chose qui me conforterait dans l'idée que Ho Thi était votre petite-fille. (Je ne lâchai pas la mallette et nous en étions tous deux très conscients.) Maintenant, soit vous me fournissez ces informations vous-même, soit je contacte le tribunal des successions et des tutelles en Californie et je demande à un adjoint du département du shérif du comté d'Orange de m'envoyer les informations.

Il leva les yeux puis se mit à parler lentement.

— Ho Thi n'a pas été adoptée, c'était ma petite-fille par le sang.

— Alors je leur demanderai de voir avec le bureau de l'état civil à Sacramento.

Il hocha la tête et pinça les lèvres.

— Shérif, je ne m'attendais pas à ce que Ho Thi soit morte quand je la retrouverais. Tous ses papiers administratifs, y compris son visa et son certificat de naissance, sont dans le coffre qui se trouve dans mon bureau, à Los Angeles.

— Alors, vous feriez bien de contacter quelqu'un et de faire faxer ces documents à notre bureau. Ensuite, je veux les originaux dans les vingt-quatre heures. Tout de suite. (Je sortis le petit 9 mm de la poche arrière de mon jean.) Et vous feriez bien d'avoir un permis pour ceci.

Saizarbitoria me suivit jusqu'au vieux Suburban garé à côté de mon camion. J'envisageais de le prendre et de lui laisser le Bullet. Il méritait quelques avantages, s'il se retrouvait en poste à Powder Junction – et en plus, je n'étais pas certain que le vieux pick-up résiste à plusieurs allers-retours. En fonction du résultat de l'élection cet automne, quelqu'un allait devoir lever des fonds dans le comté pour que le bureau de Powder Junction ait un véhicule neuf, ou relativement neuf.

Lorsque je levai les yeux, Santiago se tenait à côté de ma portière dont la vitre était baissée.

— Pourquoi avez-vous apporté l'ordinateur à l'hôpital ?

Je notai le kilométrage – 277 555 kilomètres – au compteur et me dis que je savais exactement ce que le moteur devait ressentir.

— Je me disais qu'il voudrait peut-être savoir qu'on s'en occupe. (Il ne me quittait pas du regard et le noir de ses yeux était de plus en plus sombre.) Quoi Sancho ?

— Vous avez mentionné l'existence de cette mallette plusieurs fois. Vous êtes sûr que vous ne vouliez pas tout simplement voir sa réaction ?

Je secouai la tête.

— Tu as l'esprit soupçonneux et mal tourné.

Je regardai avec insistance le compteur kilométrique et me demandai quel était le véritable chiffre, puisqu'il était en panne depuis des années.

— On n'arrive pas à craquer le logiciel de sécurité, alors je me suis dit que je garderais la main sur la mallette, par sécurité.

— Et pourquoi vous ne lui avez pas dit que Maynard était mort ?

Je bouclai la ceinture de sécurité trop lâche et fis grincer le starter.

— Il a ses petits secrets, j'ai les miens.

Il tourna la tête pour me faire un signe d'approbation.

— Vous voulez vraiment que je reste dans le coin et que je garde un œil sur lui ?

Dans un grondement, le Suburban finit par accepter de démarrer.

— Ouaip. Appelle Frymire ou Double Tough à la prison et fais-toi remplacer à minuit.

Il regarda le soleil, qui tentait de s'enfuir par-dessus les Bighorn Mountains, et je n'en voulus ni à l'un, ni à l'autre de chercher à mettre un peu de distance entre eux et ce qui semblait être en train de se passer.

— Et vous, qu'est-ce que vous allez faire ?

— Je vais dîner avec ma fille, son petit ami et la sœur de celui-ci, ainsi que Henry. Ensuite, j'irai dormir à la prison.

Ses bras restèrent posés sur la portière du Suburban.

— Vous pensez vraiment que Tuyen risque de bouger ?

Je m'attardai quelques instants sur la rapidité avec laquelle le Basque mûrissait, et sur le temps qui restait avant qu'il ne se lasse du boulot d'adjoint.

— Je ne sais pas, mais d'après toi, quelqu'un a essayé de le tuer, et on ne sait jamais, ils pourraient bien revenir et essayer de finir le boulot.

— Alors vous ne croyez pas que Maynard l'ait frappé, ni qu'il ait tué la fille ?

Je passai la marche arrière et attendis cinq bonnes secondes qu'elle soit bien enclenchée.

— À ce stade de l'enquête, je n'exclus personne.

— Qui d'autre pourrait savoir monter ça ?

Je fis tourner mon verre de Rainier sur le rond de condensation.

— Je rechigne à le dire, mais Den Dunnigan a travaillé un temps comme gardien de prison à Deer Lodge, dans le Montana, autrefois, à l'époque où ils pendaient les gens. En plus de ça, on a vu le camion des Dunnigan s'avancer sur le chemin menant à Bailey, mais ensuite ils ont changé d'avis.

Michael trempa la friandise des Hautes Plaines dans la sauce cocktail.

— Il a un casier ?

— Il s'emporte facilement, et une fois il a failli tabasser un type à mort avec une pelle.

Malgré ses réserves, Cady se joignit à la conversation.

— C'est le rancher fou ?

— Il n'est pas fou.

Henry ajouta son grain de sel.

— Je ne suis pas certain que confondre sa mère avec le minuteur de la cafetière électrique témoigne d'une stabilité mentale à toute épreuve.

Je me tournai vers Cady.

— Il ne s'agit pas de James, mais de son frère, Den.

Ma fille se pencha.

— Il croit que sa mère est une cafetière ?

Je les regardai tous.

— C'est compliqué…

La serveuse nous interrompit.

— Tout va bien, m'ssieurs dames ?

Michael leva les yeux vers elle, mâchant toujours des huîtres des Rocheuses.

— C'est délicieux. Est-ce qu'on peut en commander d'autres ?

Je repensai à la fille – celle qui avait disparu. Qui était-elle ? Et plus important, où était-elle ? Je ne voyais rien d'autre à faire que d'aller frapper aux portes des ranchs pour demander si quelqu'un l'avait vue. C'était un peu tiré par les cheveux, mais c'était la seule chose que je me voyais tenter dans la vaste et rude contrée du Hole in the Wall.

— Et la seconde fille ?

L'Ours lisait dans mes pensées, encore une fois, et je n'étais pas certain d'être content qu'il fasse de mon monologue intérieur le sujet de la conversation du groupe.

— Quelle seconde fille ?

Je n'avais pas encore eu l'occasion de mettre Vic au courant.

— Le manager du Flying J à Casper a déclaré qu'il y avait deux filles dans la voiture et que toutes les deux avaient de longs cheveux noirs, mais quand j'ai demandé à Maynard et aux frères Dunnigan, ils ont tous dit que Ho Thi voyageait seule. (Je hochai la tête à l'intention de Henry.) James a dit qu'il avait… Je ne sais pas comment les appeler…

Il sourit.

— Des visions.

— Bref, nous sommes allés jusqu'à la ville fantôme et nous avons inspecté les lieux, mais nous n'avons rien trouvé.

Michael prit la dernière huître des Rocheuses. Il n'avait pas remarqué qu'il était le seul à en manger.

— Ville fantôme ?

— C'est une ancienne agglomération à l'ouest de Powder Junction, une ville minière abandonnée.

Michael cessa de mâcher et se tourna vers Vic.

— Il faudra que tu m'y emmènes.

Je les regardai.

— Il y a des serpents.

Vic émit un sifflement du bout de ses lèvres peintes.

— Rien à foutre.

Cady sourit et tendit la main à Michael, qui la saisit. Ils se tournèrent tous les deux vers moi. Cady paraissait troublée.

— Quel genre de visions ?

Le couple un peu âgé à la table voisine se penchait aussi, alors je baissai la voix.

— Il a dit qu'il avait vu la fille qui avait été tuée, là-bas, à Bailey.

— Tu veux dire, lorsqu'ils ont trouvé le corps ?

La voix de Cady était un peu trop forte. Je lui adressai un froncement de sourcils.

— Après. James a dit qu'il rentrait en voiture un soir – c'était après avoir découvert le corps de Ho Thi. Et elle se tenait là, debout, au bord de la route.

Cady parla aussi fort que tout à l'heure.

— Qu'est-ce qu'il a fait ?

Je haussai les épaules.

— Il a arrêté son camion, mais le temps qu'il sorte de la cabine, elle était partie.

Henry s'installa confortablement, but une gorgée de vin et regarda fixement le couple âgé qui soudain perdit une grande partie de son intérêt pour notre conversation. La Nation Cheyenne reposa le verre de vin rouge sur la table et, au bout d'un moment, se mit à parler.

— Den a été gardien de prison ?

— Ouaip.

— Il semblait sur la défensive.

Cady parut un peu perdue.

— C'est celui qui est fou ?

— Non, son frère, mais il paraît évident qu'il y a une certaine dose d'excentricité dans la famille. (Je contemplai la bière que j'avais négligée et continuai à perdre l'envie d'y toucher.) Quoi qu'il en soit, Den se montre très protecteur à l'égard de James.

Henry hocha la tête.

— Oui, mais pourquoi Den – ou d'ailleurs James – aurait-il tué Ho Thi, tué Maynard et tenté de tuer Tuyen ?

Ils restèrent tous cois. C'était dans ce genre de moments que mon boulot était vraiment naze.

Cady but une gorgée de vin et sourit. Toujours optimiste, elle essayait de trouver le bon côté de la situation dans laquelle je me trouvais.

— Ce qui veut dire que Virgil White Buffalo est innocent.

— Ouaip.

Je regardai les minuscules bulles qui montaient dans mon verre, et j'évitai de croiser leur regard à tous, surtout celui de Henry.

— Alors, tu vas à nouveau dormir à la prison ?

J'approchai le Suburban jusqu'au mobile home de Vic et mis le levier de vitesse au point mort.

— C'est mon tour.

— Tu relèves Frymire ?

— Ouaip. Ensuite Frymire est censé prendre la suite de Saizarbitoria à l'hôpital, parce que Double Tough n'a pas l'air bien.

Henry avait disparu au volant de la Thunderbird, emmenant Cady et Michael chez moi. Et j'avais ramené Vic chez elle. Je la regardai monter une de ses jambes sur la banquette, exposant une jolie cuisse bien au-dessus de ses bottes.

— Que vas-tu faire de Virgil, Walt ?

— Je ne sais pas, peut-être appeler les services sociaux ou essayer de trouver un responsable de programmes d'aide sur la réserve.

Elle défit sa ceinture de sécurité, se tourna et posa doucement ses bottes en cuir noir rebrodées de roses bleues sur mes genoux. Je parcourus les fleurs du bout des doigts.

— Pleurésie…

— Quoi ?

— Les roses bleues ; c'est comme ça que Tennessee Williams appelait la pleurésie de sa sœur…

Elle secoua la tête, soupira et me regarda, perplexe.

— T'es vraiment bizarre, comme mec. (Elle croisa les jambes et s'installa à son aise.) Il faut que tu le laisses partir.

Je pensai au grand Indien et posai une main au-dessus des bottes sur son joli mollet arrondi, m'émerveillant de la douceur de sa peau.

— Ouaip.

Elle s'étira et poussa ses pieds plus loin sur mes genoux, replia un bras et le cala derrière sa tête. La brise légère qui entrait par la fenêtre fit voleter une mèche de ses cheveux.

— Et qu'est-ce que tu vas faire avec Tuyen ?

Je caressai son mollet, ma main s'arrêtant derrière son genou ; elle le replia un peu et la jupe courte remonta sur ses cuisses.

— J'imagine que je vais le maintenir en résidence surveillée jusqu'à ce que j'aie les confirmations de Californie.

— Et les Dunnigan ?

— Eh bien, compte tenu des circonstances, je n'ai pas d'autre choix que de les convoquer pour un interrogatoire en bonne et due forme.

Elle me gratifia d'un de ses sourires les plus carnivores, celui qui découvrait la grande canine en la faisant paraître tout à son avantage.

— Et qu'est-ce que tu vas faire de moi ?

Je repoussai mon chapeau, soupirai et contemplai la montre analogique – c'était pratiquement la seule chose qui fonctionnait sur le tableau de bord.

— Il faut que je sois à la prison dans dix minutes.

Ses yeux vieil or étaient gigantesques et j'essayai de me concentrer sur eux tandis que la jupe remontait encore plus.

— Tant pis pour ta pomme.

Ouh là.

— Je demanderais bien un sursis en raison de la météo, mais l'orage n'a pas l'air de vouloir se déclarer tout de suite.

Ma jolie adjointe secoua la tête et changea de position. Comme un derviche, elle balaya l'air de ses jambes qu'elle replia sous elle, sur la banquette, savourant sa supériorité en taille tout en se tournant ; puis elle saisit ma tête à deux mains et l'inclina en arrière avant de s'emparer de ma bouche avec la sienne. Ce fut un baiser sauvage, puissant et rapide, destiné à insuffler à la victime le sentiment persistant de ce qui aurait pu être.

Elle corrigea le tracé de son rouge à lèvres avec son majeur, sortit du camion, referma la portière et tourna les talons, puis elle s'éloigna d'un pas assuré sans se donner la peine de descendre sa jupe. Elle lança par-dessus son épaule :

— Ben voyons.

J'eus l'impression qu'un semi-remorque venait de me percuter de plein fouet.

Virgil White Buffalo était le seul à être réveillé lorsque j'arrivai à la prison. Après avoir arraché quelques Post-it collés à ma porte, je découvris Frymire avec le portable de Tuyen posé sur ses genoux, en train de ronfler à nouveau.

C'était peut-être la raison pour laquelle le grand Indien ne dormait pas. Il ne parlait toujours pas beaucoup, mais j'avais commencé à prendre l'habitude de lui parler chaque fois que je le pouvais, espérant que cela l'encouragerait à se joindre à moi.

— Hé, Virgil.

Il ne dit rien mais désigna mon adjoint d'un hochement de tête.

Je pris doucement l'ordinateur posé sur les genoux de Chuck et lui donnai un petit coup de coude. Il leva les yeux vers moi. Je rangeai l'ordinateur dans la mallette qui était posée, ouverte, sur le comptoir, et lus les derniers messages de Ruby.

— Apparemment, je me suis à nouveau endormi...

— Ouaip, mais si Virgil ici présent ne tient pas son rôle dans la conversation et si tu ne joues pas aux échecs, il y a des chances que tu t'endormes. Du nouveau?

— Je bricolais l'ordinateur, mais les systèmes de sécurité sont costauds.

— Tu t'y connais?

— Ouais, j'ai un diplôme en informatique.

— Ah bon? (Je réfléchis un moment.) Je ne me rappelle pas avoir lu ça dans ta candidature.

— J'ai pensé que c'était pas important; on n'a pas d'ordinateurs à Powder Junction.

Ça se défendait.

Je levai un des Post-it et lus:

— ACSS-BPS. (Je le regardai.) Qu'est-ce que c'est que BPS?

— J'en ai aucune idée.

Je lus le carré jaune que je tenais.

— WiFi?

— Connexion sans fil pour des ordinateurs. La plupart des gens s'en servent avec leur portable. Vous n'avez jamais vu les panneaux devant les motels, au bord de l'autoroute ?

Le papier suivant mentionnait un vol de matériel de forage à l'est de la ville.

— Ouaip.

Il bâilla.

— Cela veut dire qu'on peut faire tourner un ordinateur sans se brancher à une ligne fixe. On l'ouvre et il repère un signal.

Je réfléchis.

— Mais que veut dire exactement le mot WiFi ?

— Wi, c'est pour "wireless", sans fil et… (Il marqua une pause.) Je suis pas certain de ce que signifie le Fi.

Je fourrai les petits papiers dans ma poche de chemise.

— *Semper…*

Je ne suis pas certain qu'il comprit. Je le regardai bâiller à nouveau.

Il surprit mon regard et pointa un doigt vers l'ordinateur de Tuyen.

— Vous voulez que j'embarque cet engin et que je regarde ce que j'arrive à en faire ?

C'était un objet personnel, mais si tous les éléments de l'histoire du Vietnamien étaient avérés, je n'aurais de toute manière plus qu'à le lui rapporter à l'hôpital.

— D'accord. Peut-être que ça t'aidera à rester éveillé.

Je le renvoyai avec ses devoirs et m'assis sur la chaise en face de Virgil. Je fis glisser la poubelle renversée et l'échiquier pour les placer entre nous. Virgil White Buffalo, Bad War Honors, membre des Crazy Dogs, se mit à m'observer.

— Je crains de ne pas pouvoir t'opposer la même résistance que Lucian.

Il fit pivoter le plateau, et j'ignorai la dimension symbolique de son geste lorsqu'il me donna les blancs et donc l'initiative. Sa voix toujours rauque résonna comme une contrebasse et l'air vibra entre nous :

— Peut-être que tu es meilleur que tu ne le crois.

Mon doigt s'immobilisa sur un pion.

— J'en doute.

— Tu es certainement un homme noble. Culottes-courtes m'a dit que les Ancêtres te parlent.

Je levai les yeux. Son regard s'attarda sur moi et nous écoutâmes la pendule Seth Thomas égrener les secondes. Il passa la main entre les barreaux pour me faire signe de jouer. Je sortis le pion jusqu'à G4 et il contra avec un autre qu'il plaça en B5. Il y eut une pause et j'écoutai sa respiration s'ajouter au tic-tac de la pendule.

— Les Ancêtres ne m'ont jamais parlé, à moi.

Tan Son Nhut, Vietnam : 1968

— Il est mort.

Je regardai les yeux de Hoang et le contemplai tandis que les deux autres lui portaient un regard indifférent ; sa bouche s'était détendue, muette, et il n'y avait plus de bulles dans le sang qui inondait sa poitrine. Je remontai un peu sa tête et la tins contre moi.

Baranski posa un bras sur le dossier du siège de Mendoza et lança un regard en arrière.

— Quoi ?

Le lever du soleil teinta le ciel de nuances orangées, et je tentai désespérément de contenir ma colère.

— Tu peux ralentir, il est mort.

L'homme du renseignement se concentra à nouveau sur la route et me lança un regard dans le rétroviseur.

— Qu'est-ce que tu viens de dire ?

— J'ai dit qu'il était mort et que tu pouvais ralentir. Mission accomplie, pour toi.

Il regarda Mendoza, qui était assis sur le siège passager et qui ne quittait pas la route des yeux. J'aurais pu jurer qu'il y avait deux morts dans la jeep.

— Est-ce que tu m'accuses… ?

— Il m'a parlé de la sacoche, celle que tu lui as donnée pour qu'il l'emporte dans l'hélicoptère le jour où nous sommes partis pour Khe Sanh. (Même dans les premières lueurs de l'aube, je vis ses petits yeux regarder furtivement en biais.) Il m'a dit et je t'ai vu le faire. Plutôt adroit, de te débarrasser de toutes tes pommes pourries d'un seul coup.

— Hé, connard de bleu, t'as une idée du merdier dans lequel t'es en train de te fourrer ?

Je l'ignorai et poursuivis.

— C'était incompréhensible, le souffle de l'explosion qui projetait l'hélicoptère vers le nord-est alors que les Vietcongs attaquaient précisément de cette direction-là. S'ils nous avaient canardés, on aurait sauté dans la direction opposée. (Je gesticulai en tenant toujours le corps contre moi.) J'imagine que Hoang ne savait pas que tu projetais de le tuer, lui aussi. Et ensuite, lorsque ça n'a pas marché, tu as essayé d'obtenir qu'il me tue. Si je ne me trompe pas, Hoang était censé me faire boire comme un trou et m'emmener jusqu'au bunker où se trouvait Mai Kim, que tu avais déjà tuée, pour que tu m'achèves. (Je déglutis, pour me débarrasser de la bile qui me remontait dans la gorge.) Mais j'ai sauvé la vie de Hoang à Khe Sanh, et il ne pouvait pas me descendre ni m'emmener jusqu'à l'endroit où tu te chargerais de m'abattre. Il ne t'a même pas dit où je me trouvais. (Je baissai la tête et regardai le visage sans vie de Hoang.) Finalement, c'était plutôt un type bien, non ?

Il maintint la vitesse de la jeep aux environs de 90 km/h.

— Je t'emmerde, espèce de connard de merde.

Ma main se glissa sous les jambes de Hoang, où se trouvait mon .45, dont la lanière et la sécurité étaient défaites.

— L'accélération du trafic de drogue a en gros coïncidé avec ton arrivée ici, à Tan Son Nhut, et la seule question que je me pose est la suivante : est-ce que tu étais au courant de l'enquête avant, et est-ce que tu essayais de protéger tes intérêts ? Ou bien est-ce que tu es tombé par hasard sur ce trafic et tu en as profité pour faire ton petit business personnel ?

Il regarda la route à travers le pare-brise comme s'il y avait quelque chose au milieu.

— Tu sais que dalle.

Mendoza ouvrit brusquement la bouche.

— Hé…

Je regardai Baranski.

— Je crois que j'ai à peu près tout compris, sauf un truc. (J'observai la nuque de Mendoza.) Est-ce qu'il est dans le coup, lui aussi ?

Le Texan leva une main et pointa un index sur la route.

— Hé !

Baranski regarda le profil de son voisin et je dégainai le gros Colt caché sous les jambes de Hoang tandis que le Texan s'emparait du volant. Baranski contre-braqua au moment où nous heurtions quelque chose sur la route, quelque chose qui expédia la jeep dans une spirale sur deux roues, vers la gauche.

— Putain, mais… !

Le véhicule ne se retourna pas complètement, mais la secousse m'arracha le corps de Hoang des bras et je tombai de la jeep, le .45 toujours dans la main, heureusement. Je heurtai un tas de terre et en emportai une bonne partie avec moi dans le fossé au bord de la route. Je restai là un moment, essayant de reprendre mon souffle en cherchant du regard Mendoza et Baranski, mais je ne vis que le corps de Hoang, couché de travers à environ vingt mètres devant moi.

Je secouai la tête et sentis du sang qui coulait sur ma joue. J'avais dû m'érafler considérablement sur l'asphalte. Je pris appui sur mes coudes à vif et secouai à nouveau la tête, tentant de retrouver une vision claire ; on aurait dit que les buissons environnants s'approchaient du corps de Hoang et de la jeep qui était couchée sur le flanc, plus haut sur la route. La forêt de Birnam marchant sur Dunsinane.

J'écoutai les coups frappés au fond de mon crâne, qui ressemblaient à des tirs de mortier, et j'essuyai mon visage couvert de sang et de terre avec ma main libre. Je pris une grande inspiration et me levai, me disant qu'il valait mieux que je retrouve l'enquêteur et son compère avant qu'ils ne me retrouvent.

C'est alors que les buissons se tournèrent et me regardèrent.

Ils portaient un pyjama noir et un chapeau plat et ils étaient là, armés d'AK-47 rutilants. L'un des buissons vers l'arrière tenait un lance-roquettes RPG de fabrication soviétique, et il fit signe aux autres de l'aider à soulever une mitraillette légère que le corps de Hoang avait dû heurter lorsqu'il avait été expulsé de la jeep.

Je levai mon .45 alors que le soldat le plus proche, celui qui portait le RPG, se mit à crier. Je tirai, et il s'écroula en arrière et se retrouva assis, le buisson camouflage tombant à côté de lui. Je courus vers les autres. C'était très risqué, mais la portée de mon Colt était impuissante face à des AK, à moins que je puisse me rapprocher. Je courus vers l'avant tandis que le buisson suivant tournait son arme contre moi. Je bloquai le canon en saisissant la poignée avant et son tir partit dans le coteau. J'enfonçai le .45 dans son ventre, appuyai sur la détente et me cramponnai à son arme tandis qu'il basculait en arrière.

Une rafale sortit du fossé, et je tombai à côté de l'homme que je venais d'abattre, levai le canon du fusil et balançai un pruneau sur le soldat vietnamien qui était en train de tirer. Le recul était un peu plus puissant que sur un M16, ou peut-être était-ce l'inconfort de la crosse en bois, mais l'autre type tomba malgré tout et j'abattis encore quelques Vietcongs avant que les autres ne s'enfuient dans les hautes herbes.

Fais ce que tu as appris à faire et peut-être que tu sortiras vivant de cette histoire. Prends les bonnes décisions comme si ta vie en dépendait, parce que c'est le cas. Si tu hésites, tu hésiteras jusqu'à la fin des temps.

Je restai là, essayant de ne pas m'appesantir sur les mille manières dont j'aurais pu mourir dans les dernières minutes, et j'écoutai les coups frappés au fond de mon crâne. Je détendis les muscles de ma mâchoire et inspectai la route sur laquelle se trouvaient les soldats du génie et l'escadron vietcong. Je savais que nous n'étions pas très loin de la porte ouest de la base, mais les quelques baraquements dans le coin paraissaient déserts et il n'y avait aucun civil sur la route, ce que je n'avais jamais vu auparavant. C'est alors que je remarquai les vestiges d'un char M48. Des corps sortaient à moitié de toutes les ouvertures et il était clair que l'engin était hors d'usage. Au-delà se trouvait un M113, un véhicule de transport de troupes blindé ; le M113 avait dû tamponner l'arrière du char Patton lorsqu'il avait été canardé. Un autre corps était effondré sur la mitrailleuse de .50 installée au poste de tir.

Plus loin, je parvins à discerner d'autres carcasses qui avaient dû être canardées également et étaient toutes hors d'usage. Avec le tank, cinq autres véhicules étaient rangés en ordre de bataille de part et d'autre de la route et tiraient à feu continu sur une vieille manufacture textile vers l'ouest.

Ce qui était arrivé était très clair. Avec tambours et trompettes, la cavalerie avait dû être envoyée depuis un endroit plus au nord – peut-être Cu Chi – afin de défendre Tan Son Nhut, et elle avait été prise en embuscade sur Highway 1.

Un pote qui avait été à l'école militaire de Fort Knox m'avait raconté que pour leur faire comprendre ce qu'était une véritable bataille armée, on leur montrait une séquence connue sous le nom de Mad Minute – la Minute de délire –, au cours de laquelle les tanks et les mitrailleuses canardaient une cible placée là pour l'occasion. Mais ici et maintenant, les milliers de balles traçantes vertes qui striaient la pénombre se dirigeaient droit sur moi.

Quelques fulgurants éclairs de feu provenant d'un bazooka rebondirent sur un panneau installé au bord de la route jusqu'à ce que l'un d'eux prenne une trajectoire qui le dirige sur un véhicule de transport de troupes blindé qui avait été la source des tirs amis les plus proches. Il explosa dans un bruit de tonnerre.

Quelques membres de l'escouade vietcong déguisés en buissons lançaient maintenant des grenades par-dessus l'autoroute, à une centaine de mètres environ. Je ne connaissais pas bien l'AK-47, mais je finis par trouver la commande de tir unique et visai le Viet le plus proche. Mon tir fut un peu bas et un peu trop à droite, mais le Viet tomba et la grenade qu'il tenait explosa, emportant également les deux hommes qui étaient à côté de lui.

Je reculai dans les bambous pour me mettre à couvert, comptai jusqu'à cinq, puis je ressortis et tirai à nouveau. Je ratai franchement le suivant, et il se mit à courir dans la direction opposée pour aller rejoindre un autre escadron qui venait de sortir des baraquements.

Ils étaient des centaines.

Je commençai à revoir ma tactique et me dis que je devrais peut-être trouver quelqu'un qui serait de mon côté et qui soit vivant. Jetant un dernier coup d'œil au corps de Hoang, je gravis péniblement le coteau jusqu'au M48 carbonisé. Je finis par y parvenir et atteignis un des tas de terre qui avaient bloqué la route. Quelques tirs ennemis avaient fait ricochet sur la surface. Je pris quelques profondes inspirations et me faufilai derrière un autre remblai vers l'est pour atteindre l'avant du véhicule de transport de troupes. Le chauffeur était tout proche, et il était clair qu'il était mort. Je levai les yeux vers la coupole et je vis que le chef de char était mort, lui aussi. Je décidai d'aller voir le véhicule suivant.

Personne ne tirait, mais j'entendais malgré tout des bruits provenant de l'intérieur. L'écoutille principale était ouverte, et apparemment la plupart des hommes avaient réussi à s'enfuir, ne laissant que quelques morts. Je sentis l'odeur du sang, si douceâtre qu'elle en était presque aigre, et j'étais sur le point d'avancer lorsque je remarquai la présence d'un sergent qui respirait encore, assis le dos contre le compartiment moteur. Je lui lançai :

— Eh, Sarg', ça va ?

Sa tête branla un moment, puis il me montra son visage. L'œil gauche n'était plus là.

Je passai par l'écoutille et lui attrapai le bras, le tirant vers moi tandis qu'une autre rafale d'AK venait cribler la coque épaisse du véhicule blindé et repartait en ricochet sur l'endroit où je me tenais à peine quelques secondes auparavant. Je sentis monter un souffle de colère contre les hommes qui avaient abandonné le sergent blessé. J'entrai dans le véhicule en trébuchant et je le calai contre la cloison.

— En y réfléchissant, je crois que ce sera plus sûr ici.

J'attrapai la trousse de premiers secours dans un compartiment intérieur, en sortis un rouleau de gaze et un paquet de compresses, et lui enveloppai doucement la tête pour arrêter l'hémorragie. La balle avait dû entrer par son œil puis sortir par l'oreille, un vrai miracle. Puis je déballai une seringue de morphine et la lui plantai dans la poitrine.

Il sursauta et me regarda de son œil valide.

— Savez-vous quel jour on est ?

Il avait un fort accent des Appalaches, et je l'observai, ahuri qu'il puisse encore parler ou entendre.

— Quoi ?

Je le regardai tenter d'articuler avec un côté de la bouche.

— Savez-vous quel jour on est ?

Je déglutis pour tenter de produire un peu de salive, mais j'eus l'impression que ma langue était comme un bout d'attrape-mouches.

— Je crois que nous sommes mardi.

Il hocha la tête.

— C'est bien l'impression que j'ai, on dirait bien un mardi.

Je lui souris et collai l'autocollant de la dose de morphine sur le revers de sa veste pour que les secouristes sachent qu'il avait été shooté.

— Oui, vous avez raison.

Il marmonna autre chose pendant que j'inspectais le chargeur-banane du fusil pour constater qu'il ne restait que deux balles.

Les assaillants se rapprochaient et ce n'était qu'une question de temps – et de temps court – avant qu'ils ne nous touchent avec une autre grenade antichar ou qu'ils ne balancent une grenade par l'écoutille. Je posai l'AK presque vide sur les genoux du sergent.

— Sarg', il va falloir que vous vous cramponniez. Parce que si je ne me mets pas à balancer quelques tirs d'intimidation, nous allons être vite dépassés.

Je vis que l'un des M60 avait le canon explosé et que l'autre n'avait pas l'air en meilleur état. J'essayai d'éviter le commandant mort, mais la mitrailleuse de .50 avait vraiment l'air d'être notre dernière chance. Je tendis les bras et tirai doucement le commandant pour le faire descendre de son poste, puis je l'installai à côté du sergent. Il s'était pris au moins trois balles dans la poitrine et son visage dénotait un immense intérêt; il n'avait pas l'air surpris, et c'était comme s'il avait su exactement ce qui lui arrivait au moment où c'était arrivé. Je regardai le sergent, qui parut se tasser un peu tandis que son œil se fermait, et j'espérai que je parviendrais à nous donner un peu d'air avant qu'il ne cesse de respirer.

J'inspectai la mitrailleuse et vis qu'elle n'avait jamais servi. J'armai la bête, calai mes pieds et passai lentement ma tête par l'écoutille. J'entendis des voix sur ma gauche et pivotai pour voir un certain nombre de Vietcongs en train d'envahir le M48 que je venais de quitter.

Je fis pivoter le canon de la lourde machine et essayai de me souvenir des statistiques de base. Je me rappelai que la mitrailleuse Browning M2 tournerait à 550 coups par minute si on la laissait faire, mais dans ce cas l'échauffement bousillerait le canon. Alors, j'appuyai sur la détente avec un tout petit peu de retenue – j'arrosai et je priai.

L'arme fit tout ce qu'elle était censée faire, et j'espérai que je n'aurais jamais plus à voir ça de toute ma vie.

Je pivotai à nouveau vers le fossé et arrosai toute la longueur du coteau. Ceux qui le pouvaient partirent en rampant ou en courant vers les baraquements et les herbes comme des dindes sauvages dans le Wyoming le troisième jeudi du mois de novembre.

Si je devais sortir d'ici avec le sergent, c'était maintenant ou jamais.

Je descendis d'un bond du poste de tir et me tournai juste à temps pour voir Baranski. Il était parfaitement encadré par l'écoutille arrière ouverte du véhicule de transport de troupes et il souriait.

Je m'immobilisai, totalement figé pendant une de ces secondes de ralenti, tandis qu'il levait le pistolet chinois Type 64 de Hoang jusqu'à mon visage et tirait.

— Tu veux décrocher?

Sa voix était rocailleuse comme si elle contenait assez de graviers pour remplir la benne d'un trente-huit tonnes.

Je levai la tête et essayai de ne pas m'attarder sur les dégâts qui avaient été causés à son sourcil gauche.

— Quoi?

Il laissa échapper un petit rire.

— Tu joues très bien, mais le téléphone est en train de sonner.

Je jetai un coup d'œil sur le plateau de jeu et la partie entamée, puis me tournai vers le téléphone accroché au mur.

— Merci. Tu me le diras, si je gagne, hein?

J'allai jusqu'à l'appareil et décrochai.

— Bureau du shérif du comté d'Absaroka.

On aurait dit que je n'étais pas sûr.

— Walt?

Je retrouvai tous mes esprits lorsque je me rendis compte que c'était Frymire.

— Ouaip?

— Je suis à l'hôpital, mais Sancho n'est pas là.

Cela ne ressemblait guère à notre Basque.

— Et Tuyen?

— Il dort comme un bébé.

— Peut-être qu'il est aux toilettes ou qu'il est allé se chercher quelque chose à manger.

Chuck avait l'air un peu ébranlé.

— Shérif, ça fait une demi-heure que je suis là et je ne l'ai pas vu. J'ai demandé à l'infirmière de garde, mais elle dit qu'elle ne l'a pas vu depuis qu'elle a fait sa ronde à minuit moins le quart. (Je levai les yeux vers la pendule – cela faisait trois quarts d'heure.) Vous voulez que j'appelle chez lui ?

Je pensai à Marie et à leur futur enfant, et à sa réaction à un coup de fil du shérif à 1 heure du matin lui demandant où se trouvait son mari.

— Non, je vais prendre le biper et venir.

Je jetai un coup d'œil à Virgil White Buffalo en raccrochant et pensai à ce qu'il infligerait à la prison si je le laissais seul. J'allais le libérer demain de toute manière – aujourd'hui, pour ainsi dire, alors, quel mal y avait-il ? Je lui tendis ses effets personnels que je pris dans le tiroir, y compris le porte-photo, sa veste et son couteau.

— Virgil, ça te dirait de faire un peu de terrain ?

Nous traversâmes la nuit boudeuse des Hautes Plaines et arrivâmes à l'entrée des urgences de l'hôpital. L'infirmière de garde, Janine Reynolds, guettait notre arrivée.

Elle lança un coup d'œil inquiet en direction de Virgil, se rappelant sans doute sa dernière visite. Je le regardai.

— Tu ne vas pas mettre l'endroit sens dessus dessous à nouveau ?

Son visage resta impassible.

— Non.

Je me tournai vers la petite-fille de Ruby.

— Janine ?

Elle pointa un index.

— Lorsque j'ai fait ma tournée juste avant minuit, il était assis là.

Frymire essaya de nous interrompre, mais je gardai les yeux rivés sur Janine.

— Et Tuyen ?

Elle inclina la tête vers la porte de la chambre.

— J'ai emporté son plateau. Il regardait par la fenêtre lorsque je lui ai dit que ce serait une bonne idée d'éteindre la lumière et de se reposer.

Je haussai les épaules en abaissant la poignée pour ouvrir la porte.

— Eh bien, au moins, ça ne fait pas longtemps qu'il dort.

Frymire tint la porte tandis que j'entrai et allumai la lumière.

— Monsieur Tuyen ?

Il était enroulé dans les draps et dans une couverture en polyester, tourné vers les fenêtres, dos à nous.

— Monsieur Tuyen, je suis désolé de vous déranger mais…

Il ne répondit pas, et en m'approchant je vis une tache sombre sur la couverture. Je me penchai et tirai sur le drap pour découvrir son visage.

— Oh, Sancho.

16

Il n'était pas mort, mais il n'en était pas loin.

Tuyen s'était servi du couteau dentelé de son plateau-repas et avait utilisé la lame peu solide de la pire des manières : il l'avait plantée profondément tout en imprimant un mouvement de rotation vers le haut du rein de Saizarbitoria avant de briser la lame, ce qui avait eu pour conséquence une hémorragie interne considérable et une paralysie partielle. Heureusement, Santiago avait été agressé à l'hôpital, et en moins de dix minutes, il était en chirurgie.

— Je vais appeler Marie, tu contactes tous les autres et tu lances un avis de recherche sur mon camion. Il a l'arme de Sancho, alors assure-toi que tout le monde sache qu'il est armé. Ensuite va au bureau et organise la coordination.

— C'est qui, tous les autres ?

Nous étions à côté des portes battantes.

— Vic, Ferg, Ruby, Double Tough, la patrouille de l'autoroute, le comté de Natrona, de Campbell, de Sheridan… et s'il y a un membre de la police montée canadienne dans le coin, je le veux lui aussi.

— Et Henry ?

Je levai les yeux vers Frymire, son visage abîmé et son bras cassé tenant toujours l'ordinateur de Tuyen.

— Surtout Henry.

Je partis vers la sortie des urgences et remarquai que quelque chose obstruait la lumière fluorescente dans le hall, derrière moi. Je me tournai et regardai Virgil — comment avais-je pu oublier un Indien de plus de deux mètres ? Je lui montrai Frymire, qui était en train de passer ses appels depuis le poste des infirmières.

— Virgil, est-ce que tu pourrais aller avec lui ?

Il ne bougea pas. Il m'observa, puis lutta pour faire sortir quelques mots :

— Tu as besoin d'aide…

Je le regardai fixement.

— Je vais en avoir beaucoup.

Mon regard se posa sur les halos de lumière reflétés dans ses pupilles et je voyais bien qu'il lui en coûtait de parler.

— Tu as besoin d'aide maintenant.

À part le descendre, il n'y avait pas grand-chose que je pouvais faire pour l'empêcher de me suivre, et peut-être avais-je honte de l'avoir gardé enfermé pendant presque une semaine pratiquement sans raison, mais je n'avais pas le temps.

— Écoute, j'apprécie ta proposition, mais…

— Je connais la région…

Je levai les yeux et eus l'impression d'être un enfant en train de discuter avec un adulte ; le sac médecine accroché à son cou était au niveau de mes yeux.

— Quoi ?

— Tu vas à Bailey, la ville fantôme. Je la connais mieux que personne.

— Qu'est-ce qui te fait penser que je vais à…

— La femme aux cheveux d'argent, elle a dit que les messages électriques venaient de l'école.

Il me fallut quelques secondes pour faire le lien.

— Les e-mails ?

— Oui.

Je réfléchis.

— Ils venaient du je-ne-sais-quoi sans fil du système de l'école du comté.

Il hocha la tête.

— Les messages électriques du BPS. (Ses yeux s'assombrirent, réfléchissant tout, ne révélant rien.) C'est la même abréviation qui se trouve sur une plaque qui est accrochée à l'extérieur du bâtiment. Je l'ai vue quand je regardais les enfants… BPS. Bailey Public School.

J'eus l'impression que le ciel me tombait sur la tête. Tout s'emboîtait ; les mails erratiques, l'ordinateur disparu qui inquiétait tellement Tuyen, l'apparition de la seconde fille – le fait que Ho Thi ne ressemblait pas beaucoup à Mai Kim. La véritable arrière-petite-fille de la femme que j'avais rencontrée à Tan Son Nhut se trouvait à Bailey et essayait de prendre contact avec moi de la seule manière sûre qu'elle connaissait.

— Elle est là-bas et nous devons la retrouver avant lui.

Une fois que j'eus appelé Marie et demandé à Doc Bloomfield de me tenir au courant de l'évolution de l'état de Santiago, Virgil et moi partîmes dans le vieux Suburban et prîmes la route. Je passai un appel radio pour donner à tout le monde les informations sur notre position et notre destination, et ce fut Rosey qui répondit.

Parasites.

— Bon sang, je suis sur la I-90, à l'est de Durant, mais je fais demi-tour. Je vais contacter le détachement de Casper et les envoyer vers le nord.

J'appuyai sur le bouton du micro.

— Bien reçu.

Virgil ne quittait pas la route des yeux. J'enfonçai la pédale de l'accélérateur et écoutai le moteur grand bloc qui me rappelait les courses de Big Daddy Don Garlits ; le moteur était vieux, mais en ligne droite, les 7 500 cm^3 avaient du répondant.

Trente minutes plus tard, nous prenions la sortie de Powder Junction et foncions vers l'ouest, vers les derniers contreforts sud des Bighorns et Bailey. Virgil s'accrocha d'une main qui recouvrait presque entièrement le tableau de bord lorsque je pris le virage avant d'arriver au col d'où nous avions une vue dégagée sur la ville fantôme.

J'espérai voir mon camion garé sur la rue principale, du reste, la seule rue de l'ancienne agglomération minière, ou devant l'école, juste de l'autre côté de la colline, mais le seul véhicule que je vis était le Ford blanc et turquoise qui appartenait aux frères Dunnigan.

J'arrêtai le pick-up et essayai de décider si je devais continuer jusqu'à l'école ou descendre et voir ce qui se passait avec Den et James. Je décidai d'aller voir les frères et tournai le volant.

Je me garai à côté de leur camion et descendis. Virgil ouvrit la portière côté passager et se planta au milieu de la rue pendant que j'inspectais l'intérieur de leur véhicule.

Le râtelier à fusil était vide. Autrement, tout paraissait normal et les clés étaient sur le contact. Je posai la main sur le capot ; la chaleur du moteur était encore perceptible. Mais pas la moindre trace de mon camion, des deux frères, de Tuyen, ni de la fille disparue.

Cela n'avait pas de sens. Les Dunnigan, mais pas de Tuyen ?

Il était évident que Virgil lisait dans mes pensées ; il contourna le pick-up et vint me rejoindre.

— Tu vas voir à l'école, moi, je reste ici.

J'y réfléchis, puis je levai les yeux et inspectai la rue déserte.

— Virgil, je ne peux pas…

— Tu dois trouver la fille.

— Ils risquent de te tirer dessus.

Il ouvrit la portière côté conducteur et me poussa dans le Suburban avant que je puisse formuler d'autres objections. Son regard s'attarda sur moi et il sourit tout en refermant la portière. Il posa sa main géante sur le couteau accroché à sa ceinture.

— Ce ne sera pas la première fois

Tan Son Nhut, Vietnam : 1968

J'étais allongé par terre dans le véhicule de transport de troupes et je me disais que ça faisait vraiment très mal d'être mort. Je regardais par l'écoutille la couleur d'un jaune écœurant du ciel tandis que le soleil luttait pour déverser encore plus de chaleur dans le matin asiatique. J'entendis les hélicoptères des renforts envoyés de Tan Son Nhut et observai les Huey Gunship qui zébraient le ciel au-dessus.

La balle de 7.65 avait emporté une partie de ma clavicule et un bon bout de viande, et c'était tout ce que je pouvais faire pour rester conscient et regarder Baranski grimper et entrer dans le blindé. Il continuait à pointer le Type 64 sur mon visage. Ma tête était coincée entre la cloison et le poste de pilotage, et mon bras gauche était bloqué dans mon dos. Je lui lançai un coup de pied bien futile tandis qu'il se penchait sur moi.

L'homme de la DCR observa les hélicoptères qui volaient au-dessus de nous.

— On fait le plein, on fait le tour et on se fait la malle. Ça doit être les hélicos de la défense antiaérienne, et je dirais que ça veut dire la fin de la petite sauterie de Têt organisée par Charlie.

Baranski posa un pied sur le siège et me contempla, une expression d'indifférence totale sur le visage.

— Putain, on peut pas tirer correctement avec ces petites merdes chinetoques.

Je bredouillai une réponse, me disant que plus je gagnais du temps, plus il y avait de chances que quelqu'un se pointe.

— Tu m'as eu.

— Ouais, mais je visais entre les deux yeux. (Il rit.) T'aurais dû rester au QG, connard, t'y aurais été bien plus en sécurité.

Je fis la grimace lorsqu'un autre élancement douloureux me coupa le souffle.

— Alors, c'était ton opération ?

Il sortit le paquet de Camel de sa poche de chemise et en prit une qu'il coinça entre ses lèvres.

— Ça l'est devenu.

Il rangea les cigarettes et sortit son Zippo pour allumer celle qu'il avait à la bouche.

— C'était un peu le foutoir, mais c'était prometteur.

Il aspira longuement et baissa à nouveau la tête vers moi.

— Je me fais à peu près cent mille dollars par mois, et j'allais te mettre dans la boucle, mais t'étais tellement *gung-ho*.

— Et Hoang était ton associé ?

Il renifla et s'éclaircit la voix avant de tirer longuement sur sa cigarette.

— Ouais, et il va pas être facile à remplacer. Les sacoches, c'était toute une histoire. J'arrivais à trouver tout, du haschich, de l'opium… Tout ce qu'on me demandait, j'arrivais à l'avoir, et mieux, j'arrivais à le faire sortir des bases de l'Oncle Sam et à l'y faire entrer. Il va falloir que je trouve un autre pilote pour ce trajet, mais ça ne devrait pas être si compliqué que ça, après tout.

Il m'observa et rit.

— Les ennuis ont commencé quand cette connasse a décidé de te parler du business. T'y crois, toi ? Tout ça à cause d'une petite *putain*.

Il inhala une nouvelle bouffée et me contempla.

— On peut parler aussi longtemps que tu veux, parce que personne ne va venir. Les hommes de l'Oncle Sam sont à la base, en train de descendre des prisonniers en ce moment même.

Ses yeux étaient totalement indifférents, et tout en parlant, il jouait avec le pistolet chinois.

— Tu vois, monsieur l'enquêteur des marines, tout le monde s'en fout.

J'essayai d'ajuster ma position, mais coincé comme je l'étais, il n'y avait pas d'issue possible.

— Et Mendoza ?

— Le Texicain ? Eh ben quoi ?

C'était douloureux, rien que de respirer, mais il fallait que je continue à parler.

— Il était dans le coup ?

— Nan. Je l'avais entraîné à détourner les yeux. Le truc, c'était que je craignais qu'il ait des doutes si je te dégommais.

Il sortit la cigarette de sa bouche et cracha un morceau de tabac qui était collé à sa langue.

— Il était assez amoché après l'accident, alors je me suis approché et je lui en ai mis une derrière la tête. J'ai mis fin à ses malheurs. Genre, comme je vais faire avec toi. Je suis content de ne pas t'avoir descendu la première fois. C'est sympa de pouvoir te regarder, de voir ta gueule quand je vais te mettre une balle en pleine poire.

Le Type 64 remonta jusqu'au niveau de mes yeux.

— Regarde-moi. Pas une égratignure. Tu sais, il paraît que George Washington était comme ça. Patton aussi. Ils sont là, en plein champ de bataille avec les balles qui volent dans tous les sens et ils ne sont pas touchés, jamais.

Il sourit à nouveau, et je regardai son index se crisper sur la détente.

— Comme eux, apparemment, j'ai juste cette chance-là.

La détonation résonna comme si elle était double, et le sang jaillit en tous sens.

Je restai là un moment, à penser que je ne devrais pas être capable de penser.

Je clignai des yeux et regardai le visage ensanglanté de Baranski, ses lèvres où la cigarette était encore coincée, juste avant qu'il tombe en avant et s'écrase sur moi. Il tressaillit une dernière fois et ne bougea plus. Je levai la tête et regardai le sergent borgne qui était assis dos à la cloison et qui tenait toujours l'AK-47 dont le canon laissait échapper un mince filet de fumée.

Sa voix était un peu chantante, elle résonna juste avant que son œil unique se ferme à nouveau.

— Apparemment, ta putain de chance vient juste de t'abandonner, connard.

Il n'y avait personne à l'école.

Je me garai devant et sortis sans oublier d'attraper la Maglite rangée dans la portière ainsi que la radio portative. Les piles de la lampe torche étaient faiblardes mais elles donnaient plus d'éclairage que la lune languissante qui venait de se lever. J'écoutai le doux cliquetis du câble sur le mât destiné à accueillir un drapeau, et je me souvins de l'école que j'avais fréquentée, sur la Powder River. J'avançai jusqu'à la porte du bâtiment en béton de plain-pied et vis qu'elle était fermée par un cadenas. Je regardai par la fenêtre et aperçus quelques bureaux et un ordinateur posé sur une petite table. Désert pendant l'été, l'endroit paraissait n'avoir pas eu de visite depuis un ou deux mois.

Je soupirai et regardai autour de moi, espérant apercevoir la jeune Vietnamienne quelque part dans la nuit des Hautes Plaines. Je fus déçu.

J'enfonçai le bouton de la radio et levai les yeux vers les falaises rouges qui paraissaient absorber la lumière de la lune comme du buvard.

— Département du shérif du comté d'Absaroka, il y a quelqu'un ?

Parasites.

Fichues falaises.

Je repris la voiture pour retourner à Bailey et garai le Suburban juste devant le vieux Ford des Dunnigan. J'en descendis, armé de ma lampe torche – cette fois, il y avait quelqu'un assis à la place du conducteur. Je sortis mon .45 et j'éclairai l'habitacle de ma lampe vacillante. Je reconnus le profil et lançai par la portière passager.

— James ?

Il se tourna vers moi au moment où je descendais mon bras plus bas que la fenêtre afin qu'il ne voie pas mon arme.

— Hé, Walt.

J'attendis une seconde puis baissai également le faisceau de ma Maglite, mais il ne recommença pas à parler.

— Qu'est-ce que tu fais ici, James ?

Il prit une profonde inspiration, repoussa son chapeau de paille sur sa nuque et porta une vieille flasque à sa bouche. Je vis la Winchester calée contre la portière.

— Oh, je rentrais du bar et j'suis venu chercher cette fille… la morte.

Je le regardai fixement puis posai un coude sur le rebord de la portière, histoire de prendre une pose qui incitait plus à la confidence.

— Et à quoi elle sert, la carabine ?

Il sourit et parut gêné.

— Cet endroit, il m'inquiète… Je crois que je commence à avoir la trouille.

— Ça t'ennuie si je la prends ?

Il observa le fusil puis se tourna vers moi.

— Non, bien sûr… j'ai aucune raison d'avoir la trouille si t'es là.

Je tendis prudemment la main et saisis la Winchester, que je sortis du pick-up par la fenêtre ; j'actionnai le levier pour vider l'arme de ses cartouches, puis j'allai déposer arme et munitions sur le plancher du Suburban. Je verrouillai le pick-up puis revins près de James, qui n'avait pas bougé si ce n'était pour boire du liquide de sa flasque.

— Tu l'as trouvée ?

Il prit une inspiration pour se donner le temps de réfléchir, puis secoua la tête.

— Non, non…

Il gardait les yeux rivés sur le tableau de bord tandis que nous écoutions le léger cliquetis du gros bloc du Suburban en train de refroidir. Il me tendit la flasque, et je sentis l'odeur de son brandy préféré.

— Ça te dit ?

— Non, merci. (Je secouai la tête.) James, est-ce que tu as vu quelqu'un dans le coin ?

Il porta la flasque à ses lèvres et but une gorgée, puis il posa un index sur le levier de vitesses du vieux camion.

— Tu sais, la plupart des gens, ils croient pas ce que je leur dis… (Il tourna la tête vers moi.) Alors, j'arrête de leur dire.

Il battit un peu des paupières et je remarquai qu'il regardait derrière moi, un peu vers la droite – je me tournai et suivis son regard, mais il n'y avait personne.

— Tu sais que t'es suivi ?

Je me tournai pour regarder à nouveau, mais je ne vis toujours rien.

— Maintenant ?

— Tout le temps. (Il but à nouveau et ses yeux revinrent se fixer sur le tableau de bord.) Ils sont avec toi tout le temps, ou en tout cas, toutes les fois où je t'ai vu.

Je continuai à l'observer, mais il ne bougea pas.

— … vu un géant.

Il me fallut une seconde pour réagir.

— Ah bon ?

— Ouaip, un Indien, vraiment très grand.

— Et c'était où ?

Il se pencha en avant et regarda fixement à travers le haut du pare-brise. Je suivis son regard, qui se posa de l'autre côté du cimetière, au-dessus de la corniche rocheuse au bout du village.

— Là-haut.

Je m'écartai du pick-up, le Colt toujours caché contre ma cuisse.

— Merci, James.

— Ce grand Indien, il m'a fait redescendre ici, il m'a pris mes clés et il m'a dit de rester dans mon camion. (Son regard remonta jusqu'à la salle municipale.) Je lui ai proposé mon arme, mais il m'a dit qu'il aimait mieux travailler en silence.

Je hochai la tête et me tournai, m'apprêtant à remonter la rue au-dessus de laquelle un fragment de lune commençait juste à éclairer les falaises. Elles réfléchissaient ses lueurs de la même manière que le sang dans le clair de lune.

— Hé, Walt ?

Je m'interrompis et me retournai pour le regarder à travers le déflecteur.

— Ouaip ?

— Est-ce que ce grand Indien est un ami à toi ?

Je réfléchis un instant.

— Oui, c'est un ami.

Il jeta un coup d'œil vers la rue puis revint à moi.

— Est-ce qu'il est… ?

J'attendis, mais l'ivrogne qui voyait des choses que personne d'autre ne voyait se contenta de me regarder.

— Est-ce qu'il est quoi ?

345

Il prit une autre lampée de brandy, puis laissa son regard errer sur les collines.

— Est-ce qu'il est mort, lui aussi ?

— J'espère bien que non. (J'esquissai un sourire, mais je ne parvins pas à aller au bout.) Reste dans ton camion, James.

Il hocha la tête.

— Promis.

Je parcourus la rue avec les plumes de l'angoisse qui me chatouillaient l'intérieur de la poitrine tandis que je fouillais un à un les bâtiments en ruines. Je ne trouvai aucune trace de Virgil, ni de Tuyen, ni de la fille. Une ville fantôme et déserte, si l'on exceptait James et moi.

C'était comme si l'endroit engloutissait les âmes.

J'entrevis une lueur à côté du mur écroulé du saloon et m'écartai assez loin des planches pour pouvoir apercevoir l'avant de mon camion. Je pris une inspiration et levai mon Colt. Sans m'éloigner du mur écroulé, je me glissai derrière le Bullet et vis que les portières étaient verrouillées et les clés enlevées du contact.

Je décrochai la radio de ma ceinture et essayai encore une fois.

— Unité Un, quelqu'un me reçoit ?

Parasites.

Je levai les yeux vers la salle municipale, au-delà du cimetière, vers ses corniches crénelées et son étage en saillie qui lui donnaient l'apparence d'une forteresse posée sur la colline. La lune toujours languissante avait atteint un quart plein, et je vis que la pointe de la faucille venait juste de se décoller de la ligne de crête.

Je me mis à monter, gardant le .45 devant moi. Je ne m'inquiétais pas des serpents à sonnettes, parce que la soirée était fraîche et il y avait de fortes chances qu'ils soient en train de dormir dans les fentes des rochers sur ma droite, tentant de profiter des dernières chaleurs de la journée emmagasinées par la pierre.

Je marquai un arrêt au niveau du cimetière et posai une main sur la grille métallique. Je levai les yeux vers les fenêtres sombres, puis examinai le petit chemin. Dans la pénombre, il était difficile de voir si quelqu'un était déjà passé par là. Les marches paraissaient identiques, mais en repoussant mon chapeau sur ma nuque pour être certain de bien y voir, j'aperçus la porte de la salle municipale, ouverte. Je savais que je l'avais fermée en partant.

La sueur qui coulait au milieu de mon dos collait ma chemise d'uniforme à ma colonne vertébrale et me faisait frissonner dans la fraîcheur de la brise.

La montée était raide et je pris quelques profondes inspirations pour réguler mon souffle. Je restai sur le pas de la porte et inspectai le hall d'entrée, ses pièces en enfilade, les bureaux d'autrefois, jusqu'à la pénombre des pièces du fond. Je vis les traces de pas pointure 46 laissées par mes chaussures à semelles de caoutchouc dans l'épaisse couche de poussière lors de ma dernière visite, une série de traces bien nettes là où j'étais allé presque au fond du bâtiment, avant de faire demi-tour pour monter l'escalier jusqu'à la salle de bal.

Par-dessus les empreintes de mes chaussures, on distinguait à peine les traces de pieds minuscules, bien dessinés et très creux, qui s'étaient posés exactement sur les miennes.

Je passai la porte et avançai, mon .45 à la main. Elle était montée en prenant bien soin de poser ses pieds nus sur mes traces. Je marquai une pause, éteignis la radio, levai les yeux vers le sommet de l'escalier, puis commençai à gravir les marches aussi discrètement que possible. C'était parfaitement inutile – mon ascension produisait une multitude de grincements et de couinements.

Je m'arrêtai au sommet et contemplai la piste de danse. Le clair de lune vacillant éclairait la grande surface plane et illuminait nos empreintes conjointes qui scintillaient comme des flaques de mercure liquide. Je montai les dernières marches et saisis la balustrade en arrivant en haut. Le vieux piano droit trônait sur la scène, seul.

Places debout seulement. Et personne.

La lune décida soudain de manifester de l'intérêt; le plein éclat de ses rayons traversa les baies vitrées de la façade et la porte vitrée du balcon, et le plancher dont les proportions rectangulaires semblaient s'agrandir se trouva baigné d'une lumière bleutée.

Je fis quelques pas, suivant des yeux les empreintes de pieds minuscules qui avaient continué à se poser dans les miennes, puis qui avaient traversé la piste de danse, monté les trois marches à droite et avancé sur la scène.

Je balayai toute la largeur du bout de mon Colt puis m'approchai du proscenium. Elle s'était arrêtée à côté du piano. Je posai ma main libre sur le rebord de l'estrade et levai un pied pour grimper d'un mouvement efficace à défaut d'être gracieux sur la scène.

Il n'y avait plus de traces de pas. Il semblait qu'elle était venue là et qu'ensuite elle avait tout simplement disparu – sauf que ce n'était pas si simple que ça.

Le couvercle du piano était ouvert. Je vis la poussière sur les touches que je n'avais pas utilisées et une couche nouvelle sur celles que j'avais jouées. Elle n'avait pas touché le clavier.

Le banc était toujours rangé sous le piano. Pas d'empreintes digitales dessus, pas le moindre signe qu'elle s'y était assise. Je le décalai un peu, posai le .45 à côté de moi et m'assis, à moitié tourné vers la piste de danse. Je tendis un index et enfonçai un *fa*; il était très faux mais il résonna d'une manière presque respectueuse dans la grande salle vide. Je pensai que *Moonglow* serait un choix approprié, mais je changeai d'avis, me disant que je devrais jouer *A Good Man is Hard to Find* pour l'arrière-petite-fille de Mai Kim.

Je jouai une octave plus bas que celle dans laquelle le morceau était écrit pour tenter de rester dans les étroites limites de la table d'harmonie. Je ne suis pas certain de savoir quelle était mon attente, mais après avoir joué quelques couplets, j'entendis un bruit sur ma gauche. Je saisis le Colt et me tournai pour voir qu'une petite trappe s'était ouverte d'environ dix centimètres au milieu de la scène.

Je cessai de jouer et ma respiration fut le seul bruit qu'on entendit dans la pièce. La trappe se referma lentement et sans un bruit.

Je remarquai que les empreintes de pas qui allaient jusqu'à cette trappe étaient un peu moins nettes; elle avait dû placer ses pieds dessus une seconde fois à reculons. Je baissai mon arme jusqu'à mon genou, me tournai à nouveau vers le piano et posai ma main libre au-dessus du clavier, enfonçant un *fa*, prêt à reprendre. Cette fois, je jouai la mélodie d'une seule main, et au bout de quelques secondes, la trappe s'ouvrit à nouveau et je vis les petits doigts qui l'avaient ouverte.

Je continuai à jouer d'une main puis me retournai, posai le .45 sur le banc pour que ma main gauche puisse rejoindre ma main droite. Je pensai au Vietnam, à la manière dont j'avais occupé mes soirées solitaires au Boy-Howdy Beau-Coups Good Times Lounge avec Fats Waller.

Comme un charmeur de serpents, je jouai le morceau dont Mai Kim avait dû parler à sa fille, qui avait dû en parler à son tour à sa fille. Je jouai une version douce et régulière qui se finit sur un trille. Je restai immobile jusqu'à ce que je ne puisse plus y tenir, et je me retournai.

Elle était debout à côté de la trappe aménagée dans le plancher de la scène. Elle était minuscule et portait une robe combinaison bon marché qui, d'une manière perverse, lui donnait encore plus une allure d'enfant. Ses cheveux noirs étaient longs et emmêlés et lui cachaient en partie le visage ; je ne voyais qu'un seul de ses yeux. Elle tenait un ordinateur portable serré contre sa poitrine. Ses petits bras minces étaient croisés par-dessus la machine – on aurait dit un ordinateur avec des bras et des jambes.

Elle ne bougeait pas, et je découvris qu'un mot montait dans ma gorge et franchissait mes lèvres.

— Bonjour…

Elle ne bougeait toujours pas, mais sa tête s'inclina un tout petit peu.

— Bonjour…

Je souris et calai le .45 sur mon genou. Elle recula d'un pas et je levai mon autre main dans un geste rassurant.

— Attends, je ne vais te faire aucun mal.

Elle s'immobilisa, silencieuse à nouveau.

— Je te cherche depuis longtemps, et je crois que tu me cherches aussi.

Elle bougea un peu, mais ce fut tout. Elle ressemblait à Mai Kim.

— Comment t'appelles-tu ?

— Elle s'appelle Ngo Loi Kim.

J'attrapai mon Colt et le pointai sur le visage à moitié caché de Tuyen, qui se tenait sur la dernière marche de l'escalier, le bras tendu. Dans sa main, le Glock de Saizarbitoria était pointé droit sur la jeune fille. Je ne l'avais ni vu ni entendu.

Ngo Loi Kim plongea vers la trappe et fourragea avec ses ongles à la recherche de la poignée encastrée, mais lorsqu'elle constata qu'elle refusait de s'ouvrir, elle courut vers le mur du fond et s'accroupit sur le plancher. Elle tenait l'ordinateur comme un bouclier devant elle et gémissait, terrifiée. Je bondis du banc du piano et avançai vers le bord de la scène.

— Vous êtes en état d'arrestation.

D'un pas, il sortit de la pénombre et le clair de lune fit surgir des ombres qui lui balayèrent les jambes. Sa voix parut désincarnée.

— Je suis prêt à passer un accord avec vous.

— Je ne passe pas d'accord. Lâchez cette arme.

— Si vous essayez de me descendre, je descends la fille. (Il ne bougea pas.) L'ordinateur en échange de la fille.

Je m'approchai de lui et vis ses muscles tendre la manche de sa veste en cuir. Je me dis que la seule chose à faire était de tirer. Son arme était pointée sur la poitrine de la jeune fille et il avait une chance de la toucher, mais il était possible que mon premier tir soit dans le mille et fasse plus de dégâts que sa riposte.

Je sentais le poids du gros Colt dans ma main. Et si je ratais mon coup ? Et si lui ne ratait pas le sien ? J'étais prêt à prendre ce genre de risque avec ma vie, mais pas avec celle de la fille. Je me rappelai qui elle était et tout ce qu'elle avait traversé – tout ça pour me retrouver.

Parler. C'était la seule façon.

— Ho Thi n'était pas votre petite-fille.

— Non.

Je déglutis et me préparai à toute ouverture qui pourrait éventuellement se présenter.

— Est-ce vous qui l'avez tuée, ou Maynard ?

Il me regarda.

— C'est lui.

Pendant un moment, je ne le crus pas. Ce n'était pas le genre de Phillip Maynard, mais c'était bien celui de Tuyen.

— OK, supposons que c'est la vérité. Alors, pourquoi le tuer, lui ?

Sa main armée ne bougea pas, et il restait concentré sur la jeune fille gémissante à côté du mur. Il avait eu presque toute la semaine pour me connaître et il avait bien travaillé – il savait que je ne la mettrais pas en danger.

— Il s'est suicidé, comme vous l'avez dit.

— Vous mentez.

Il me lança un coup d'œil.

— Un des ranchers, M. Dunnigan…

— Vous mentez encore.

— Dois-je déduire de cela que les capsules pliées en deux n'ont pas réussi à détourner vos soupçons ?

— Non.

— C'était une habitude dont Phillip Maynard m'avait informé. (Il sourit bel et bien et finit par prendre une inspiration.) Phillip me faisait chanter. Il était censé récupérer les filles et, plus important, l'ordinateur. Il a tout fait foirer et il a tué Ho Thi. J'imagine qu'il s'est dit qu'en déposant la fille près de la conduite et en jetant le sac à main dans les affaires de l'Indien, personne ne poserait de questions. Je suppose qu'il comptait sur un préjugé profondément ancré.

— Alors vous l'avez drogué, comme Rene Paquet, et vous l'avez pendu.

Il ne dit rien. La vérité non avouée était suspendue entre nous comme une odeur nauséabonde, et je commençai à élaborer un nouveau plan dans l'espoir qu'il deviendrait si agité, si furieux contre moi qu'il changerait peut-être de cible.

— Paquet voulait sauver Ho Thi et la sortir de cette affaire de trafic humain qui est la vôtre, ce qui explique pourquoi elle a été ramassée par les agents sous couverture à L.A.

Il m'observa.

— Vous savez, je n'ai vraiment pas de chance de m'être retrouvé dans votre comté, shérif.

— Alors vous l'avez tué, et par voie de conséquence vous avez tué quarante-deux personnes à Compton. (Il prit une nouvelle inspiration, mais ne bougea pas et ne dit rien.) C'est alors que, sous couvert des Enfants de poussière, vous avez récupéré Ho Thi et vous l'avez renvoyée au bordel, mais une fois là-bas, elle a rencontré la seule survivante du massacre du camion de Compton. (Je désignai d'un léger mouvement de tête la jeune fille près du mur.) Ngo Loi Kim. Elle et Ho Thi étaient désespérées, et j'imagine que c'est Paquet qui leur a donné le portable comme garantie s'il lui arrivait quelque chose.

Sa résolution ne paraissait pas ébranlée, alors je continuai à parler.

— Le joker, c'était la photo de l'arrière-grand-mère de Ngo, assise dans le Boy-Howdy Beau-Coups Good Times Lounge avec un enquêteur non identifié des marines qui jouait du Fats Waller et qui lui avait un jour parlé d'un de ses coins de pêche préférés dans les Bighorn Mountains du Wyoming, aux États-Unis.

— Vous avez une imagination débordante, Shérif.

— Ce n'est absolument pas une question d'imagination, et vous êtes toujours en état d'arrestation.

Alors s'installa un long silence, que nous consacrâmes tous les deux à passer nos options en revue.

— Mon offre tient toujours – l'ordinateur contre la fille.

Je réfléchis à la manière dont je pouvais prolonger la conversation, mais je commençais à me sentir à court de sujets et il interpréta mon silence comme le signe que je réfléchissais à son offre.

— Vous ne savez pas ce qui se trouve dans cet ordinateur, et cela n'est d'aucun intérêt pour vous. Ce n'est rien en comparaison de la vie de cette fille – l'arrière-petite-fille d'une amie du temps de la guerre – et vous pouvez la sauver. (Il fit un pas.) Vous ne saviez pas que j'existais il y a une semaine encore, et je peux vous assurer que vous ne saurez plus que j'existe dès demain.

— Vous ne pouvez quand même pas penser que vous allez vous en tirer ?

— C'est une activité dans laquelle j'excelle.

Il sourit à nouveau.

Il refusait de mordre à l'hameçon et le temps était venu que je choisisse : tirer ou lui donner l'ordinateur en échange de Ngo Loi. Je pris une profonde inspiration, et les ténèbres bougèrent. C'était comme si l'escalier tout entier grandissait derrière Tuyen. Un visage apparut presque un demi-mètre au-dessus du sien.

Il y avait quelque chose.

Quelqu'un.

Virgil.

Apparemment, Tuyen n'était pas le seul à avoir profité de mon morceau de piano pour monter l'escalier, sans parler de notre conversation. Mon expression dut changer, parce que le visage de l'homme agile se crispa brusquement et il pivota.

Je me retins de tirer de peur de toucher le grand Indien, mais d'un bond je descendis de l'estrade pour tenter de les atteindre, lorsque j'entendis la détonation sourde du 9 mm. Ils me percutèrent et je tombai en arrière sur le plancher poussiéreux.

Le Glock tira à nouveau, mais la balle partit en ricochet dans le mur. Je regardai Virgil soulever Tuyen jusque dans les airs, comme une pompe à balancier, puis le lancer par terre. Tuyen devait être incroyablement costaud, parce qu'il se cramponna au bras de Virgil et fit trébucher le grand Indien. Je réussis à me relever juste au moment où le plus petit des deux arrivait à envoyer deux puissants coups de pied dans le ventre du géant.

Virgil grogna puis s'empara à nouveau de Tuyen. Le 9 mm tira pour la troisième fois et j'entendis la balle passer à travers le plafond avant que le semi-automatique ne tombe bruyamment sur le plancher. Je me jetai en avant au moment où Virgil faisait tournoyer Tuyen une nouvelle fois, et ses jambes me heurtèrent au passage.

Le silence dura moins d'une seconde et j'essayais de me relever au milieu des débris de plâtre lorsque Virgil lâcha Tuyen. Ce fut comme une espèce de danse moderne sadique, et je vis le corps de Tuyen traverser la porte en verre à l'autre bout de la pièce et s'écraser contre la balustrade du balcon. Il resta figé ainsi, l'incarnation même du désespoir. Ses mains s'accrochèrent aux morceaux de bois brisés et pourris, et on eut un instant l'impression qu'il pourrait peut-être y arriver, ses doigts se repliant et se cramponnant aux débris de la rambarde.

Mais il ne réussit pas et disparut sans un bruit.

Je m'élançai tout en jetant un coup d'œil à la jeune fille. Elle n'avait pas bougé, et je lui fis un signe de la main, la paume tournée vers elle :

— Ne bouge pas !

On n'entendait pas un bruit à l'exception de Virgil qui respirait fort, debout au milieu de la pièce comme un immense wendigo. Je courus sur les larges lames du plancher et m'arrêtai de justesse devant ce qui restait de la porte et du balcon écroulé. Je regardai en bas, sur le coteau éclairé de lune.

Il avait heurté les rochers deux fois, d'abord la corniche, puis la saillie plus bas. Il était encore vivant. Au début, je crus qu'il essayait de se remettre debout ou de rouler sur le côté et de s'enfuir, mais je me trompais.

J'avais raison sur l'endroit où les serpents à sonnettes devaient dormir. Tuyen frappa la roche du plat de la main pour tenter de maintenir les serpents à distance, mais ni eux ni lui n'avaient d'autre retraite. Il cessa de crier, il cessa de bouger, et la nuit plongea dans le silence.

Épilogue

Lucian étudia sa partie du dossier puis détourna les yeux des pages de fax.

— Tu crois que ce Dick Van Dyke était le chef de la bande ?

Bon sang.

Vic, Lucian et moi étions assis à côté du lit de Saizarbitoria au Durant Memorial. Le Basque n'avait plus qu'un rein, mais il avait plutôt bonne mine, finalement. Il lisait la totalité de ce que nous appelions maintenant le dossier Tuyen, nous le passant page après page. Ned Tanen nous avait transmis la plupart des informations que détenait le département du shérif du comté de Los Angeles, et l'expression du visage de Santiago révélait la même réaction d'écœurement que celle que j'avais eue.

Le rapport du service d'immigration et de naturalisation indiquait que, dans les dernières années, cinquante mille immigrantes clandestines avaient été amenées aux États-Unis pour le seul usage de l'industrie du sexe. L'histoire de Ho Thi Paquet et de Ngo Loi Kim faisait dresser les cheveux sur la tête, mais il n'y avait pas que cela.

— Enfants de poussière était un écran pour cacher l'importation des jeunes femmes, et Trung Sisters Distributing les distribuait dans les bordels du monde entier, jusqu'à Londres. Tout est dans le rapport. (Je pris une grande inspiration.) Ngo savait se servir d'un ordinateur et elle avait un lien ténu avec le Wyoming. Ho Thi avait appris à conduire, alors…

Vic interrompit sa lecture du rapport et leva la tête.

— Ngo ne parle pas anglais ?

— Non, du coup, les e-mails qu'elle envoyait étaient en vietnamien phonétique, ce qui pour nous était un charabia incompréhensible.

Saizarbitoria leva les yeux et me regarda en passant les dernières pages du dossier à Lucian.

— Alors finalement, Phillip Maynard a été drogué avant d'être pendu ?

— Drogué comme Paquet, d'après le médecin légiste du comté de Yellowstone. (Je tirai sur un brin de paille rebelle dans mon chapeau.) Maynard était l'éclaireur que Tuyen avait envoyé de leur bureau à Chicago. Ngo nous a raconté les épisodes manquants et Henry a fait le traducteur. Les filles se sont trouvées séparées ; Ho Thi a atterri à Powder Junction et Ngo s'est enfuie à Bailey. Tuyen est arrivé pour finir le boulot, il a trouvé Ho Thi, mais ni Ngo ni l'ordinateur. Il a tué Ho Thi lorsqu'elle a refusé de lui dire où était partie Ngo. Il lui fallait un bouc émissaire et il avait besoin de temps. Il avait vu Virgil et il savait qu'il vivait dans la conduite vers la Murphy Creek, alors il a déposé le corps à cet endroit et il a jeté le sac à main dans le tuyau. Lorsqu'il a compris que je n'allais pas mordre à l'hameçon, il a sacrifié Maynard en mettant en scène le faux suicide.

Le Basque posa les mains sur la couverture et je fis tourner mon chapeau entre mes doigts pour essayer d'alléger la tension qui régnait entre nous.

— Les blessures de Tuyen paraissaient avoir été infligées par lui-même et le truc des capsules de bouteilles pliées avait l'air trop évident – alors j'ai commencé à me demander qui gagnerait à impliquer les frères Dunnigan.

Saizarbitoria continua à me regarder lorsque Marie ouvrit la porte, portant sur un plateau ce que je pensai être son déjeuner.

— Et les quarters ?

On nous avait demandé de ne pas le fatiguer, alors je pris mon chapeau que j'avais posé sur mon genou, le mis sur ma tête et me levai.

— J'ai interrogé Ned à ce sujet. Il a dit qu'ils amenaient les filles – parfois elles n'avaient pas plus de dix ans – et ils les enfermaient dans un bâtiment industriel distribué en petites chambres de trois mètres sur trois. Ensuite elles étaient… (Je jetai un coup d'œil vers Marie.)… *formées*. Et on leur expliquait qu'elles devaient vingt mille dollars chacune à Trung Sisters pour leur voyage jusqu'aux États-Unis, qu'elles travailleraient jusqu'à ce que leur dette soit remboursée et qu'ensuite elles seraient libres. On leur donnait vingt dollars par semaine en quarters pour qu'elles puissent s'acheter à boire et à manger dans les distributeurs automatiques installés dans le bâtiment.

Le Basque laissa échapper un long soupir.

Vic me tendit les autres pages du rapport et se leva en même temps que Lucian.

— Qu'est-ce qui va arriver à Ngo maintenant ?

— Les gens de l'immigration sont venus la chercher il y a environ une heure et ils l'ont ramenée à Los Angeles en lui accordant un statut temporaire de témoin protégé. Grâce à la loi sur la protection des victimes de violence et de trafic humain, elle va apparemment se voir accorder un visa de type T et la citoyenneté américaine par adoption.

Saizarbitoria regarda sa femme très enceinte approcher une table roulante de son lit et ôter le couvercle en inox posé sur son déjeuner – il avait l'air infâme. Pas étonnant qu'il essayait de nous corrompre les uns après les autres pour qu'on lui apporte un repas du Busy Bee.

— Adoptée par qui?

Je glissai l'épais dossier sous mon bras.

— Si j'étais du genre joueur, je parierais que le shérif du comté de Los Angeles, qui a déjà deux filles, est sur le point d'en avoir une troisième.

Je souris à Marie, qui s'installa aussi confortablement que possible sur le fauteuil dans le coin, et je fis signe à mon équipe de me suivre tandis que je traversais la pièce jusqu'à la porte.

— On va te laisser avec ton repas et ton épouse. (Je souris à nouveau à Marie.) Pour quand est-ce prévu, exactement?

Elle plaça ses mains sur les côtés de son ventre.

— Novembre.

Je poussai Vic et Lucian dans le couloir – le vieux shérif déjeunait avec Isaac Bloomfield, mais nous autres étions seuls. Je m'apprêtai à fermer la porte lorsque j'entendis:

— Hé, chef?

Je m'arrêtai et passai ma tête dans l'embrasure de la porte.

— Ouaip?

Santiago baissa les yeux vers la viande bouillie, mais j'étais assez sûr que ce n'était pas ce qu'il contemplait vraiment.

— Je...

Il s'interrompit, leva les yeux et fit une nouvelle tentative.

— Ne t'en fais pas, Sancho.

Vic descendit la vitre de sa voiture de patrouille de huit ans d'âge sur le parking du Durant Memorial.

— On dirait que cela ne laisse qu'un seul mystère irrésolu.

J'ouvris la porte de mon pick-up et regardai Henry déplacer les sacs de provisions vers le milieu de la banquette et monter du côté passager. Le chien était endormi à l'arrière.

— Pas vraiment. Mai Kim avait donné naissance à la grand-mère de Ngo Loi trois ans avant que j'arrive à Tan Son Nhut.

— T'es blanchi, donc. (Son sourire carnivore découvrit sa canine et elle démarra son camion.) Tu es rapide, mais pas si rapide que ça. (Elle enclencha une vitesse.) Tu te souviens que tu as un débat ce soir ?

Je sortis ma montre de ma poche et regardai l'heure.

— Ouaip, mais on devrait avoir fini vers 20 heures.

— Et alors ?

Je rangeai ma montre et réfléchis au fait que je m'apprêtais à demander à mon adjointe de sortir avec moi devant Henry. C'était assez pour sabrer tout mon courage, mais je pensai que c'était le moment de tout révéler.

— Je me demandais… ?

Elle ne dit rien.

Je lançai un coup d'œil à la Nation Cheyenne, qui ne nous quittait pas des yeux.

— Henry tient son bar et Cady et Michael sont occupés, d'autant qu'il s'en va demain, alors je me disais…

Elle m'observa longuement. Je me crus obligé d'ajouter quelque chose, mais elle se mit à parler et je me ravisai.

— Il faut que je me lave les cheveux.

Je restai là, à la regarder s'éloigner dans un hurlement de pneus lorsqu'elle sortit du parking. Je tentai de comprendre ce que j'avais fait de travers. Je savais que j'étais un peu rouillé, mais sa réaction paraissait un peu brutale. Je démarrai le Bullet et mis ma ceinture. Henry resta assis sans dire un mot. Le chien ne dit rien non plus.

— Quoi?

Il tourna la tête pour regarder à travers le pare-brise.

— Rien.

— Quoi?

Je le regardai essayer de réprimer un sourire.

— Juste un petit conseil. (Il se tourna vers moi.) La prochaine fois, essaie de ne pas avoir l'air de dire que tu n'as rien de mieux à faire.

Tan Son Nhut, Vietnam: 1968

Je n'avais rien de mieux à faire, alors je me dis, autant me prendre une cuite.

Mon épaule droite me faisait toujours un mal de chien, mais je découvris qu'avec un peu d'entraînement, j'arrivais à boire de la main gauche. Je m'entraînais assidûment depuis que j'avais été relâché de l'hôpital de la base deux jours auparavant. Je n'allais pas être évacué avant 1820 et le vol lui-même jusqu'au quartier général ne durerait que vingt minutes, puis le prévôt voulait que je lui fasse un débriefing en personne sur mon enquête. Il ne serait pas content que je sois ivre, mais il ne serait pas content de toute manière, alors je me dis que je m'en fichais pas mal. Je regardai le morceau de papier posé sur le banc du piano à côté de moi et avalai un autre whisky. Ce n'était pas mon arme de choix habituelle, mais j'étais pressé. L'ambiance commençait juste à s'animer un peu au Boy-Howdy Beau-Coups Good Times Lounge et l'endroit commençait à se remplir, mais personne ne s'approcha de moi.

Si on devient assez malchanceux dans la vie, il y a un moment où les gens commencent à vous associer avec la mort.

J'avais écrit trois lettres déjà, et je commençais à trouver déprimant d'écrire à propos des morts. Le Khang promit de donner celle-ci à une fille qui connaissait quelqu'un à côté du village où vivait, paraît-il, la famille de Mai Kim. Est-ce que la lettre parviendrait à destination? Est-ce que la famille apprécierait? Est-ce que cela avait de l'importance, finalement?

Je ramassai la bouteille, remplis mon verre et luttai avec la vague de regrets, de dépression, de colère et de dégoût qui ne cessait de monter malgré le flot d'alcool. Je me dis qu'il devrait y avoir quelqu'un, dans cet endroit, à qui je devrais dire au revoir, mais il ne restait personne.

La lettre n° 1 irait à San Antonio, au Texas. Baranski avait effectivement abattu Mendoza d'une balle dans la nuque au bord de Highway 1.

La lettre n° 2 irait à West Hamlin, en Virginie-Occidentale. Le nom du sergent borgne était George Seton, et il avait survécu encore quatre jours après que les deux balles de son AK avaient emporté une bonne moitié de la poitrine de Baranski. Avant de succomber aux blessures qu'il avait reçues pendant ce qu'on appelait désormais l'offensive du Têt, il avait fait une déposition devant les agents de la sécurité de la 377e qui m'avait exonéré de la mort de Baranski. J'allais probablement être décoré d'une Bronze Star et d'un Purple Heart pour ma tentative de repousser l'offensive. Je me dis que ça et une pièce de dix cents me donneraient droit à un coup de fil.

La lettre n° 3 irait à l'aviation de l'ARVN pour être transmise aux parents de Hoang à Saigon. J'avais tenté de peindre sous des couleurs honorables et braves les raisons pour lesquelles leur fils était mort en se vidant de son sang à l'arrière d'une jeep entre Saigon et la base de l'Air Force de Tan Son Nhut.

La lettre n° 4 était celle que je n'avais pas encore écrite. Je posai le verre et regardai fixement les touches écaillées du piano. Il n'y avait pas d'autre musique dans le Boy-Howdy Beau-Coups Good Times Lounge, parce que j'avais arraché le fil électrique du juke-box et je l'avais jeté dans les bambous, dehors. Je tendis un index et enfonçai un *fa*, j'écoutai sa résonance qui fit vibrer ma mémoire.

En hommage à Mai Kim, je me lançai dans une version à une main de *A Good Man is Hard To Find* de Fats Waller. J'avais joué l'interlude et j'attaquais le refrain avec une certaine solennité lorsque je remarquai la présence d'un soldat de petite taille, debout à côté du piano, qui chantait:

— *A good man is hard to find, you always get the other kind. Just when you think he's your pal, you find him foolin' 'round some other gal. Then you rave, you even crave to see him laying in his grave...**

Je levai les yeux vers la femme petite mais imposante aux lèvres démesurément épaisses; elle ne chantait pas bien, mais elle avait une voix puissante.

— Marine, vous ne paraissez pas correspondre aux cent cinquante kilos de jam, de swing et de tout le reste de Fats. (Elle arborait un sourire gigantesque.) Ça faisait un moment que je n'avais pas entendu du Fats Waller.

Je regardai ma main et remarquai que j'avais cessé de jouer. J'ôtai rapidement mon couvre-chef et saluai les deux hommes des forces spéciales qui l'accompagnaient. Elle portait le béret et l'uniforme, mais pas d'insigne indiquant son rang. Elle ne me salua pas, alors je me dis qu'elle était la gradée et je tentai de me lever, mais elle tendit un bras et me fit me rasseoir sur le banc du piano. Nos yeux étaient pratiquement au même niveau.

— Êtes-vous le lieutenant Longmire?

— Oui, Madame.

Elle secoua la tête et sourit à nouveau en lisant mon nom sur ma chemise.

— Vous êtes l'inspecteur des marines Walter Longmire de Durant, dans le Wyoming?

— Oui, madame.

— Je viens de Butte, dans le Montana.

Je ne sus que répondre à cela, alors je ne dis rien. Elle sortit un morceau de papier de son énorme poche poitrine et tenta de me le tendre. Je ne réagis pas, alors elle souleva le verre posé sur le piano et coinça le papier dessous.

* Un homme bien est difficile à trouver, on tombe toujours sur le genre opposé. Juste au moment où tu crois qu'il est ton ami, tu découvres qu'il tourne autour d'une autre fille. Tu t'emportes, tu rêves même de le voir couché dans sa tombe...

— Cela vient d'un ami à vous qui se trouve vers le nord. Il savait que je passais par Tan Son Nhut et j'ai promis que je vous le remettrais en mains propres. (Elle m'observa pendant encore un moment.) Vous êtes bien Walt Longmire ?

— Oui, madame.

Elle sourit, engloutit le contenu de mon verre et reposa délicatement le verre vide sur le mot.

— Prenez soin de vous, lieutenant.

Elle déposa un baiser sur le sommet de ma tête et je la suivis du regard tandis qu'elle s'éloignait vers la porte.

Un pilote s'approcha et me regarda soulever le verre pour prendre le papier qui s'était collé dessous. C'était un mot tapé en lettres noires et il avait été visiblement écrit par quelqu'un qui tapait à deux doigts, parce que la pression était la même sur toutes les lettres. Il venait d'un site montagneux du Laos, à une quinzaine de kilomètres de la frontière – c'était un poste qui n'était même pas censé exister. L'équipe de reconnaissance du Wyoming m'assurait qu'il allait bien et il s'interrogeait sur la manière dont je m'étais sorti des récents développements de la guerre de sa façon bien à lui. Je lus : "Tu as vu ton fantôme, récemment ?"

Le verre ne trembla pas dans ma main quand me revinrent les mots lus par un professeur spécialiste de Shakespeare à l'USC devant une classe peu motivée : "J'ai ouï dire, mais sans y croire, que les âmes des morts revenaient quelquefois."

Le pilote se pencha en avant et me regarda dans les yeux.

— Comment vous la connaissez ?

Je me versai un autre verre.

— Qui ?

— Le colonel Maggie.

— Qui ?

— Martha Raye, lieutenant. Elle était dans le Steve Allen Show. C'était une actrice…

J'avalai le contenu du verre avant de le reposer sur le mot de l'Ours, ramassai le stylo et commençai à écrire la lettre à la famille de Mai Kim avec une vigueur nouvelle. Il fallait que je quitte le Vietnam, ce pays devenait aussi étrange que le Wyoming.

Je déposai Henry à côté de sa Thunderbird et le chien chez Ruby. J'arrivai tard au gymnase, mais je me changeai et montai rapidement les marches jusqu'à l'étage où se trouvaient les machines Universal. Je tournai le coin en haut de la première volée de marches et je m'apprêtais à entamer la seconde lorsque j'entendis un éclat de rire qui me fit ralentir.

Je m'arrêtai. Je voyais Cady, assise à la machine pour le développé des jambes, et le frère de Vic, debout devant elle, le dos tourné vers moi. Le T-shirt de Michael était tendu sur ses larges épaules et on y lisait BUREAU DES HOMICIDES DE PHILADELPHIE, NOTRE JOURNÉE COMMENCE LORSQUE LA VÔTRE SE TERMINE. Ils rirent à nouveau et je l'écoutai tenter de motiver ma fille pour qu'elle finisse son entraînement.

— Encore deux…

J'attendis pour voir comment le conflit se résoudrait, et je luttai ensuite contre la vague d'épuisement qui clouait mes pieds sur les marches de ciment et me forçait à repenser à la scène qui s'était déroulée tout juste une heure auparavant. Je repris mon souffle, un nombre considérable d'émotions me déchiraient, comme les alouettes qui avaient déchiré le sac à provisions de Virgil.

Le sac que j'avais laissé au début de la semaine était toujours accroché à la barrière de Lone Bear Road.

Je m'étais assis avec le chien, j'avais déposé le sac à provisions à mes pieds et j'avais regardé les rares véhicules s'appliquer à ralentir et à passer sur l'autre file. Le Wyoming était un État où on autorisait le franchissement de la ligne continue en cas d'urgence, après tout. Je repensai à ce matin. Je repensai à Ngo Loi Kim qui ne voulait pas descendre de mon camion.

Une conversation à trois nous avait occupés pendant presque une heure, avec Henry dans le rôle du traducteur, mais il semblait qu'il y avait encore tellement à dire et si peu de temps pour le dire. J'avais essayé de lui parler de Mai Kim et de la guerre.

Elle m'avait donné une lettre. Les mots à peine lisibles avaient été écrits d'une main maladroite. Les termes choisis étaient simples et sentimentaux, et le gars qui avait écrit manquait terriblement de pratique pour exprimer des condoléances. Il avait fini par en acquérir avec le temps.

Je me demandais ce que j'aurais dit à ce marine au visage poupin, et ce que je ne lui aurais pas dit. Je me demandais ce qu'il aurait eu à me dire. Est-ce qu'il aurait approuvé ce que nous étions devenus ? Est-ce qu'il aurait pensé que j'étais quelqu'un de bien ?

Je l'espérais, et en lisant la lettre si ancienne dont les pliures et les bords étaient effilochés, usée d'avoir été trop manipulée, je me souvins que j'avais écrit à la famille de Mai Kim que je lui avais parlé d'un lieu à l'autre bout du monde – un passage ordinaire entre deux parois rocheuses rouges pas ordinaires où des personnages peu recommandables avaient trouvé un endroit par lequel faire passer le bétail volé, de truites grasses qui jouaient de leur queue puissante dans l'eau transparente et glaciale – de chez moi, un endroit où les sommets couverts de neige veillaient sur nous.

— Tu ne t'attendais pas vraiment à ce qu'il soit là, quand même ?

Je levai les yeux vers Henry Standing Bear puis les baissai vers le sac en plastique qui s'était entortillé dans le vent et s'était transformé en une sangle tressée bien serrée. Je voyais encore le contour des provisions intactes – il y avait quelques pommes que les alouettes avaient réussi à atteindre en attaquant le plastique, une boîte de crackers au poulet et une boîte d'huîtres fumées.

Le soleil de l'après-midi nous réchauffait et les volutes d'une brise fraîche descendaient des montagnes. Je regardai l'entrée du tunnel mais ne vis aucune trace dans le lit boueux de la Murphy Creek.

— J'imagine que c'est comme un nid d'oiseaux sauvages. Une fois qu'on y touche, ils s'en vont.

L'Ours s'assit à côté de moi sur la barrière et son regard alla se poser sur les Bighorns. Deux nuages étaient suspendus au-dessus de Cloud Peak comme des signaux de fumée.

— Peut-être.

Virgil avait pris deux balles, mais elles n'avaient pas causé beaucoup de dégâts ; l'une lui avait effleuré les côtes, et l'autre s'était logée dans le gras de son mollet. Henry était resté avec le géant jusqu'à ce qu'il soit réparé et ensuite, pendant les deux jours et deux nuits suivants. Le troisième jour, la Nation Cheyenne s'était absentée pour prendre une douche pendant que Virgil dormait. À son retour, le géant avait disparu.

C'était son histoire, et jusque-là il n'en démordait pas.

Je sortis les crackers du vieux sac, puis j'ouvris la boîte d'huîtres, en vidai l'huile de coton, et en déposai quelques-unes sur un cracker. Sous l'œil vigilant du chien, je le tendis à l'Ours.

— Où crois-tu qu'il est allé ?

Il lança un regard dubitatif à mon hors-d'œuvre de col-bleu puis le fourra dans sa bouche pour éviter de devoir répondre à ma question.

J'attendis un peu, donnai un cracker au chien, puis m'en préparai un et imitai Henry dans la contemplation des quelques champs de neige qui restaient dans les montagnes. Je sentais le soleil sur mon visage et je plissai les yeux, savourant le plaisir de sa chaleur, simplement heureux d'être là.

— Si tu le savais, tu ne me le dirais pas, hein ?

— Encore deux.

La voix de Michael interrompit ma rêverie et je fus ramené à la scène dramatique qui se préparait dans le gymnase en haut de l'escalier. Cady le regarda et sourit. Elle était si jolie.

— Encore un.

Sa voix à lui s'éleva, gentille mais ferme.

— Non, encore deux.

Je souris devant le constat de ma propre jalousie et de mon angoisse fébrile à la perspective d'être remplacé, puis je redescendis les marches. Michael n'avait plus qu'un après-midi avec elle, et j'avais encore un mois avant qu'elle ne retourne à Philadelphie. De toute manière, il la motivait probablement plus que je ne le ferais jamais. Je m'arrêtai au pied de l'escalier.

— Encore un…

J'écoutais leurs rires. L'Ours s'était moqué de moi pour avoir laissé les provisions, pour avoir tenté de résoudre tous les mystères, mais il l'avait fait gentiment. Virgil White Buffalo, membre des Crooked Staff et des Crazy Dogs, était là, quelque part dehors, et peut-être que Henry avait raison de ne pas me dire où exactement.

Il savait que nos chemins n'étaient pas si différents l'un de l'autre. Nous nous étions tous les deux enfuis le plus loin possible de la guerre, jusqu'aux franges de notre société, mais le Vietnam nous avait rattrapés : les circonstances, deux filles désespérées, un méchant très méchant, une vieille photographie et une lettre décolorée s'en étaient chargés.

Peut-être n'était-ce pas tant que nous étions hantés, mais c'était la manière dont nous choisissions de gérer ces échos dans notre vie et le moment que nous choisissions pour le faire qui faisaient de nous des êtres à part. Peut-être que le combat que j'avais choisi de mener au Vietnam avait laissé des marques. C'était un héritage qui me liait plus fortement aux morts qu'aux vivants. C'était là, disait Ruby, mon défaut.

Leurs voix continuaient à me parvenir d'en haut.

— Non, encore deux...

Remerciements

Un écrivain, comme un shérif, est l'incarnation d'un groupe d'individus, et sans leur soutien, tous deux sont dans une situation difficile. J'ai la chance de bénéficier d'un cercle de parents, d'amis et d'associés très proches qui ont rendu ce livre possible. Ce livre est une œuvre de fiction, et en tant que tel, il est important de souligner que les gars du 377ᵉ escadron des forces de police étaient des agents de tout premier ordre.

Je voudrais remercier Kara Newcomer, historienne auprès du service de l'histoire du corps des marines des États-Unis, et les gens de Willow Creek Ranch. Janet Hubbard-Brown et Astrid Latapie qui m'ont aidé avec les Français lors de l'exercice incendie indochinois, et les médecins et autres membres du personnel du centre d'accueil médicalisé des vétérans de fort Mackenzie à Sheridan, en particulier Hollis W. Hackman et Chuck Guilford.

Je remercie mes chefs d'équipe, Gail Hochman, Kathryn Court, Alexis Washam et Ali Bothwell Macini ; mon officier chargé de la logistique, Sonya Cheuse ; et Susan Fain, ma conseillère en questions militaires. Merci à Marcus Red Thunder d'avoir ôté le silencieux de la jeep pour faire croire à l'ennemi que nous arrivions avec des tanks. Chapeau à Eric Boss pour avoir réquisitionné tout ce dont j'avais besoin, y compris la bière. Un grand merci à James Crumley pour la gamelle et à Curt Wendelboe et Rob Kresge pour m'avoir fait remarquer, en douce, qu'il régnait un calme suspect.

Et je dédie ce livre à la personne avec laquelle j'ai le plus de plaisir à partager mon trou de tirailleur, mon épouse, Judy.

collection totem

Rick Bass
Les Derniers Grizzlys
Le Livre de Yaak

Larry Brown
Joe

Ron Carlson
Le Signal

Pete Fromm
Indian Creek

Craig Johnson
Little Bird
Le Camp des Morts
L'Indien blanc
Enfants de poussière

Dorothy M. Johnson
Contrée indienne

Ross Macdonald
Cible mouvante
Noyade en eau douce
À chacun sa mort
Le Sourire d'ivoire

Bruce Machart
Le Sillage de l'oubli

Howard McCord
L'Homme qui marchait sur la Lune

Larry McMurtry
Lonesome Dove I
Lonesome Dove II
La Dernière Séance
Texasville

David Morrell
Premier sang

Tim O'Brien
À propos de courage

Doug Peacock
Mes années grizzly

Tom Robbins
Même les cow-girls ont du vague à l'âme
Féroces infirmes retour des pays chauds
B comme Bière

Mark Spragg
Une vie inachevée

Glendon Swarthout
Le Tireur

William G. Tapply
Dérive sanglante
Casco Bay

Jim Tenuto
La Rivière de sang

Trevanian
La Sanction
L'Expert

David Vann
Sukkwan Island
Désolations

Kurt Vonnegut
Dieu vous bénisse, monsieur Rosewater
Le Petit Déjeuner des champions

Larry Watson
Montana 1948

Lance Weller
Wilderness

www.gallmeister.fr

CET OUVRAGE A ÉTÉ COMPOSÉ PAR
ATLANT'COMMUNICATION
AU BERNARD (VENDÉE).

ACHEVÉ D'IMPRIMER EN JANVIER 2014 SUR LES PRESSES
DE NORMANDIE ROTO IMPRESSION S.A.S., 61250 LONRAI
POUR LE COMPTE DES ÉDITIONS GALLMEISTER
14, RUE DU REGARD, PARIS 6ᵉ

IMPRIMÉ EN FRANCE

DÉPÔT LÉGAL: MARS 2014
Nº D'IMPRESSION: 1400279